CITATIONS

«De l'humour de Christina Lauren à leur goût
pour les jeux de mots et la littérature, des scènes d'amour
qui vous feront rougir, aux héroïnes qui apprennent
à mettre de côté leurs doutes sur elles-mêmes...
Christina Lauren décrit les tourments doux-amers
de l'amour et de la perte de l'être aimé
avec une clarté perçante.»
— *Entertainment Weekly*, à propos de *Love and Other Words*

«Un triomphe... de la joie pure du début à la fin.»
— Kristin Harmel, auteur du best-seller international *The Room on Rue Amélie*,
à propos de *Love and Other Words*

«Lauren apporte son charme caractéristique à l'histoire.
Le récit de Holland va au-delà du coup de cœur non
réciproque ; il parle d'attentes envers soi-même, d'amitiés
problématiques, de familles non conventionnelles
et de l'étrange pouvoir de l'amour.»
— *Booklist* à propos de *Roomies*

«Délicieux.»
— *People*, à propos de *Roomies*

«Tour à tour hilarant et déchirant, c'est une brûlure
terriblement drôle et lente.»
— *The Washington Post*, à propos de *Dating You / Hating You*
(sélection des meilleures romances de 2017)

«Une véritable romance du XXIe siècle.
[*Dating You / Hating You*] est une romance astucieuse et sexy,
qui s'adresse aux lecteurs avides de girl power.»
— *Kirkus Reviews*, à propos de *Dating You / Hating You*

«Christina Lauren décrit les relations modernes
d'une manière hilarante.»
— *Us Weekly*, à propos de *Dating You / Hating You*

DU MÊME AUTEUR

Standalones
Love and Other Words
Roomies
Dating You / Hating You

La série Beautiful
Beautiful Bastard
Beautiful Stranger
Beautiful Bitch
Beautiful Bombshell
Beautiful Player
Beautiful Beginning
Beautiful Beloved
Beautiful Secret
Beautiful Boss
Beautiful

La série Wild Seasons
Sweet Filthy Boy
Dirty Rowdy Thing
Dark Wild Night
Wicked Sexy Liar

Jeune adulte
The House
Sublime
Autoboyography

Josh + Hazel
ou comment ne pas tomber amoureux

Édition en langue française : *Josh & Hazel ou comment ne pas tomber amoureux…*
Photographie et design de couverture : © JPL Designs / Shutterstock

Ouvrage dirigé par Isabelle Solal
Collection New Romance® créée par Hugues de Saint Vincent,
dirigée par Arthur de Saint Vincent
© 2019, Hugo Roman, département de Hugo Publishing
34-36, rue La Pérouse
75116 – Paris
www.hugoetcie.fr

ISBN : 9782755641905
Dépôt légal : juin 2019
Imprimé en France par Corlet Imprimeur – N° 203136

NEW ROMANCE®

Josh & Hazel
ou comment ne pas tomber amoureux

CHRISTINA LAUREN

Roman

Traduit de l'anglais (États-Unis)
par Margaux Guyon

Hugo ✦ Roman

Pour Jen Lum, Katie et David Lee

Hazel Camille Bradford

Avant de commencer, il y a plusieurs choses que vous devez savoir sur moi :

1. Je suis à la fois fauchée et paresseuse, une combinaison terrible.
2. Je suis toujours mal à l'aise quand je vais à une fête, et mes efforts pour me détendre me poussent en général à boire jusqu'à me retrouver seins nus.
3. J'ai tendance à préférer les animaux aux humains.
4. On peut toujours compter sur moi pour faire ou dire la pire chose possible dans un moment délicat.

En somme, *j'excelle* dans l'art de me tourner en ridicule.

Cela devrait expliquer, d'entrée de jeu, pourquoi je n'ai jamais réussi à sortir avec Josh Im : je me suis toujours montrée sous le pire jour possible en sa présence, la parfaite antithèse de la séduction avec qui il est impossible d'envisager un «date».

Par exemple, quand nous nous sommes rencontrés, j'avais dix-huit ans, il en avait vingt, et j'ai vomi sur ses chaussures.

Ce qui ne surprendra aucune des personnes alors présentes (en accord avec le point numéro 2, ci-dessus), je ne conserve aucun souvenir de cette soirée, mais croyez-moi, Josh, lui, s'en souvient dans ses moindres détails. Apparemment, j'ai renversé une table pliante sur laquelle étaient posés un nombre indécent de verres, quelques minutes après avoir débarqué dans ma première vraie fête universitaire. J'ai donc battu en retraite dans le recoin de la honte avec mes camarades de licence, où j'ai noyé ma gêne dans tout l'alcool bon marché disponible.

Quand Josh raconte cette histoire, il n'oublie jamais de préciser qu'avant de vomir sur ses chaussures, je l'ai charmé avec les propos suivants : «Je n'ai jamais rencontré un mec aussi sexy que toi et je serais honorée de t'offrir mon corps ce soir.»

J'ai chassé l'amertume de son silence horrifié avec un shot de Cointreau pris sur les abdos de Tony Bialy — une très mauvaise initiative.

Cinq minutes plus tard, je vomissais partout, y compris sur Josh.

Ça ne s'est pas arrêté là. Un an plus tard, j'étais en deuxième année, et Josh en troisième. À ce stade, j'avais appris que les shots de Cointreau étaient une erreur de débutant, et qu'une chaussette glissée sur la poignée de la porte signifiait que votre camarade de chambre était en train de baiser, donc merci de ne pas déranger.

Malheureusement, Josh ne parlait pas le langage des chaussettes. De mon côté, j'ignorais qu'il cohabitait avec Mike Stedermeier, le quarterback star *et* le mec que je me tapais à ce moment-là. *À ce moment-là,* c'est-à-dire à cet instant précis. Ma deuxième rencontre avec Josh Im a donc eu lieu lorsqu'il est entré dans sa chambre et m'a trouvée nue, allongée sur son canapé, en pleine action.

Mais je crois que le meilleur exemple est l'anecdote que nous aimons appeler L'Incident de l'Email.

Pendant le second semestre de mon année de licence 2, Josh était l'assistant pédagogique de mon cours d'anatomie. Jusque-là, je savais qu'il était beau gosse, mais j'ignorais qu'il était en réalité *merveilleux.* Il faisait des heures supplémentaires pour aider les étudiants en difficulté. Il partageait ses notes avec nous et organisait des séances de révision au coffee-shop avant les examens. Il était intelligent, drôle et aussi cool que je ne l'étais — et ne le serai jamais.

Nous avions toutes un faible pour lui, mais dans mon cas, c'était un sentiment plus profond. Josh Im était devenu mon modèle de perfection masculine. Je voulais être son amie.

Revenons à mon histoire. On venait juste de me retirer les dents de sagesse. J'étais convaincue depuis le début que ce serait un jeu d'enfant : enlever quelques dents, prendre deux trois Ibuprofène, et basta. Mais, en fait, mes dents étaient compliquées à extraire et on a dû me mettre K.-O. pour m'opérer. Je me suis réveillée plus tard chez moi, transpirante à cause des antidouleur, avec des cavités douloureuses dans la bouche, les joues pleines de coton, et le soudain flash que je devais rendre un devoir dans les deux jours.

Après avoir refusé que ma mère, sobre, rédige le mail, j'ai composé et envoyé le texte suivant, imprimé et encadré par les soins de Josh, et ornant actuellement ses toilettes.

Chre Josh,
En cours tu a dit que si on t'envoyait notre devoir par mail tu y jetterais un coup d'œil. Je voulais t'envoyer mon devoir et je l'ai noté dans mon agenda pour pas oublier. Mais le truc c'est que j'avais une dent de sagesse et qu'on me les a toutes enlevées. J'ai beaucoup travaillé pour ce cour et toujours obtenu des B (!!!). Tu es très intelligent et je sias que j'aurai une meilleure note si tu m'aides. Je peux avoir quelques jours de rab????? Je me sens pas très bien à cause des cachets et s'il te plaît je sais que tu ne peux pas faire des exceptions pour tout le monde mais si tu le fais pour moi juste cette fois je ferai seulement des vœux pour toi quand je jetterai des pièces dans les fontaines à partir de maintenant
    je t'aime,
    Hazel Bradford (c'est Hazel et pas Haley comme tu as dit ça va ne sois pas gnée gêné ou triste)

Il a incidemment imprimé sa réponse et l'a encadrée juste en dessous :

Hazel-et-pas-Haley,
Je peux faire une exception pour toi. Et ne t'inquiète pas, je ne suis pas gêné. Ce n'est

pas comme si j'avais vomi sur tes chaussures ou roulé tout nu sur ton canapé.

Josh

C'est à ce moment précis que j'ai su que Josh et moi étions destinés à devenir meilleurs amis et que je ne pourrais jamais, au grand jamais, tout gâcher en essayant de coucher avec lui.

Malheureusement, il a obtenu son diplôme et coucher avec lui a cessé d'être un problème parce que je n'allais plus le revoir avant presque dix ans. Vous pourriez penser qu'avec le temps je m'assagirais, ou qu'il aurait tout oublié d'Hazel-et-pas-Haley Bradford.

Vous auriez tort.

CHAPITRE 1

Hazel

Sept ans plus tard

Toute personne m'ayant connue à l'université serait horrifiée d'apprendre que j'ai fini par devenir institutrice, responsable de l'éducation d'une jeunesse ingénue et influençable, mais en réalité, je me soupçonne d'être assez douée en la matière. D'une, je n'ai pas peur de me ridiculiser. De deux, je crois que quelque chose dans le cerveau des enfants de huit ans résonne avec le mien, sur un plan spirituel.

J'ai un faible pour les CE2 ; les enfants de huit ans me font *délirer*.

Pendant mes deux ans de stage d'enseignement en CM2, je me sentais constamment mal à l'aise et stressée. Une année supplémentaire en maternelle m'a suffi pour comprendre que je n'avais pas l'endurance nécessaire pour apprendre à aller sur le pot à autant d'enfants.

J'ai trouvé en classe de CE2 l'équilibre parfait entre les blagues de pets sans les pets intentionnels, parfois désastreux, les câlins des enfants qui pensent que je suis la personne la plus intelligente du monde et l'autorité requise pour qu'il me suffise de taper une fois dans mes mains pour obtenir l'attention de la classe.

Malheureusement, aujourd'hui, c'était le dernier jour de classe. Tandis que je décroche les nombreux dessins, posters à slogans, calendriers, tableaux de liège pleins de gommettes et autres œuvres d'art des murs de ma salle, je réalise que c'était aussi la dernière fois que je verrai *cette* classe de CE2 en particulier. Une petite boule de chagrin se matérialise dans ma gorge.

– Tu as ton air d'Hazel Triste.

Je me retourne, surprise de trouver Emily Goldrich derrière moi. Non seulement c'est ma meilleure amie mais elle est aussi institutrice – même si elle ne travaille pas à Merion – et elle a l'air fraîche et dispose, parce que pour elle, les vacances d'été ont commencé depuis une semaine déjà. Em tient à la main un sac en papier que j'espère plein de plats thaï à emporter. J'ai tellement faim que je serais capable de dévorer la petite barrette en forme de pomme qui brille dans ses cheveux. Je ressemble à un balai à franges sale, couverte des paillettes que Lucy Nguyen, huit ans, m'a jetées dessus en pensant que ce serait une surprise amusante pour le dernier jour d'école.

– Oui, je suis un peu nostalgique. (Je désigne les trois murs vides, sur quatre, de la salle.) Même si c'est cathartique, d'une certaine manière.

Emily et moi nous sommes rencontrées il y a neuf mois sur un forum politique en ligne, où il est vite devenu clair que ni l'une ni l'autre n'avions d'enfant, vu le temps que nous passions à nous plaindre dans le vide. Nous nous sommes rencontrées en personne pour vider nos sacs autour d'un café et nous sommes devenues immédiatement amies. Il serait peut-être plus exact de dire que j'ai décidé qu'elle était géniale avant de la tanner pour prendre un café avec moi jusqu'à ce qu'elle accepte. D'après Emily, quand je rencontre quelqu'un qui me plaît, je deviens une pieuvre qui agite ses tentacules autour de son cœur et resserre progressivement son étreinte, jusqu'à ce qu'il ne puisse plus nier que l'affection est réciproque.

Emily enseigne à Riverview en CM2 – c'est une véritable guerrière. Lorsqu'un poste d'institutrice de CE2 s'est libéré dans son école, je me suis ruée vers le bureau du secteur scolaire, mon dossier de candidature sous le bras. J'espérais tellement obtenir la place convoitée dans cette école réputée que c'est seulement quand je suis sortie de ma voiture et que j'ai commencé à gravir les marches menant au bureau des ressources humaines, que je me suis rendu compte que (1) j'avais oublié de mettre un soutien-gorge et (2) je portais en revanche toujours mes chaussons Homer Simpson.

Mais c'était un point de détail. Deux semaines plus tard, j'avais revêtu une tenue appropriée pour l'entretien. Et devinez qui a obtenu le job ?

Je crois bien que c'est moi !

(Enfin, ce n'est pas encore confirmé, mais Emily est la femme du directeur, donc je suis à peu près certaine qu'il sera pour moi.)

– Tu viens ce soir ?

La question d'Em me distrait de la guerre physique et mentale engagée avec une agrafe particulièrement têtue, qui refuse de se décrocher du mur.

— Ce soir ?

— Ce soir.

Je lui jette un coup d'œil patient par-dessus l'épaule.

— Plus d'indices ?

— Chez moi.

— Des indices plus spécifiques ?

J'ai passé de nombreux vendredis soir chez Em à jouer au train mexicain – un jeu de dominos – avec elle et Dave son mari, tout en savourant de la viande soigneusement grillée par ce dernier.

Elle soupire et avance jusqu'à mon bureau, trouve un marteau dans ma boîte à outils à imprimé dalmatien et me le tend pour me permettre d'extraire plus facilement le morceau de métal du plâtre.

— Le *barbecue*.

— C'est vrai ! (Je brandis le marteau en signe de victoire. Plus rien ne m'arrêtera dans le processus de destruction de cette petite chienne d'agrafe ! Ou de recyclage responsable.) La fête entre collègues.

— Ce n'est pas officiellement une fête entre collègues. Mais quelques instits cool seront là et ce serait sympa que tu les rencontres.

Je la dévisage en feignant l'inquiétude ; pas facile d'oublier le point numéro 2 du guide Hazel.

— Tu promets de contrôler ma consommation d'alcool ?

Pour une raison que j'ignore, elle éclate de rire. Une vague d'impatience authentique me submerge quand elle répond :

— Ça ne devrait pas poser de problème avec l'équipe de Riverview.

~

J'ai l'impression qu'Emily ne se moquait pas de moi. La musique me parvient du fond de l'allée lorsque je sors de Giuseppe, ma loyale Saturn 2009. Je reconnais la voix de l'un des chanteurs espagnols que Dave affectionne, rythmée par le bruit irrégulier des verres qui s'entrechoquent, des voix et de son rire aussi retentissant que génial. Je devine le délicat fumet de la *carne asada*, ce qui signifie qu'il y a aussi des Margaritas au menu, ce qui signifie que je devrai me concentrer pour ne pas me retrouver topless ce soir.

Souhaitez-moi bonne chance.

Après avoir pris une longue inspiration vivifiante, je jette un dernier coup d'œil à ma tenue. Rien à voir avec de la vanité, je le jure. La plupart du temps, ou presque, j'oublie un bouton, ma jupe est coincée dans ma culotte ou je porte un vêtement à l'envers. Ce trait caractéristique pourrait expliquer, en partie, pourquoi les CE2 se sentent aussi à l'aise dans ma classe.

Le style de la maison d'Emily et Dave est typique de la fin de l'époque victorienne. Une masse de lierre qui n'en fait qu'à sa tête l'a envahie sur le côté de la façade qui donne sur l'arrière-cour. Un parterre sinueux de fleurs mène au portillon, j'emprunte l'allée en suivant la musique qui retentit derrière le portail.

Emily s'est vraiment donné de la peine pour organiser ce barbecue «Bienvenue l'été!». Une guirlande de lanternes en papier surplombe l'allée. Elle a même correctement placé la virgule sur la pancarte de bienvenue. Quand j'organise un dîner chez moi, j'achète des assiettes en carton et un cubi de vin. En général, trois minutes avant de servir, je cours dans tous les sens comme une folle parce que j'ai brûlé les lasagnes, en criant JE N'AI PAS BESOIN D'AIDE, INSTALLEZ-VOUS ET PROFITEZ DE L'INSTANT.

Je ne devrais pas m'amuser à me comparer aux autres, et encore moins à Emily. J'adore cette fille mais, à côté d'elle, le reste du monde fait pâle figure. Elle jardine, tricote, lit au moins un livre par semaine et a la chance de pouvoir manger comme un quarterback sans prendre un gramme. Elle a aussi Dave qui, en dehors d'être mon nouveau boss (je croise les doigts !), est naturellement progressiste, ce qui me laisse penser qu'il est encore plus et meilleur féministe que moi. Il mesure aussi près de deux mètres (je l'ai mesuré avec un spaghetti cru, un soir) et son physique est tellement parfait qu'on en serait presque à se poser des questions genre *tu es sûre qu'il n'est pas pompier ?* Je parie qu'ils s'éclatent au lit.

Emily crie mon nom, et mes futurs amis, massés autour d'elle, se tournent pour voir à qui elle vient de hurler : « Ramène tes fesses ! » Mais je suis immédiatement distraite par la vue du jardin ce soir. La pelouse a une teinte de vert qui n'existe pas en dehors de la région du Nord-Ouest Pacifique. Elle s'étend autour de l'allée de graviers comme un tapis d'émeraudes. Les hostas débordent des parterres pour déployer leurs feuilles et un chêne massif, dont les longues branches ornées de petites lanternes en papier protègent les invités des rayons du soleil couchant, trône au milieu des plantes.

Emily me fait signe de la rejoindre. Je souris à Dave – en hochant la tête genre, *sans blague, Dave,* lorsqu'il soulève le pichet de Margarita d'un air interrogateur – et me fraye un chemin parmi les invités (peut-être mes nouveaux collègues!) pour la saluer, de l'autre côté du jardin.

— Hazel, s'écrie Em, viens par ici. Sérieusement, dit-elle aux deux filles qui l'entourent, vous allez l'adorer.

Vous ne devinerez jamais! Ma première conversation avec les institutrices de CE2 de Riverview parle de seins, et cette fois, ce n'est même pas moi qui ai lancé le sujet. Je sais! Je ne m'y attendais pas, moi non plus! Apparemment, Trin Beckman est l'institutrice la plus expérimentée de notre niveau. Lorsqu'Emily désigne sa poitrine du doigt, je confirme volontiers qu'elle a un décolleté d'enfer. Elle semble penser qu'un autre soutien-gorge le mettrait plus en valeur et mentionne trois stylos, remarque que je ne comprends que partiellement. Allison Patel, mon autre collègue du CE2, se plaint de son bonnet A.

Emily montre sa poitrine, taille A également, et fronce les sourcils en lorgnant mon glorieux bonnet C.

— Tu gagnes.

— À quoi ressemble mon trophée? Une bite géante, en bronze?

Les mots m'ont échappé sans que j'aie eu le temps de les retenir. Je jure que ma bouche et mon cerveau sont des frère et sœur qui se haïssent cordialement et se flanquent des raclées sous la forme de moments mortifiants, comme celui-là. Maintenant, mon cerveau semble avoir déserté.

Emily a l'air d'avoir vu un mort. Allison paraît pensive, comme si elle soupesait très sérieusement mon commentaire. Nous sursautons toutes lorsque Trin éclate de rire.

— Tu avais raison, on va bien rigoler avec elle.

Je soupire en ressentant une petite décharge de fierté — surtout lorsque je réalise qu'elle carbure à l'eau. Mon absence de filtre ne fait pas rire Trin parce qu'elle est pompette à force d'ingérer les Margaritas démoniaques de Dave, elle n'a juste aucun problème avec les excentriques un peu zinzin. Mes tentacules de pieuvre frémissent.

Une ombre se matérialise à la droite d'Emily, mais je suis distraite par la Margarita que Dave me tend, à point nommé, en murmurant : « Tout doux, l'alcoolique » avant de s'éclipser.

Mon nouveau boss est le meilleur !

— Qu'est-ce qui se passe ici ? lance une voix masculine que je ne reconnais pas.

Emily rétorque :

— Nous étions en train de nous mettre d'accord sur le fait qu'Hazel a une plus belle paire de nichons que nous.

Je lève les yeux pour déterminer si je connais l'homme qui lorgne ma poitrine quand… oh.

Ohhhh.

Il écarquille ses yeux sombres avant de détourner le regard. Sa mâchoire carrée se contracte. Mon estomac fait un looping.

C'est lui. *Josh.*

Putain de *Josh Im.* Le modèle de perfection masculine.

Il tousse et réplique d'une voix rauque :

— Je crois que je vais m'abstenir de tout commentaire en la matière.

Josh a réussi l'exploit de devenir encore plus beau qu'à l'université. Bronzage et musculature parfaits, un visage sans le moindre défaut. Il baisse la tête, l'air horrifié, lorsque mon cerveau profite de l'occasion pour se venger de ma bouche.

— Pas de malaise. (J'esquisse de la main un geste extrêmement naturel.) Josh a déjà vu mes seins.

La fête s'arrête.

L'air se fige.

— Enfin, pas parce qu'il *voulait* les voir. (Mon cerveau tente désespérément de rattraper le coup.) C'était un concours de circonstances.

Un carillon tinte au loin, mélancolique.

Les oiseaux s'arrêtent en plein vol et s'écrasent sur le sol, agonisants.

— Ce n'est pas, genre, *moi* qui voulais qu'il les voie, dis-je, et Emily grogne douloureusement. Mais comme son camarade de chambre et moi…

Josh pose une main sur mon bras.

— Hazel. Juste… tais-toi.

Emily nous observe, complètement déboussolée.

— Attendez. Comment vous connaissez-vous ?

Il répond sans me quitter des yeux.

— La fac.

— Des jours glorieux, n'est-ce pas ?

Je lui offre mon meilleur sourire.

Après nous avoir regardés l'un après l'autre, Trin demande :

— Vous êtes *sortis ensemble ?*

Josh pâlit.

— Seigneur. *Jamais.*

Bordel, j'avais oublié à quel point ce mec me plaisait.

~

Cet escroc de Dave Goldrich, directeur, attend la troisième Margarita pour m'annoncer que je suis officiellement engagée à Riverview pour le poste d'institutrice de CE2. Je suis à peu près sûre qu'il a choisi ce moment pour se délecter de ma réponse, donc j'espère que mon « Bordel de merde ! Tu te fous de moi ? » ne l'a pas déçu.

Il rit.

— Absolument pas.

— Est-ce que j'ai déjà un énorme dossier aux ressources humaines ?

— Rien d'officiel.

Il se penche du haut de la Station spatiale internationale pour m'embrasser sur le front.

— Mais tu ne bénéficieras d'aucun traitement de faveur non plus. Je sépare ma vie professionnelle de ma vie personnelle. Tu devras en faire autant.

Je saute sur l'unique information qui compte ici.

— Alors, comme ça, je suis ta préférée ? (Je lui souris de toutes mes dents, ma charmante fossette fait son apparition.) Je ne dirai rien à Emily, si tu fais de même.

Dave éclate de rire et fait mine de me retirer mon verre, mais je m'échappe avant d'ajouter :

— Au sujet de Josh. Est-il insti… ?

— Ma sœur ne m'avait pas dit que tu allais travailler à Riverview.

Josh doit être un vampire, parce que je serais prête à jurer qu'il vient de se matérialiser à côté de moi.

Je me redresse en m'éventant le visage de la main et en tentant de comprendre ce qu'il vient de dire.

— Ta *sœur* ?

– Ma sœur, répète-t-il lentement, que tu connais sous le nom d'Emily Goldrich, également nommée Im Yujin par nos parents.

Le mystère s'éclaircit soudain. Je ne connaissais pas le nom de jeune fille d'Em. Je n'aurais jamais deviné que son grand frère bien-aimé – ou le dénommé *oppa* – dont j'entends parler depuis des lustres pouvait être le même Josh sur lequel j'ai vomi des années auparavant. Waouh. Voilà la version adulte du frère jumeau aux dents barrées de fer que j'ai vu sur les photos du salon d'Emily. Bien joué, puberté.

Je me tourne et crie par-dessus mon épaule.

– Emily, ton prénom coréen est-il Yujin ?

Elle acquiesce.

– Le sien, c'est Jimin.

J'observe Josh comme si je découvrais une nouvelle personne. Les deux syllabes de son prénom ressemblent à un soupir sensuel, une onomatopée que je pourrais murmurer avant l'orgasme, quand je perds mes mots.

– Je crois que je n'ai jamais entendu un prénom aussi sexy.

Il blêmit, comme s'il craignait que je lui propose à nouveau de coucher avec moi. J'éclate de rire.

Je réalise que je devrais me sentir humiliée, car l'Hazel du passé s'est comportée de manière extrêmement inappropriée. Mais ce n'est pas comme si je m'étais beaucoup améliorée, et les remords, ça ne me ressemble pas, de toute manière. Pendant trois courtes secondes, Josh et moi nous sourions, intensément amusés. Nos yeux doivent ressembler aux spirales des personnages de dessins animés.

Mais son sourire disparaît, probablement au moment où il se rappelle à quel point je suis ridicule.

Je murmure :

— Je promets de ne pas te faire de proposition indécente pendant la fête de ta sœur.

— Merci, répond Josh, gêné.

Dave demande :

— Hazel t'a déjà fait *une proposition indécente* ?

Josh acquiesce, sans me quitter des yeux pendant encore quelques secondes avant de se tourner vers son beau-frère – mon nouveau boss.

— En effet.

Je renchéris :

— Oui. À la fac. Juste avant de vomir sur ses chaussures. Ce fut l'un des moments les moins sexy de ma vie.

— Et elle en a vécu d'autres.

Le téléphone de Josh se met à vibrer, il le sort de sa poche. Il lit un texto, impassible, puis remet son téléphone à sa place.

Ce doit être une sorte de connexion entre phéromones mâles, car Dave semble avoir perçu quelque chose qui m'a échappé.

Dave fronce les sourcils et s'adresse à Josh comme s'il était aussi fragile que du cristal :

— Mauvaise nouvelle ? demande-t-il à voix basse.

Josh hausse les épaules, flegmatique. Il serre imperceptiblement les dents et je résiste à appuyer sur sa joue comme si je jouais à une sorte de *Jacques a dit…* électronique.

— Tabitha ne viendra pas ce week-end.

Mes lèvres commencent à s'agiter d'elles-mêmes :

— De vraies personnes qui s'appellent Tabitha, ça existe ? Sérieusement ?

Les deux hommes se tournent vers moi avec l'air de ne rien comprendre à ce que je raconte. Non mais sans blague.

— Je voulais dire… je continue, hésitante. Tabitha, c'est le genre de prénom qu'on donnerait à quelqu'un si on suppose qu'il sera vraiment *vraiment*… malfaisant. Genre qui vit dans une tanière et qui collectionne les chiots tachetés.

Dave s'éclaircit la gorge et boit une grande rasade de cocktail. Josh me dévisage.

— Tabby est ma copine.

— *Tabby ?*

Dave se retient manifestement de rire. Il pose une main sur mon épaule.

— Hazel. Tais-toi.

— Dossier aux ressources humaines ?

J'examine son visage familier, calme et barbu. Il fait nuit maintenant, une vague lumière illumine ses traits, à contre-jour.

— La fête ne compte pas, m'assure-t-il. Mais tu es tarée. Laisse Josh tranquille.

— Je pense que le fait que je sois tarée explique partiellement pourquoi je suis ta préférée.

Dave est à deux doigts de s'esclaffer, mais il parvient à tourner les talons avant que j'en aie confirmation. Je suis désormais seule avec Josh Im. Il me scrute comme s'il observait les molécules d'un virus au microscope.

— J'ai toujours cru que je t'avais connu dans une… phase. (Il hausse les sourcils). Apparemment, c'est juste ta personnalité.

J'admets :

— J'ai l'impression d'avoir beaucoup d'excuses à présenter, mais je ne peux pas t'assurer que je cesserai malgré tout de t'exaspérer constamment, alors on ferait peut-être mieux d'attendre nos vieux jours.

Un côté de sa bouche se relève.

— Je n'ai honnêtement jamais rencontré quelqu'un comme toi.

— Quelqu'un d'aussi catégoriquement infréquentable ?

— Quelque chose comme ça.

CHAPITRE 2

Josh

Hazel Bradford. Waouh.

À peu près tous les étudiants qui l'ont connue ont des anecdotes croustillantes au sujet d'Hazel Bradford. Bien sûr, mon ancien camarade de chambre, Mike, en a énormément – des frasques sexuelles, pour la plupart –, mais d'autres ont connu des expériences semblables à la mienne. Hazel Bradford qui, après un cross-country, arrive en TP de physique-chimie sans avoir pris le temps de se doucher – et donc, couverte de boue – parce qu'elle ne voulait pas être en retard. Hazel Bradford obtenant plus de mille signatures de soutien pour participer à un concours de mangeurs de hot-dogs à but caritatif, avant de se souvenir qu'elle tentait de devenir végétarienne. Hazel Bradford qui vend les vêtements de son ex-petit ami à la sauvette tandis qu'il sommeille encore après la fête où elle l'a trouvé nu avec quelqu'un d'autre (accessoirement, un membre de son terrible groupe de garage rock). Et – ma petite préférée – Hazel Bradford faisant un exposé sur l'anatomie et les fonctions du pénis en cours d'anatomie humaine.

Je n'ai jamais réussi à déterminer si elle ne se rendait compte de rien ou si elle se fichait juste de ce que les autres pensaient, mais malgré le chaos qu'elle laissait derrière elle, elle dégageait toujours une impression d'innocence, de folie involontaire. La voilà en chair et en os – du haut de son mètre soixante-cinq, avec ses cinquante kilos tout mouillés, ses immenses yeux noisette, ses cheveux bruns remontés en un énorme chignon – et je ne crois pas que depuis, elle ait changé d'un iota.

– Est-ce que je peux t'appeler Jimin ? me demande-t-elle.

– Non.

Elle semble soudain confuse.

– Tu devrais être fier de tes origines, Josh.

– C'est le cas. (Je m'efforce de garder mon sérieux.) Mais tu viens de dire «Jee-Min».

Elle me dévisage, perplexe.

– Ce n'est pas pareil, j'explique, en répétant : *Jimin*.

Son expression devient théâtrale et provocatrice.

– Jeeeeee-minnnnn ?

– Non.

Hazel semble abandonner, se redresse et sirote sa Margarita en regardant autour d'elle.

– Tu vis à Portland ?

– Oui.

Juste derrière elle, un peu plus loin, ma sœur s'approche de Dave, l'oblige à se pencher à sa hauteur et lui murmure quelque chose à l'oreille. Ensuite, ils me fixent tous les deux. Je suis sûr qu'elle vient de lui demander où est Tabby.

Je savais, quand Tabitha a accepté un poste à L.A. – le job de ses rêves, rédactrice dans un magazine de mode – qu'il y aurait des week-ends où l'un de nous deux serait coincé et ne pourrait pas sauter dans un avion pour voler vers le sud (moi) ou vers le nord (elle). Mais je vis assez mal le fait que, sur les quatre week-ends où elle avait prévu de venir me rendre visite, elle s'est défilée trois fois à la dernière minute.

Plus exactement, elle ne s'est pas défilée, mais une urgence de travail a surgi inopinément.

Mais quelle sorte d'urgence peut-il y avoir dans un magazine de mode ?

Honnêtement, je n'en ai aucune idée. Pas la moindre.

Hazel est encore en train de parler.

Je reporte mon attention sur elle au moment où elle termine son laïus sur une question. Elle me fixe, l'air interrogateur, en m'offrant son immense sourire habituel.

– Pardon ?

Elle s'éclaircit la gorge et répète lentement :

– Je viens de te demander si ça allait.

J'acquiesce en portant ma bouteille d'eau à mes lèvres et en m'efforçant d'éliminer toute trace d'irritation sur mon visage. Elle n'est pas dupe de mon expression.

– Ça va, oui. Je me détends. Longue semaine.

Je récapitule mentalement : j'ai bossé en moyenne onze heures par jour, sur environ trente-cinq clients cette semaine, pour être libre ce week-end. Replacements de genoux, de hanches, bursites, entorses, ligaments déchirés et un pelvis disloqué dont la vue m'a donné des crampes aux mains avant même de commencer à le remettre en place.

– Je te pose la question, parce que tu n'es pas très loquace, dit Hazel. (Je la dévisage.) Tu bois de l'eau alors que Dave a préparé des Margaritas incroyables.

– Je ne suis pas très fort pour…

Je laisse ma phrase en suspens et utilise ma bouteille pour désigner les gens qui nous entourent.

– Boire ?

– Non, juste…

– Faire des phrases complètes et les relier entre elles pour tenir une conversation ?

Je fais la moue et réplique d'un ton pincé :

– Être sociable quand il y a beaucoup de monde.

Ça la fait rire, et je la vois hausser les épaules – presque à la hauteur de ses oreilles –, puis elle ricane comme un personnage de dessin animé. Son chignon se balance au sommet de sa tête. Une bouffée de culpabilité me submerge lorsque je réalise que, même si elle est un peu zinzin, elle reste diablement sexy.

Je sens une connexion s'établir entre mon cerveau et mon entrejambe, et lance :

– Tu es tellement bizarre.

– C'est vrai. Je passe ma journée entourée d'enfants. À quoi t'attendais-tu ?

Je suis sur le point de lui rappeler qu'elle a toujours été comme ça lorsqu'elle continue :

– Et tu fais quoi dans la vie ?

– Je suis kinésithérapeute.

Je jette un regard circulaire dans le jardin pour voir si mon associé, Zach, est arrivé mais je ne repère aucune tête rousse à l'horizon.

– Mon associé et moi avons ouvert notre cabinet il y a environ un an, en ville.

Hazel grogne de jalousie.

– Ton travail consiste à parler de ceinture abdominale toute la journée et à tripoter des gens. Je serais incapable de garder mon sérieux dans ces conditions.

– Euh… certes, il m'arrive de demander à mes patients d'enlever leur pantalon, mais c'est rarement le genre de personnes que tu aurais envie de voir à moitié nues.

Elle fronce les sourcils, pensive.

– Je me demande parfois à quoi ressemblerait le monde si les vêtements n'avaient jamais été inventés.

– Je ne me suis littéralement jamais posé la question.

Hazel poursuit :

– Genre, si on était resté nu, qu'est-ce qui se serait développé différemment ?

Je bois une gorgée d'eau.

– On ne monterait probablement pas à cheval.

– Ou alors on aurait juste des callosités à des endroits bizarres. (Elle se tapote les lèvres de l'index.) Les selles de vélo seraient différentes.

– Il y a de fortes chances.

– Les femmes ne se raseraient pas les grandes lèvres.

Un frisson me parcourt tout le corps.

– Hazel ! C'est dégoûtant.

– Quoi ? Après tout, on n'a pas de poils dans le *vagin*.

Je retiens un autre haut-le-corps et elle me défie du regard avec l'expression d'une femme méprisée.

– C'est injuste, personne ne grimace en entendant « scrotum ».

– Moi, je grimace systématiquement quand j'entends « scrotum » ou « gland ».

— Glaaaaaand, s'écrie-t-elle en insistant sur le mot. *Dégoûtant*.

Je la contemple pendant quelques secondes, en silence. Elle a les épaules nues, un grain de beauté orne le haut de son bras gauche. Ses clavicules sont définies, ses bras sculptés comme si elle faisait régulièrement du sport. Une image d'Hazel utilisant des pastèques comme des poids s'impose soudain à moi.

— Te parler me donne l'impression d'être ivre. (Je jette un coup d'œil à son verre.) Comme si une sorte d'osmose était en train de se produire.

— Je pense que nous allons devenir meilleurs amis. (Face à mon silence dubitatif, elle tend la main pour m'ébouriffer les cheveux.) Je vis à Portland, tu vis à Portland. Tu as une copine et j'ai une énorme sélection de séries Netflix en retard. Nous détestons tous les deux le mot « gland ». Je connais et j'adore ta sœur. Elle m'adore. C'est la configuration parfaite pour une amitié fille-mec : tu m'as déjà vue dans mes pires moments, ce qui signifie qu'il sera impossible de te faire fuir.

J'avale rapidement une gorgée d'eau et proteste :

— Je suis prêt à parier que tu essaieras quand même.

Elle semble ignorer ma réponse.

— Je pense que *tu* penses que je suis marrante.

— Marrante comme les clowns sont marrants, c'est ce que tu veux dire, je suppose.

Hazel lève des yeux brillants d'excitation vers moi.

— Je pensais sérieusement être la dernière personne à adorer les clowns sur cette terre !

Je ne parviens pas à me retenir de rire. J'avais oublié qu'Hazel a toujours réponse à tout !

– Je plaisante. Les clowns me terrifient. Je reste toujours à bonne distance des bouches d'égout[1].

– Eh bien…

Elle me prend par le bras et m'attire en direction du cœur de la fête. Quand elle se penche pour me parler à l'oreille, mon ventre se contracte, comme lors du premier looping des montagnes russes.

– Ça ne peut qu'aller en s'améliorant.

~

Hazel se faufile dans la foule sans me lâcher le bras, jusqu'au barbecue à côté duquel se tiennent deux mecs – John et Yuri, des collègues de ma sœur (et maintenant d'Hazel). Ils interrompent leur conversation lorsque nous nous approchons et Hazel leur tend une main énergique :

– Je suis Hazel. Je vous présente Josh.

Nous lui jetons tous les trois un regard amusé. Il se trouve que je les connais depuis des années.

– Ça fait un bail qu'on se connaît, lance John en penchant la tête vers moi.

Mais il lui serre la main, et je la regarde observer méthodiquement ses dreadlocks qui lui arrivent aux épaules, sa moustache, son béret et le T-shirt qui proclame LA SCIENCE SE FICHE DE CE QUE VOUS CROYEZ. Je retiens mon souffle en me demandant ce qu'Hazel lui réserve, parce qu'en tant que mec blanc avec des dreadlocks, John lui facilite

---

1. Référence au film d'horreur *Ça* (adapté d'un roman de Stephen King, réalisé par Andrés Muschietti en 2017) dans lequel un clown maléfique, caché dans une bouche d'égout tue un petit garçon. (NdT, ainsi que pour les notes suivantes)

la tâche. Mais elle se contente de se tourner vers Yuri, lui sourit et lui serre la main.

Je fais les présentations :

— John et Yuri travaillent avec Em. (Je désigne John avec ma bouteille d'eau.) Comme tu l'auras sans doute deviné, il enseigne les sciences aux plus grands. Yuri est prof de musique et de théâtre. Hazel est la nouvelle institutrice de CE2.

Ils la félicitent, Hazel leur répond par une révérence.

— Est-ce que les CE2 ont des cours de musique ? demande-t-elle à Yuri.

Il acquiesce.

— De la maternelle au CE1, seulement des exercices de chant. En CE2, les enfants commencent l'apprentissage d'un instrument à cordes. Violon, alto ou violoncelle.

— Est-ce que je peux apprendre, moi aussi ? (Elle hausse les sourcils.) Genre, suivre le cours ?

John et Yuri sourient à Hazel, surpris, dans le genre *est-elle sérieuse, putain ?* J'imagine que la plupart des instits profitent de l'heure de musique pour faire une sieste, manger ou pleurer.

Hazel se dandine et fait mine de jouer du violoncelle.

— J'ai toujours rêvé d'être le futur Yo-Yo Ma.

— Je… suppose que oui ? répond Yuri, désarmé par le pouvoir des gloussements de dessin animé d'Hazel Bradford, et de son honnêteté rafraîchissante.

Mais lorsqu'il lorgne en direction de sa poitrine, il ne semble plus inquiet du tout.

Je renchéris :

— Yo-Yo Ma a commencé à *jouer* à quatre ans et demi.

— J'ai donc plutôt intérêt à me bouger. Ne me laisse pas tomber, Yuri !

Il éclate de rire et lui demande d'où elle vient. J'écoute à moitié sa réponse – fille unique, née à Eugene, élevée par une mère artiste et un père ingénieur, formation universitaire à Lewis & Clark – et en profite pour regarder mon téléphone. Je parcours les derniers messages de Tabby, envoyés à cinq minutes d'intervalle. Je ressens une bouffée de plaisir coupable quand je devine qu'elle n'a pas dû décoller de l'écran de son portable.

> Ne sois pas en colère contre moi.

> J'ai dit à Trish que c'était le dernier vendredi où je travaillerais aussi tard.

> Tu veux que j'essaie de venir demain ou ce serait du gâchis ?

> Josh, Josh, ne sois pas en colère contre moi,

> Je suis vraiment désolée.

Je soupire pour garder mon calme et tape :

> Je suis à la fête d'Em, je viens de voir tes messages à l'instant. Je ne suis pas en colère.

> Viens demain si tu veux, mais c'est toi qui décides, vraiment. Tu sais que j'ai toujours envie de te voir.

~

— Elle a dit que vous alliez devenir meilleurs amis ?

Ma sœur fronce les sourcils en examinant une chemise et la laisse retomber sur une pile. Nous sommes en train de faire du shopping chez *Norstrom Rack*.

— *Je suis* sa meilleure amie.

— C'est ce qu'elle a dit.

Je sens le fou rire pointer, avant de me souvenir qu'Hazel, après avoir accepté sa quatrième Margarita, m'a demandé d'agrafer son T-shirt à sa ceinture.

— Elle est tarée.

— Je suis devenue bizarre à cause d'elle, dit Em. Ça t'arrivera aussi.

Je crois que je vois exactement ce que veut dire Em, mais l'effet qu'Hazel a sur ma sœur est plutôt positif. Depuis qu'elle la connaît, elle s'amuse davantage, elle a gagné en assurance — une confiance en soi qu'avec le recul, je ne peux attribuer qu'à Hazel. Et Hazel est tellement différente de Tabby ou de Zach — tellement différente de tous les gens que je connais, en réalité, mais surtout, l'opposé absolu de ma copine et de mon meilleur ami, qui ont tendance à être taciturnes et observateurs — que je pense qu'il pourrait être marrant de passer du temps avec elle. Un peu comme quand on garde une bière spéciale au frigo, qu'on est toujours surpris et ravi d'y trouver.

Est-ce une mauvaise métaphore ? Je jette un coup d'œil à ma sœur et calcule mentalement la quantité de dommages physiques qu'elle pourrait m'infliger avec le cintre qu'elle tient à la main.

— J'hésite, pour la décrire, entre « fille aussi délurée qu'exaspérante » et « touche de couleur dans un paysage monotone ».

Em ôte la chemise du cintre et me la tend. Je la plie sur mon bras en la laissant − comme d'habitude − choisir mes vêtements.

— Je n'arrive pas à croire que Tabby n'est pas venue, *une fois de plus.*

Je ne mords pas à l'hameçon, à dessein. C'est la troisième fois qu'elle essaie de lancer une conversation sur ma copine.

— Est-ce qu'elle sait qu'une relation, ça requiert des efforts ?

Je la regarde longuement en lui rappelant :

— Elle a des délais à tenir, Em.

— Vraiment ? (Sa voix est aiguë, tendue, et elle déchaîne sa frustration sur un short qu'elle balance sur la pile en face d'elle.) Cette attitude fuyante ne signifierait-elle pas qu'elle… qu'elle…

Je me prépare à ce qu'elle va dire en prenant une grande inspiration, en espérant que ma sœur n'ira pas au bout de son idée.

— Qu'elle te trompe ?

Elle vient de mettre les pieds dans le plat.

— Emily, je commence calmement, quand Dave travaille comme un fou à l'école et que tu viens dîner chez moi pour te plaindre de ne pas l'avoir vu pendant *des jours*, est-ce que j'insinue qu'il y a quelqu'un d'autre ?

— Non, mais Dave n'est pas un maudit écervelé non plus.

Elle vient de toucher un point sensible.

— Qu'est-ce que tu as contre Tabby ? Elle a toujours été adorable avec toi.

Elle grimace en m'entendant hausser le ton, parce que ce n'est pas habituel chez moi.

– Ce n'est pas que tu es trop bien pour elle ou qu'elle est trop bien pour toi, explique-t-elle. C'est comme si vous évoluiez dans des cercles différents. Vous avez des *valeurs* différentes.

Il est vrai que nos parents – qui sont venus de Séoul après leur mariage, à dix-neuf ans – ne sont pas de grands fans de Tabitha, mais je crois qu'aucune fille non coréenne ne trouverait grâce à leurs yeux si c'était ma compagne. Malheureusement, je ne pense pas qu'Emily faisait allusion à ça. Je lui décoche un regard perplexe.

Elle se tourne pour me faire face, en égrenant ses raisons sur ses doigts.

– Tabby est la seule personne que je connaisse à dormir dans des *draps de soie*. Elle passe des heures à se préparer et finit toujours par avoir l'air de sortir de son lit. Toi, au contraire, tu adores camper et tu portes encore de temps en temps le jogging que je t'ai offert pour Noël il y a neuf ans.

Je secoue la tête, toujours aussi désorienté.

– Elle pense que *Fatal Games* est un excellent guide pour évoluer en société. (Emily me dévisage.) Elle peut s'esclaffer en regardant *Romy et Michelle, dix ans après*, sans la moindre ironie, mais elle a vu *quatre* films de Christopher Guest avec nous, sans esquisser le moindre sourire. Même les rares fois où elle vient te voir, elle passe la moitié du temps à entrer dans des débats sur Instagram, en commentant les publications de *Who Wore It Better*[2].

Je cligne des yeux en essayant de comprendre où elle veut en venir.

---

2. Comptes Instagram et site web qui réunissent des photos de célébrités portant les mêmes tenues.

— Donc, ton problème, c'est que… tu la trouves superficielle ?

— Non, ce n'est pas ça. Si ces trucs la rendent heureuse, alors *très bien*. Je te dis que j'ai l'impression que vous n'avez pas grand-chose en commun. Je vous vois ensemble et c'est genre silence, ou «peux-tu me passer les carottes qui sont sur le comptoir ?». Elle est très *très* influencée par le monde de la mode, Hollywood, les apparences.

Emily ne me quitte pas des yeux, et je n'ai pas besoin d'entendre la fin de son raisonnement pour en connaître la teneur. Je fais passer la pile de vêtements qu'elle a choisis pour moi d'un bras sur l'autre.

— Alors, le fait que je me fiche de mes vêtements nous arrange bien, elle et moi. Je laisse *clairement* décider les femmes de ma vie.

Ma sœur plisse les yeux et je devine qu'elle s'apprête à changer d'angle d'attaque.

— Que faites-vous quand elle vient te voir ?

Les souvenirs des dernières visites de Tabby défilent dans mon esprit. Sexe. Faire les courses au supermarché du coin. Tabby refuse toujours d'aller faire du canoë ou de la randonnée et je ne suis pas du genre à faire la tournée des bars, donc on reste en général chez moi pour baiser. Dîner au restaurant, pas loin, puis encore du sexe.

Je suis à peu près sûr que ma sœur n'apprécierait pas d'entendre ce genre de précisions, mais elle n'a apparemment même pas besoin d'une réponse, puisqu'elle continue.

— Et qu'est-ce que tu fais quand tu lui rends visite ?

Du sexe, sortir en boîte, dîner dans des restaurants bondés, entourés de gens qui s'écrivent des textos alors qu'ils sont dans la même pièce, encore des boîtes, un sursaut de mauvaise humeur parce que je n'aime pas aller en boîte, randonnée solitaire dans Runyon Canyon, avant de rentrer chez elle pour une nouvelle session de jambes en l'air.

Emily détourne les yeux.

— Bref, je me mêle de ce qui ne me regarde pas.

— En effet.

Je me dirige vers les caisses — j'en ai assez de faire du shopping.

Je paie les vêtements, remercie la caissière, et nous sortons en suivant le sentier pavé de la partie extérieure du centre commercial. Nous passons la tête baissée devant des vendeurs qui agitent frénétiquement des échantillons de crèmes hydratantes sous nos nez. Emily lève les yeux vers moi, avec un sourire d'excuse.

— Revenons à ce dont nous étions en train de parler avant.

Nous sommes à nouveau sur la même longueur d'onde.

— Je crois que nous étions en train de parler du barbecue.

Elle me jette un coup d'œil.

— Tu veux dire qu'on était en train de parler d'*Hazel*.

Ah. Soudain, tout devient clair. Je me tourne vers elle et l'arrête d'une main sur l'épaule.

— J'ai *déjà* une copine.

Ma sœur grimace.

— Je suis au courant.

— Au cas où tu voudrais jouer les mères maquerelles pour Hazel Bradford et moi, je peux affirmer sans l'ombre d'un doute que nous ne sommes pas compatibles.

— Ce n'est absolument pas mon intention, proteste-t-elle. Elle est juste marrante, et t'amuser un peu plus ne te ferait pas de mal.

Je lui adresse un regard ennuyé.

— Je ne suis pas sûr d'avoir les épaules pour encaisser le genre de distractions proposées par Hazel.

Emily passe son sac de shopping sur l'épaule et m'offre un grand sourire.

— Je suppose qu'il n'y a qu'un moyen d'en avoir le cœur net.

CHAPITRE 3

Hazel

Je suis sûre que le mec en face de moi comprend mon dilemme – *nan,* je suis même certaine qu'il voit ça plusieurs fois par jour.

– Indécision personnifiée, dis-je en me désignant du doigt. Le problème, c'est que vous avez beaucoup trop d'options intéressantes ici.

– Hum. (Le caissier de PetSmart me dévisage, tout en faisant passer son chewing-gum d'une joue à l'autre.) Je peux peut-être vous aider ?

– J'hésite entre un poisson combattant et un cochon d'Inde.

– Ah, ce n'est pas du tout la même chose !

Ses lunettes glissent lentement sur son nez, ce qui me fascine parce que leur descente est stoppée par un énorme bouton blanc en colère, faisant office de butoir.

– Mais si c'était vous, dis-je en agitant les sourcils, qu'est-ce que vous choisiriez ? Écailles ou boule de fourrure? J'ai déjà un chien. (Je désigne Winnie, que je tiens en laisse à côté de moi.) Et un lapin, plus un perroquet. Ils ont juste besoin d'un copain supplémentaire.

L'adolescent me regarde comme s'il me manquait une case.

– Euh…

« *Lick it good*[3]. »

Il me dévisage, surpris, et il me faut quelques secondes pour réaliser que la phrase – un extrait de la chanson de Khia, « My Neck, My Back (Lick It) » – provient de mon téléphone.

Je m'empresse d'attraper mon sac.

– Oh mon Dieu !

« *Suck this pussy just like you should, right now*[4]. »

– Oh mon Dieu, oh mon Dieu !

Je fouille frénétiquement à l'intérieur et sors mon téléphone.

« *Lick it good.* »

– Oh… Je suis tellement désolée…

« *Suck this pussy just like you should, my neck, my back*[5]… »

Mon téléphone m'échappe des mains, je dois écarter la truffe intriguée et exploratrice de Winnie avant de pouvoir le ramasser par terre – « *Lick my pussy and my crack*[6] » – et de le faire taire en prenant l'appel.

– *Emily* ! je m'exclame, beaucoup trop fort, à ma grande honte.

Je m'excuse immédiatement auprès de la vieille dame qui baisse les yeux vers son carlin tenu en laisse. Je viens peut-être de lui causer un infarctus. Son chien

---

3. Littéralement, «Lèche-la bien.»
4. «Suce cette chatte bien comme il faut, maintenant.»
5. «Suce cette chatte bien comme il faut, mon cou, mon dos.»
6. «Lèche ma chatte et ma fente.»

se met à aboyer bruyamment, ce qui provoque Winnie, et pousse trois autres chiens dans la file de la caisse à les imiter. L'un d'eux s'accroupit pour déféquer, à cause du stress.

— Seigneur, Hazel. Où *es-tu* ?

— *PetSmart*. (Je grimace.) En train d'acheter… un truc.

Je n'entends soudain plus rien et jette un coup d'œil à l'écran pour voir si j'ai perdu l'appel.

— Allô ?

— Tu crois que ce dont ton appartement a besoin, c'est d'un nouvel animal de compagnie ? demande-t-elle.

— Je ne compte pas acheter un Grand Danois, on parle d'un poisson ou d'un rongeur.

Je lève les yeux vers l'employé de *PetSmart* — Brian, apparemment — et m'excuse d'un petit geste gêné.

— Au fait, chère amie, auriez-vous par hasard encore changé la sonnerie de mon téléphone ?

— Je n'aurais pas supporté d'entendre retentir *Tommy Boy* une fois de plus… Et je ne plaisante pas.

Je considère la possibilité de lui envoyer une nuée de dragons pour la dévorer. Ou du moins, un essaim affamé de moustiques.

— Parce que Khia, c'est mieux ? Doux Jésus, tu aurais pu te contenter de choisir une sonnerie *normale*.

Elle éclate de rire.

— Je voulais t'envoyer un message. Arrête d'utiliser des sonneries bizarres ou mets ton téléphone en silencieux.

— Tu es tellement autoritaire.

Comme je m'y attends, elle ignore ce commentaire.

— À ce propos, est-ce que je peux donner ton numéro à Josh ?

– Pas s'il m'appelle avant que j'aie eu le temps de changer ma sonnerie.

– On faisait les boutiques ensemble, explique-t-elle. Il est vraiment déprimé depuis que Tabitha a emménagé à L.A., et je sais que vous vous êtes bien amusés pendant la fête. J'aimerais juste qu'il sorte plus.

J'entends le grognement renfrogné de Josh, en fond sonore :

– Je ne suis pas déprimé.

La perspective de passer du temps avec Josh Im me donne le vertige. La perspective de passer du temps avec un Josh Im déprimé ressemble à un défi.

– Invite-le à déjeuner demain !

La voix d'Emily s'adoucit, elle répète la même phrase, probablement à l'attention de Josh, puis il y a un silence.

Un silence très long.

Gênant.

J'imagine un échange hostile entre frère et sœur qui se mitraillent du regard :

Merci de me forcer la main, connasse !

Tu as plutôt intérêt à dire oui ou tu vas la mettre mal à l'aise !

Je te déteste tellement, à cet instant, Emily !

Elle n'est pas aussi tarée qu'elle en a l'air, Josh !

Elle revient finalement :

– Il dit qu'il en serait ravi.

– Super. (Je me penche pour mimer des baisers de poisson à l'attention du superbe combattant turquoise que je pense adopter). Dis-lui d'acheter de quoi manger chez *Poco India* sur le chemin.

– Hazel !

J'éclate de rire.

— *Je plaisante*. Seigneur ! Je préparerai à déjeuner. Dis-lui de venir quand ça l'arrange à partir de 11h. (Je raccroche et attrape le poisson dans un verre en plastique.) Tu vas adorer ta nouvelle famille.

~

Winnie et moi sortons, un poisson à la main, pour retrouver ma mère pour le déjeuner. Elle a déménagé d'Eugene à Portland il y a quelques années, quand j'ai terminé la fac et qu'il est devenu clair que je ne risquais pas de revenir vivre à la maison de sitôt. En termes de personnalité, je suis plus la fille de ma mère que celle de mon père, mais physiquement, je ressemble à celui-ci comme deux gouttes d'eau : cheveux bruns, yeux bruns, fossette sur la joue gauche, maigrichonne et plus petite que ce que j'espérais. Ma mère, au contraire, est grande, blonde et pulpeuse, son corps appelle les câlins.

Je suppose que mon père a décemment assumé son rôle, mais j'ai toujours eu l'impression de le décevoir car je n'avais aucun goût pour l'exercice physique. Il aurait adoré avoir un fils, même un garçon manqué aurait fait l'affaire. Il voulait un partenaire pour aller courir au parc ou jouer au football le temps d'un après-midi. Il rêvait de regarder des matchs pendant des week-ends entiers, en criant à chaque but, et aurait probablement adoré que je soutienne une équipe adverse, juste pour l'embêter. À la place, il a hérité d'une fille excentrique et bavarde, qui voulait élever des poules, chantait Captain et Tennille à tue-tête sous la douche et ramassait des citrouilles dans le champ voisin chaque automne depuis ses dix ans, parce qu'elle adorait se déguiser en épouvantail. Je n'étais peut-être pas entièrement déroutante pour lui, mais je demandais plus d'efforts qu'il ne pouvait en donner.

Mes parents ont divorcé quand j'avais vingt ans, au moment où je commençais à me sentir chez moi, entourée de mon cercle d'amis, à Portland. Pour être honnête, ça ne m'a pas surprise le moins du monde. C'est alors que j'ai réalisé que j'étais un monstre. Ma première réaction a été de penser, contrariée, que j'allais devoir rendre visite à mes deux parents séparément quand je rentrerais à Eugene. D'ailleurs, lorsque je partais chez mon père, ma mère n'avait plus rien d'un boute-en-train.

Mais même si je sais que j'étais techniquement déjà adulte à vingt ans, j'ai continué à croire que mon père et moi allions nous rapprocher quand je grandirais… quand je terminerais la fac… qu'il serait très fier de venir à mon mariage un jour… qu'il deviendrait un grand-père extraordinaire parce qu'il pourrait jouer un moment avec l'enfant, le rendre à ses parents ou se remettre à jouer avec lui sans qu'une épouse lui jette des regards noirs de l'autre côté de la pièce.

Malheureusement, ce n'était pas au programme. Mon père est mort quelques semaines avant Noël, l'année de mes vingt-cinq ans. Il était au travail et, d'après Herb, son collaborateur de longue date, il s'est contenté de s'asseoir à son bureau et de dire : « Je me sens fatigué » avant de s'évanouir pour ne jamais se réveiller.

Suite à la mort de mon père, ma mère et moi avons développé une honnêteté étrange. J'ai toujours su que mes parents n'étaient pas fous d'amour l'un pour l'autre, mais je ne m'étais pas rendu compte que leur relation était aussi monotone, au point qu'ils étaient devenus deux étrangers cohabitant dans la même maison. Ce que j'adorais chez ma mère – un peu dingue, je dois l'avouer – exaspérait profondément mon père. Ma mère et moi aimons les câlins, et avons tendance à être exagérément enthousiastes au sujet des choses qui nous plaisent, et sommes pathologiquement incapables de raconter une blague. Mais alors que je raffole des animaux, des déguisements, que je passe mon temps à deviner des visages dans les nuages et à chanter sous la douche, ma mère préfère créer des jupes excentriques à partir de vieux tissus, porter des fleurs dans les cheveux, citer des comédies musicales et danser en tondant la pelouse, ses santiags rouges de cow-boy aux pieds.

Mon père ne tolérait plus ses excentricités même si c'était ce qui l'avait attiré chez elle, au début de leur relation. Je me souviens clairement d'une dispute pendant laquelle il avait lâché : «Je ne supporte pas que tu te comportes comme une foldingue en public. Tu me mets tellement mal à l'aise.»

Je ne sais pas comment l'expliquer. J'avais quatorze ans quand il lui a dit ça, et ces mots ont brisé quelque chose en moi. Je me suis vue avec ma mère, de l'extérieur, comme ça ne m'était jamais arrivé auparavant, comme si mon père avait représenté l'idéal conventionnel et qu'elle et moi étions ces points jaunes, bruyants et sautillants, en dehors de la courbe de la normalité.

Quand j'ai levé les yeux vers elle, je m'attendais à ce qu'elle soit bouleversée par ses paroles. Mais, au contraire, elle lui a jeté un regard de compassion, comme si elle voulait le consoler mais savait qu'il serait vain d'essayer. Mon père est passé à côté de tellement de choses en ne profitant pas de chaque seconde passée avec elle, et à la fin, elle était terriblement déçue par le fait qu'il soit si ennuyeux. J'ai tiré une leçon très importante ce jour-là : ma mère n'essaierait jamais de changer pour un homme, et moi non plus.

~

Elle m'attend au *Barista* quand nous arrivons, mais il devient vite clair qu'elle a surtout hâte de voir Winnie, parce qu'elle passe deux minutes à lui frotter les oreilles et à lui parler en minaudant avant de me jeter le moindre regard. Ce qui me laisse le temps de décider ce que je vais commander.

Ma mère lève les yeux lorsque la serveuse lui apporte un muffin et un latte.

– Salut, Hazie.

– Tu avais déjà commandé ?

– J'avais faim.

D'une main couverte de bagues sur tous les doigts, ma mère retire l'emballage papier du muffin en fixant Winnie.

– Je parie que je pourrais laisser tomber un morceau de ce truc sans même qu'elle s'en rende compte.

Je commande une salade de poulet au curry et un café noir avant de regarder mon chien. Ma mère a raison, elle est apparemment hypnotisée par le trio de moineaux tachetés qui picorent des miettes de sandwich sous la table d'à côté. Je sens l'excitation de Winnie augmenter de plus en plus, à chaque becquée supplémentaire.

Une voiture klaxonne, un couple passe à côté de nous avec la chose que Winnie préfère au monde – un bébé dans une poussette –, aucune réaction.

Mais lorsque ma mère laisse tomber un énorme morceau de muffin, Winnie bondit dessus comme si elle avait ressenti un changement de pression atmosphérique. Sa réaction est si vive et carnassière que les oiseaux s'envolent et se réfugient sur les branches d'un arbre.

Ma mère lui donne un autre morceau de muffin.

— Arrête ça tout de suite, tu vas causer sa perte.

— Elle s'appelle Winnie le Chien, me rappelle ma mère. Elle est déjà perdue.

— Par ta faute, je ne peux pas manger sans qu'elle me dévisage comme si je désamorçais une bombe. Tu vas la faire grossir.

Ma mère se penche et embrasse Winnie sur la truffe.

— Je la rends heureuse. Elle m'adore.

Cette fois, Winnie attrape le morceau de muffin au vol.

— Tu es incorrigible.

Ma mère chantonne à l'attention de mon chien :

— Incroyable, incroyable, incroyable.

— Tu es incroyable, oui, fais-je en remerciant la serveuse qui vient de m'apporter mon café. Au fait, Professeur Tournesol, j'aime beaucoup ta nouvelle coupe de cheveux.

Ma mère passe une main dans ses cheveux et les touche sans la moindre inhibition, avec l'air d'avoir oublié qu'elle en avait. Elle les a toujours portés longs, pour la simple et bonne raison qu'elle a tendance à les oublier. Heureusement, ils ne requièrent pas beaucoup d'entretien : ils sont épais et raides. Elle les a maintenant juste au-dessous des épaules, et pour la première fois, je distingue des mèches dégradées autour de son visage.

Je tends la main pour effleurer ses pointes.

— Tu vas peut-être me dire que je déraille, mais on dirait bien que tu t'es décidée à aller chez le coiffeur, cette fois.

— Je ne serais pas capable de me faire un dégradé pareil, acquiesce-t-elle. Wendy m'a recommandé une coiffeuse.

Wendy est la meilleure amie de ma mère, qui s'est installée à Portland il y a environ dix ans, une autre bonne raison pour que ma mère m'y rejoigne. Wendy est d'abord républicaine, ensuite agent immobilier, et elle dédie le peu de temps libre qui lui reste à harceler son mari, Tom, en le traitant de paresseux. Je l'adore parce qu'en gros, elle fait partie de la famille, mais je n'ai honnêtement pas la moindre idée de ce que ma mère et elle trouvent à se dire.

— J'y suis allée hier. Je crois qu'elle s'appelle Bendy. Ou quelque chose comme ça.

Ma mère est un régal.

— Mettons qu'elle s'appelle Bendy. C'est fantastique.

Ma mère fronce les sourcils.

— Attends. Brandy. Je crois que j'ai mélangé Brandy et Wendy.

Je ris avant de prendre une gorgée de café.

— Ça ne m'étonnerait pas.

— Quoi qu'il en soit, je ne m'étais pas coupé les cheveux depuis des lustres, et ça a l'air de plaire à Glenn.

Je m'interromps et bois une nouvelle rasade de café, délibérément longue, tandis que ma mère me fixe, ses yeux verts pétillants de malice.

— *Glenn,* hein ?

Je fais mine de remonter les coins de ma moustache.

Elle chantonne en faisant pivoter ses bagues.

— Tu le vois beaucoup en ce moment.

Glenn Ngo est un podologue originaire de Sedona, en Arizona, et qui mesure dix centimètres de moins qu'elle. Ils se sont rencontrés lorsqu'elle est entrée dans son cabinet en se plaignant d'avoir mal aux pieds. Au lieu de lui dire d'arrêter de porter ses santiags, il lui a prescrit des semelles orthopédiques et l'a invitée à dîner.

Qui a dit que la romance était morte ?

Je savais qu'ils sortaient ensemble, mais je ne pensais pas qu'ils en étaient au stade *je me coupe les cheveux pour te plaire puisque je n'ai plus le moindre orgueil.*

Je murmure :

— Maman. Est-ce que Glenn et toi… ?

Je tourne plusieurs fois ma cuillère dans mon café.

Elle écarquille les yeux et sourit.

Je halète :

— Gourgandine !

— C'est un podologue !

— C'est exactement ce que je voulais dire ! (Je baisse la voix et plaisante.) Ils sont connus pour être fétichistes.

— Ferme ton clapet, ma belle, s'exclame-t-elle en éclatant de rire et en se laissant aller sur sa chaise. Il me fait du bien et il adore jardiner. Ce n'est pas encore décidé, mais il y a des chances pour qu'il vienne me rendre visite de manière… plus permanente.

— Vous emménageriez ensemble ! Je suis scandalisée.

Elle me sourit et boit une gorgée de café.

— Est-ce qu'il supporte de t'entendre chanter ?

Son regard de victoire veut tout dire.

— Tout à fait.

Nous nous regardons dans les yeux, et nos sourires joueurs prennent un tour plus tendre. Ma mère a trouvé quelqu'un de bien, un homme qui la comprend vraiment.

Une pointe de douleur me transperce la poitrine. Sans que nous ayons à le dire, je pense que nous nous demandons toutes les deux si ce genre de mec existe réellement. Le monde semble plein d'hommes charmés par nos excentricités, au début, mais qui finissent par espérer qu'elles soient passagères. Ces derniers s'étonnent chaque jour un peu plus que nous ne nous approchions pas de l'idéal de la petite copine tranquille et bonne à marier.

— Et toi ? demande-t-elle. Quelqu'un… *en vue ?*

— C'est quoi cette emphase ? Quand tu dis « en vue », tu penses, la main dans ma culotte ?

Je grignote quelques feuilles de la salade dans mon assiette et ma mère hausse les épaules, dans le genre *Ouais, ce n'est pas exactement ce que je voulais dire, mais continue.*

— Non.

Je me redresse et écarte la légère inquiétude qui monte en moi à cause de l'association d'idées qui s'est faite immédiatement dans mon esprit :

— Mais devine sur qui je suis tombée ? Non, laisse tomber, tu ne peux pas deviner. Tu te souviens de l'assistant de mon cours d'anatomie ?

Elle réfléchit un instant, puis secoue la tête.

— Celui qui avait une prothèse à la jambe et qui faisait partie de ton équipe de roller derby ?

— Non, celui à qui j'ai écrit un mail alors que j'étais défoncée à cause des antidouleur.

Le rire de ma mère ressemble un tintement cristallin :

— Ah, *ça*, je m'en souviens. Celui qui te plaisait tellement. Josh quelque chose.

— Josh Im. J'ai aussi vomi sur ses chaussures. (Je décide, pour l'heure, de ne pas faire allusion au fait que j'ai aussi couché avec son camarade de chambre.) Et donc, quel hasard : c'est le *frère* d'Emily !

Il faut quelques secondes à ma mère pour comprendre.

— Emily, *ton* Emily ?

— Oui !

— Je pensais que le nom de famille d'Emily était Goldrich.

J'adore l'idée qu'il ne viendrait jamais à l'esprit de ma mère qu'une femme prenne le nom de son mari.

— Elle est mariée, maman. C'est son nom d'épouse.

Elle nourrit Winnie d'une poignée de miettes de muffin.

— Donc, son frère et toi…

— Non. *Seigneur*, non. Pour lui, je suis une idiote irrécupérable et c'est plutôt un Type Normal.

Notre code commun pour le genre d'hommes qui n'apprécierait pas notre folie très particulière.

— D'ailleurs, il a une copine. Tabitha. (Je ne peux pas m'empêcher d'ajouter d'un air entendu, et ma mère prend une expression dégoûtée.) Il l'appelle Tabby.

L'expression dégoûtée de ma mère se renforce.

— Ouais, hein ? (Je pique dans ma salade.) Mais il est plutôt cool, en fin de compte. Genre, quand tu le regardes, tu ne penses pas immédiatement qu'il est banquier.

— Et qu'est-ce qu'il fait dans la vie ?

— Kiné. Il est tout en muscles.

J'engloutis une énorme feuille de laitue pour ne pas me laisser happer par l'image de Josh Im malaxant mes cuisses douloureuses de ses mains puissantes.

Ma mère ne répond rien ; elle semble s'attendre à ce que je développe, donc je déglutis avec difficulté et m'aventure dans le Pays du Babillage.

— On a passé du temps ensemble au barbecue d'Emily hier soir, et c'est étrange parce que j'ai l'impression qu'il m'a déjà vue dans des conditions extrêmes, et il a une copine, donc je n'ai pas besoin de lui faire une démonstration de ma folie. J'ai toujours voulu être son amie et le voilà ! Mon nouvel ami ! D'ailleurs, il me regarde comme si j'étais un insecte fascinant. Comme une coccinelle, pas comme un papillon, et ça me convient parfaitement parce qu'il y a déjà un papillon dans sa vie et que quand on y pense, les coccinelles sont plutôt chouettes. C'est sympa. (Pour une raison qui m'échappe, je répète.) C'est sympa.

— *C'est* sympa.

Maintenant, ma mère me regarde comme si j'avais oublié de m'habiller en partant ce matin, le genre d'attention maternelle type *ma fille adulte se connaît-elle vraiment ?*

Je secoue la tête et elle éclate de rire, tout en caressant Winnie d'un air absent.

Elle se contente de dire :

— Toi.

Je grogne.

— Non, *toi*.

Elle me regarde avec une expression d'amour infini.

— Toi, toi, toi.

CHAPITRE 4

Josh

Je me gare devant le grand ensemble où vit Hazel et détaille les bâtiments gris terne. De l'extérieur, on dirait des cubes parfaits. Devant de pareilles structures, on se demande si un architecte a pris la peine de réfléchir à son projet. Comment peut-on concevoir un bloc de béton percé de fenêtres ordinaires, regarder les plans et penser: «Voilà, mon chef-d'œuvre est terminé!»?

Mais le petit jardin de l'entrée est charmant, plein de fleurs aux couleurs éclatantes, soigneusement agencées en parterres. Et il y a un parking sous-terrain, ce qui est un atout dans une ville comme…

Je suis clairement en train de jouer la montre.

Je récupère le sac sur le siège passager et remonte l'allée en direction de l'entrée.

Lorsque je sonne au 6B, j'entends un hurlement quelques étages plus haut et recule d'un pas: Hazel se penche par la fenêtre en agitant une écharpe rose.

— Josh ! Par ici, crie-t-elle. Je suis tellement désolée, les escaliers sont cassés, donc tu vas devoir escalader la façade. Je vais te lancer un drap !

Je la dévisage fixement jusqu'à ce qu'elle éclate de rire, hausse les épaules et disparaisse. Quelques secondes plus tard, la porte bourdonne bruyamment.

L'ascenseur est aussi lent qu'étroit, j'ai comme l'impression qu'il est actionné par un adolescent de mauvais poil, qui pédale au sous-sol et tire sur une poulie pleine de sueur afin de faire monter ou descendre les habitants et les invités. Au fond du couloir jaune, je m'arrête devant le 6B, où un paillasson de bienvenue affiche trois tacos colorés avec l'inscription suivante : REVIENS AVEC DES TACOS.

Hazel ouvre la porte et m'accueille avec un immense sourire :

— Bienvenue, Jeee-Meeeeeeeen !

— Tu es folle.

— C'est un don.

— En parlant de dons. (Je lui tends le sac de fruits.) Je t'ai acheté des pommes. Pas des tacos.

Dans la communauté coréenne, l'usage veut qu'on apporte des fruits ou un cadeau lorsqu'on rend visite à quelqu'un, mais Hazel – *l'institutrice* – examine le sac, amusée.

— En général, on m'offre des pommes une par une, dit-elle. Je vais devoir être très impressionnante aujourd'hui.

— C'était des pommes ou un sachet de cerises, et j'ai pensé que les pommes seraient plus appropriées.

Elle s'esclaffe bruyamment avant de me faire signe d'entrer.

— Tu veux une bière ?

Vu l'embarras que je ressens à la perspective de ce semi-blind-date amical, je ne risque pas de refuser une bière.

— Avec plaisir.

J'ôte mes chaussures et les dépose à côté des quelques paires lui appartenant, Hazel me fixe comme si j'étais en plein strip-tease.

— Tu n'es pas obligé de les enlever. Enfin, tu peux si tu veux, mais sache que cette masse de chaussures qui traînent est là parce que je suis trop paresseuse pour les ramasser davantage que par volonté d'épargner mon tapis.

Je me justifie :

— Habitude familiale.

Mais je regarde autour de moi et… je la crois. Son appartement est petit, avec un minuscule salon et une cuisine encore plus exiguë, un coin table et un couloir qui conduit sûrement à l'unique chambre assortie d'une salle de bains.

Il y a aussi des objets partout. Quand Emily et moi étions plus jeunes, notre mère nous lisait un conte qui parlait d'un *gwisin* malicieux qui se faufilait la nuit dans les maisons pour s'amuser avec les jouets des enfants, sortir la nourriture des placards et déranger les cuisines. Quand la famille se réveillait, le *gwisin* disparaissait en laissant derrière lui les objets déplacés, qu'il fallait ensuite ranger.

Cette histoire me revient tandis que j'observe l'intérieur d'Hazel. Pourtant, l'appartement est plus *surchargé* que désordonné. Il y a un tas de livres sur la table basse. Des piles de papier Canson aux couleurs éclatantes par terre. Des vêtements pliés sur les fauteuils et un panier de linge sale rebelle qui émerge de la porte entrouverte d'un placard. J'ai conscience que la plupart des gens estimeraient que c'est un espace *vivant*, mais en ce qui me concerne, ça ressemble plus à un défi lancé à la zone de mon cerveau obsédée par l'ordre.

Je la regarde s'éloigner en direction de la cuisine, en examinant son short en jean et son pull jaune pâle qui tombe sur une épaule et révèle la bretelle d'un soutien-gorge rouge. Comme à l'accoutumée, ses cheveux sont remontés en un énorme chignon, au sommet de sa tête, et elle marche pieds nus. Les ongles de ses orteils sont peints chacun d'une couleur différente.

Elle me surprend en train de fixer ses pieds.

— Le mec de ma mère est podologue, dit-elle avec un sourire taquin. Je peux vous présenter quand tu veux.

— J'étais juste en train d'admirer ton œuvre d'art.

— Je suis du genre indécis. (Elle agite ses orteils.) C'est Winnie qui a choisi les couleurs.

Je cherche un colocataire du regard, ou le signe de la présence d'une tierce personne qui vivrait avec elle. Emily m'a laissé penser qu'Hazel habitait seule.

— Winnie ?

— Mon labradoodle.

Hazel se tourne vers le réfrigérateur, se penche pour en inspecter l'intérieur, probablement à la recherche de bières. Je me force à regarder le plafond lorsque je me rends compte que j'ai laissé mes yeux vagabonder sur ses fesses.

— Mon perroquet s'appelle Vodka. (Sa voix résonne légèrement, parce qu'elle a la tête dans le frigo.) Mon lapin, Janis Hoplin. (Elle me jette un coup d'œil par-dessus son épaule.) Janis perd la boule avec les hommes. Genre, *elle se frotte à eux.*

Se frotter ? Je jette un coup d'œil à la pièce.

– C'est… hum.

Elle a un chien, un lapin et un perroquet.

– Oh, et mon nouveau poisson s'appelle Daniel Craig. (Elle se redresse avec deux bouteilles de Lagunitas dans une main, décapsule nos bières sur une moustache en cuivre fixée au mur de sa cuisine et m'en tend une.) J'ai pensé qu'il serait bon de commencer par te ménager, donc je les ai tous laissés chez ma mère.

– Merci.

Nous trinquons ensemble et buvons une gorgée de bière. Elle me regarde, l'air de dire que c'est à mon tour de parler. En général, je n'ai aucun problème à faire la conversation. Mon silence n'a rien à voir avec du malaise, j'estime au contraire que le plus divertissant serait de la laisser babiller à l'infini. Je bois une lampée supplémentaire et m'essuie la bouche.

– Alors, comme ça, tu aimes les animaux ?

– J'aime bichonner ces choses-là. Je rêve d'avoir, genre, dix-sept enfants.

Je me fige, incapable de déterminer si elle parle sérieusement ou non.

Son visage se fend d'un sourire ravi.

– Tu vois ? (Elle se désigne du doigt.) Infréquentable, un vrai cauchemar pour les mecs. J'adore sortir cette phrase au premier rendez-vous. Non que nous soyons en plein « date ». Je n'ai pas vraiment envie d'avoir dix-sept enfants. Peut-être trois. Si je peux subvenir à leurs besoins.

Elle se mord les lèvres et semble se raviser au moment où je commence à m'habituer à son extrême franchise, qui n'est pas pour me déplaire.

— C'est le moment où Dave et Emily me disent en général que je les soûle de paroles et me demandent de la fermer. Je suis vraiment contente que tu sois venu déjeuner avec moi. (Elle marque une pause.) Dis quelque chose.

— Tu as appelé ton poisson Daniel Craig?

Elle semble ravie de voir que je l'écoute.

— Oui!

Elle redevient silencieuse, lisse une mèche rebelle. Est-il étrange que j'adore le fait que ses cheveux semblent aussi indomptables qu'elle?

Je fouille dans mon esprit pour trouver quelque chose à dire, qui n'ait rien à voir avec mes pensées actuelles. J'échoue apparemment, parce que la seule chose qui me vient, c'est:

— Les vacances d'été te vont bien au teint.

Elle se détend imperceptiblement et jette un coup d'œil à son short.

— Tu serais étonné de connaître l'effet que plusieurs jours de grasse matinée ont sur moi.

L'expression *grasse matinée* suffit à déclencher l'alarme stridente de mon réveil dans mon esprit.

— Ça doit être sympa. Je dormirais jusqu'à 10h tous les jours si j'avais le choix.

— Ouais, mais d'après Google, tu as un cabinet de kiné très fréquenté et… (Elle désigne mon torse d'un geste vague.) Tu peux regarder ça dans le miroir tous les matins. Une bonne raison de se lever.

Je ne sais pas ce qui me semble le plus incongru: qu'Hazel sache utiliser un ordinateur ou qu'elle l'ait utilisé pour chercher des informations sur moi.

— Tu m'as googlé?

Elle laisse échapper un soupir.

– Ne t'emballe pas. J'ai tapé ton nom entre une recherche sur le bœuf Wellington et une autre sur les poulaillers.

Face à mon regard interrogateur, elle ajoute :

– L'histoire des poules se passe d'explication. Alerte spoiler : il n'est pas recommandé d'élever des poules dans un appartement de quatre-vingts mètres carrés. (Théâtrale, elle dirige son pouce vers le bas.) Et je comptais cuisiner un plat élaboré pour le déjeuner avant de me souvenir que je suis paresseuse et très mauvaise cuisinière. Il y a des sandwichs au menu. Surprise !

Être avec Hazel, c'est un peu comme se retrouver enfermé dans une pièce avec un mini-cyclone.

– Pas de problème. J'adore les sandwichs.

– Beurre de cacahouète et confiture.

Elle claque les lèvres, comme dans un dessin animé.

J'éclate de rire et ressens l'envie étrange de lui ébouriffer les cheveux comme si c'était un chiot.

Elle retourne dans la cuisine et sort une plaque de cuisson avec des ustensiles : de petits bols empilés, quelques ingrédients de pâtisserie inoffensifs – dont de la maïzena – et des pots de peinture non toxique.

Je jette un coup d'œil par-dessus son épaule et lui dis :

– Je n'ai jamais préparé de sandwiches au beurre de cacahouète et à la confiture avec de tels ingrédients.

Hazel lève les yeux vers moi et, à cette distance, je réalise que sa peau est presque parfaite. Depuis que je sors avec Tabby, je prête attention à ce genre de trucs – coiffure, rouge à lèvres, vêtements – parce qu'elle y fait constamment allusion. Maintenant qu'elle m'a rendu conscient de ce type de détails, je remarque que rares sont les filles qui ne se maquillent pas, ce qui me donne envie de contempler un peu plus longuement la courbe douce et régulière de la joue d'Hazel.

— Ce n'est pas pour les sandwiches. On va faire de la poterie.

— Tu…

Je m'interromps, sans trop savoir comment terminer ma phrase. Maintenant que je connais les plans d'Hazel, je me rends compte que je n'avais aucune idée de ce qui m'attendait, et il semble pour le coup assez évident que nous allons devoir nous lancer dans une sorte de vague projet artistique.

— Tu as prévu des activités, comme quand on était petits?

Elle acquiesce en riant.

— Mais avec une bière.

Elle me tend le plateau et lève le menton pour m'indiquer de l'apporter dans le salon.

— Plus sérieusement, ça a l'air marrant et j'avais envie de faire un test avant de me lancer devant vingt-huit élèves de CE2.

Hazel apporte des sandwichs et nous mélangeons l'argile dans des bols, ajoutons de la peinture pour créer une variété de boules de couleur, en arc-en-ciel. Elle se tache la joue de violet et lorsque je le lui fais remarquer, elle s'essuie de sa main pleine de peinture verte.

— Je t'avais dit que ce serait marrant.

— En réalité, tu ne l'avais pas précisé.

Lorsqu'elle lève les yeux, l'air faussement insultée, j'ajoute:

— Mais tu as raison. Je n'ai pas touché à de l'argile depuis au moins… vingt ans.

Mon téléphone sonne — la tonalité des messages de Tabby — et je marmonne des excuses en le sortant de ma poche d'une main argileuse.

> Je ne vais pas pouvoir venir ce soir.
> Trish m'oblige à rester tard et je suis morte de fatigue.
> J'ai pensé à ta bite toute la journée, putain.
> Et à baiser ta bite toute la journée.

Je fixe l'écran, vérifie que c'est bien le prénom de Tabby qui s'affiche et qu'il ne s'agit pas d'une erreur de numéro.

Mais on est dimanche.

Tabby prévoyait-elle de venir aujourd'hui ? Comptait-elle se rattraper après s'être défilée vendredi… et prendre un jour demain ?

La confusion se métamorphose lentement en effroi et draine tout le sang de mon cœur jusqu'à mes tripes. Non seulement je suis à peu près sûr qu'elle ne comptait pas venir à Portland ce soir mais elle ne me dit jamais des trucs aussi cochons non plus.

Je m'essuie les mains du mieux que je peux et tape, incapable de réprimer un tremblement :

> Je ne savais pas que tu comptais venir me rejoindre.

Les trois points apparaissent, indiquant qu'elle est en train de répondre… puis ils s'estompent. Ils refont leur apparition, et disparaissent ensuite. Je fixe mon écran, conscient des coups d'œil réguliers que me jette

Hazel, tout en malaxant une boule d'argile d'un bleu éclatant.

— Ça va ? demande-t-elle doucement.

— Ouais, juste… j'ai reçu un message bizarre de Tabby.

— Bizarre comment ?

Je lève les yeux vers elle. En général, je préfère garder ce genre de choses pour moi, mais vu l'expression d'Hazel, je dois avoir la tête d'un mec à qui on vient d'asséner un coup de massue.

— Je crois qu'elle vient de m'envoyer un message destiné à… quelqu'un d'autre.

Elle écarquille ses yeux bruns et écarte une mèche de cheveux accrochée à la tache de peinture violette sur sa joue d'un doigt bleu vert.

— Genre, un autre *mec* ?

Je secoue la tête.

— Je ne sais pas. Je n'ai pas envie de penser au pire là, tout de suite, mais… on dirait bien.

— Je suppose que ce n'était pas un message du genre « est-ce que je peux t'emprunter du sucre ? ».

— En effet.

Elle se tait, puis laisse échapper un petit bruit étouffé, du fond de sa gorge. Quand je la regarde, elle a l'air de souffrir physiquement.

— Est-ce que ça va, *toi* ?

Hazel hoche la tête.

— J'essaie de me retenir de parler.

Je n'ai même pas besoin d'en demander la raison.

— Quoi, elle était destinée à déconner parce qu'elle s'appelle Tabitha ?

Elle me désigne d'un doigt accusateur.

— Ce n'est pas moi qui l'ai dit ! *Tu* l'as dit !

En dépit des battements saccadés de mon cœur qui résonnent dans mes oreilles, je souris.

— Tu es incapable de cacher ce que tu penses.

Tabitha ne répond toujours pas et, à chaque seconde qui passe, mes pensées s'assombrissent. Son message était-il *vraiment* destiné à quelqu'un d'autre ? Y a-t-il une autre explication à son silence ? Cette possibilité me donne envie de vomir dans tous les coins du salon en désordre d'Hazel.

Hazel laisse tomber l'argile dans un bol et se nettoie les mains à l'aide d'une serviette humide. Je me demande à moitié à quoi je ressemble maintenant : perplexe, avec une énorme tache verte sur le visage.

— Depuis combien de temps êtes-vous ensemble ?

Un résumé en images de notre relation défile dans mon esprit : rencontrer Tabby à un match des Mariners à Seattle, réaliser que nous venons tous les deux de Portland, dîner ensemble, la ramener chez moi. Faire l'amour le premier soir et avoir le pressentiment qu'elle pouvait être la bonne. La présenter à ma famille et puis, malheureusement, l'aider à faire ses cartons avec la promesse que son déménagement à L.A. ne changerait rien entre nous.

— Deux ans.

Elle grimace.

— C'est la *pire* durée à notre âge. Deux de nos années les plus exaltantes parties en fumée. *Investies.*

Je l'écoute à peine, mais elle ne s'en rend pas compte. Apparemment, quand le train Hazel se met en marche, rien ne l'arrête à moins qu'il ne déraille.

— Et si vous avez vécu ensemble ou si vous vous êtes fiancés ? Pire scénario. À ce moment-là, vos vies se chevauchent tellement que genre, qu'est-ce qui vous reste à faire ? Vous marier ? Enfin, je parle en général, mais évidemment pas dans ta situation. Tu sais… si elle te trompe. (Elle se couvre la bouche d'une main et marmonne.) Désolée, on dirait que je viens de te jeter un sort.

Sur mes genoux, mon téléphone s'illumine. J'ai reçu un message.

> Ouais, je comptais te faire la surprise !!!!

> Mais je suis tellement sous l'eau que je ne peux pas !!!!

Je grogne en me frottant le visage. Cette réponse ne fait qu'ajouter à mes soupçons. Évidemment, elle est en train de mentir. N'est-ce pas ? C'est ce qui est en train de nous arriver ? Un point d'exclamation traduit l'enthousiasme. Quatre, la panique. Une voiture roule dans mes veines, trop vite, sans freins.

Je marmonne :

— Ça n'augure rien de bon.

Je sens plus que j'entends Hazel ramper vers moi et, lorsque j'ôte mes mains de mes yeux, elle se trouve à quelques centimètres de moi, assise en tailleur, et fixe les tas d'argile par terre. J'ignore d'où vient cette impulsion – je la connais à peine –, mais je lui tends mon téléphone sans un mot. Comme si j'espérais qu'une autre personne me dise que j'interprète mal la situation.

C'est au tour d'Hazel de grogner.

— Je suis désolée, Josh.

Je reprends le téléphone et le balance à côté de nous sur le canapé.

– Ça va aller. Après tout, je me trompe peut-être.

– Ouais. Bien sûr. Probablement, acquiesce-t-elle sans conviction.

Je laisse échapper un long soupir.

– Je l'appellerai demain.

– Tu peux l'appeler tout de suite si tu veux. Je serais en train de perdre la tête, à ta place. Je peux sortir pour te laisser un peu d'intimité.

Je secoue la tête.

– La nuit porte conseil. Je dois déterminer exactement ce que je veux lui demander.

Elle se fige à côté de moi, perdue dans ses pensées. J'entends les voitures passer dans la rue, sans précipitation. Le réfrigérateur d'Hazel émet un bruit métallique, presque comme un frisson, toutes les dix secondes environ. Je fixe ses orteils aux ongles de toutes les couleurs et remarque un petit tatouage en forme de fleur sur le côté de son pied gauche.

– Est-ce que tu as un film de réconfort ?

Je cligne des yeux, perplexe.

– Un quoi ?

– Pour moi, c'est *Alien le retour*. (Hazel me dévisage.) Pas le premier *Alien,* mais le second avec Vazquez, Hicks et Hudson. Sigourney Weaver déchire. C'est une guerrière, presque une mère de substitution, un soldat, et une *bête* de sexe. Je la mettrais dans mon lit sans hésiter. C'est le premier film dans lequel une femme démontre avec autant d'aisance que nous sommes les égales des hommes.

Son étrange regard brun m'apaise, comme si elle était en train de m'hypnotiser.

– Ça a l'air plutôt chouette.

– Je n'arrive toujours pas à croire que Bill Paxton soit mort, ajoute-t-elle.

Je crois que ma relation avec Tabitha est terminée. Je n'arrive pas à comprendre ce que je ressens ; c'est un no man's land bizarre entre tristesse, choc et soulagement.

– Ouais.

Ses yeux s'adoucissent et je parviens enfin à déterminer leur couleur avec exactitude : whisky.

Très délicatement, elle demande :

– T'as envie de regarder *Alien* ?

CHAPITRE 5

Hazel

Je peux pardonner à Josh de n'avoir jamais vu *Alien* – parce que personne n'est parfait – et un bon point pour lui, il a tenté de prétendre qu'il n'était pas terrifié par la scène d'ouverture où le Ripley rêve qu'un Alien sort de sa poitrine. S'il estimait que c'était terrifiant, imaginez sa réaction lorsqu'Hudson, Hicks et Vasquez trouvent des colonies d'Aliens dans des sortes de cocons au milieu de leur vaisseau. Boum! Des Aliens partout!

S'il n'est pas tombé d'accord avec moi sur le fait que c'est le meilleur film de tous les temps, avant de s'en aller, il a tout de même répété des phrases comme «Ça y est les mecs, on est baisés les mecs, on est baisés» et «Ils sortent presque toujours la nuit. Presque toujours». Je suis clairement une influence extraordinaire.

Le lendemain, je passe du temps au parc avec Winnie. Tandis qu'elle se prélasse sur la pelouse, à côté de moi, je fixe les nuages en essayant d'y deviner des animaux.

Je me demande ce qui me plaît autant chez Josh Im. Ce n'est pas seulement son physique. Ou sa gentillesse. C'est son calme intérieur qui attire mon être chaotique comme un aimant. Chaque fois que je croise son regard – depuis notre première soirée aux relents nauséeux jusqu'à maintenant –, je ressens un doux frémissement dans la poitrine : je suis un satellite qui aurait trouvé son orbite.

Quelques jours après notre « date » amical, je tends une embuscade à Josh, au travail, le temps d'une pause glace. En partie parce qu'au fond, j'ai vraiment envie de manger des glaces tous les jours en guise de déjeuner, cet été, mais aussi parce que je me souviens de son expression lorsqu'il a lu les messages de Tabby. Comme si on venait de le rouer de coups. J'attends toujours qu'il me donne de ses nouvelles et qu'il me raconte ce qui s'est passé, mais après m'avoir ouvert son cœur chez moi, il est redevenu insondable et pince-sans-rire.

J'ai peur de parler du texto à Emily, parce que j'ai la très nette impression qu'elle n'apprécie pas Maîtresse Tabitha. Je sens aussi que la dernière chose dont Josh a besoin, c'est d'une sœur remontée comme une horloge, lui disant ce qu'il doit ressentir. Je vais donc devoir prendre mon courage à deux mains et lui poser la question moi-même.

– *Donc…*

Je lui souris, mon cornet de glace à la main.

Il sait exactement ce qui l'attend et me dévisage d'un air maussade.

Je dois être relativement facile à déchiffrer parce qu'aucune de mes paroles ne surprend Josh.

– Est-ce que tu aimes ou détestes la manière dont je me suis insinuée dans ta vie ?

Il mange une cuillerée de sa glace à la menthe et aux pépites de chocolat.

— J'hésite encore.

— Et pourtant, tu es là, avec moi.

Je désigne de la main les œuvres d'art devant nous : sa coupe de glace pour enfant et mon énorme cornet à deux boules qui dégouline.

— En train de profiter d'une merveilleuse pause en pleine journée.

Josh hausse un sourcil.

— Je ne refuse jamais une glace.

J'acquiesce à ces paroles empreintes de sagesse.

— Eh bien, quoi qu'il en soit, Jimin, je t'aime bien.

— Je sais.

— Et en tant que fille que tu ne fréquenterais jamais mais qui deviendra bientôt ta meilleure amie, je peux te dire sans la moindre arrière-pensée que je n'apprécie pas que tu sortes avec une roulure potentiellement perfide.

Il écarquille les yeux.

— Waouh. Tu n'y vas pas avec le dos de la cuillère.

— Ah ! (Je me frappe la cuisse.) J'ai été un peu plus directe que je ne l'aurais voulu. Ce que je veux dire… (Je m'éclaircis délicatement la gorge.) C'est : As-tu parlé avec Tabby depuis dimanche ?

— Non, nous n'avons pas cessé de nous rater au téléphone.

Il me jette un regard ennuyé avant de se concentrer à nouveau sur sa coupe, il tourne sa cuillère dedans.

— Eh oui, je réalise que c'est étrange dans la mesure où nous n'avons pas de problème de décalage horaire. Elle évite la conversation. Moi aussi, peut-être.

Attendez. Cinq jours se sont écoulés depuis le message équivoque et ils n'ont toujours pas parlé ? Je me sentirais comme une grenade prête à exploser. D'accord, je tends probablement à surréagir, plutôt que le contraire, mais sortir avec quelqu'un et se demander s'il est infidèle, sans avoir besoin d'en avoir le cœur net sur-le-champ ?

— Êtes-vous tous les deux morts de l'intérieur ?

Il répond du tac au tac :

— Sans doute.

— Pourquoi ne vas-tu pas à L.A. pour en parler en personne ?

Il lève les yeux vers moi et laisse tomber sa petite cuillère dans sa coupe vide.

— C'est là où le bât blesse. Elle ne compte pas revenir à Portland. Je n'ai plus aucun doute là-dessus. Donc, si on veut rester ensemble, soit je la rejoins à Los Angeles…

— Beurk.

Je me gratte le nez.

— Exactement. Ou elle et moi… quoi ? Continuons notre relation à distance pour toujours ?

— Si tu choisis cette option, tu risques la tendinite à force de faire l'amour au téléphone.

Je lèche une goutte de chocolat qui coule sur mon cône et ajoute :

— Une bonne chose que tu sois kiné.

Josh m'observe, impassible.

— Elle pourrait peut-être trouver un job dans une ville plus attrayante pour vous deux…

Il secoue la tête.

— Je viens d'ouvrir mon cabinet ici, Haze.

– *Ou*, je continue en sentant une bouffée de chaleur m'envahir lorsque je réalise qu'il a raccourci mon prénom, par familiarité… elle pourrait décider que L.A. n'est pas pour elle. La géographie n'est qu'une affaire d'espaces ; ça ne devrait pas entrer en ligne de compte si vous êtes bien ensemble.

Josh me dévisage sans ciller.

– Je pensais que tu ne voulais pas que je reste avec une « roulure perfide » ?

– Bien sûr que non. Mais est-on certains qu'elle soit vraiment perfide ? (Je lèche ma glace.) Tu n'as pas *parlé* avec elle.

Il grogne quelque chose et se lève pour jeter sa coupe dans la poubelle la plus proche.

– Je dois retourner bosser.

Je soulève mon énorme cornet et saute sur mes pieds pour le suivre. Sa démarche est raide comme celle d'un soldat, je dois trottiner pour rester à son niveau. La boule de glace la plus haute glisse et atterrit sur le trottoir dans un « ploc » lugubre. Je la fixe, mélancolique.

– Je sens que tu es en train de te demander si tu pourrais la ramasser et la remettre sur ton cornet. (Il m'arrête d'une main sur mon bras.) La réponse est non.

Le chocolat et le beurre de cacahouète commencent à fondre et je laisse échapper un gémissement :

– C'était tellement délicieux. Je vais rejeter la faute sur ta démarche rapide et furibarde.

Il ne retire pas sa main. Je lève les yeux vers lui avec une moue qui disparaît lorsque je me rends compte qu'il retourne dans son esprit ses problèmes avec Tabby comme des pièces de Tetris.

— Tu devrais aller à L.A. Que ce soit pour arranger les choses ou pour rompre, ça ne peut pas se faire par téléphone, et encore moins par texto.

— Zach et Emily pensent que je devrais la quitter, et ils ne sont même pas au courant pour le message. (Sa main retombe mollement.) Mes parents ne la portent pas non plus dans leur cœur. Merci d'avoir au moins considéré la possibilité qu'elle ne soit pas une roulure perfide. (Il marque une pause.) Même si j'ai bien peur que si.

— Pourquoi ne l'apprécient-ils pas ?

Il se redresse et recommence à marcher. Je fais des adieux émus à ma glace en train de se liquéfier avant de le suivre avec réticence.

— Ils ne se connaissent pas bien.

— Comment est-ce possible ? Vous êtes ensemble depuis deux ans !

— Tabby n'a jamais fait l'effort de construire une relation avec Umma – ma mère. Mon père est du genre taciturne, mais je ne suis même pas sûr qu'elle ait essayé d'engager la conversation avec lui. Pour mes parents en particulier, c'est difficile à surmonter.

Il fouille dans sa poche pour en sortir son téléphone lorsqu'il carillonne – je sais maintenant qu'il s'agit de la sonnerie de Tabby. Je l'observe lire le message à plusieurs reprises avant de me regarder.

— On dirait que Tabby et toi êtes sur la même longueur d'onde.

Il me montre le texto.

Est-ce que tu pourrais prendre un jour pour venir à L.A. ?

Je ne peux pas m'échapper, mais j'ai envie de te voir.

~

Josh retourne travailler, et je le regarde s'éloigner avec un élan protecteur. Il est bâti comme un athlète — tout en longs muscles bien dessinés —, mais on sent une vulnérabilité chez lui, dans sa nuque peut-être, ou dans la manière qu'il a de pencher légèrement la tête. Nous sommes amis depuis seulement une semaine, mais je ne veux pas qu'il ait le cœur brisé. L'idée que personne ne sera là pour se moquer de moi comme lui — sans fard, mais en me donnant l'impression que je l'amuse — m'attriste aussi.

Comme si ce n'était pas suffisant, lorsque j'arrive chez moi, j'entends Winnie aboyer frénétiquement de l'intérieur. Paniquée, je me précipite dans l'appartement et sens immédiatement que mes pieds sont trempés. Je soupire en réalisant qu'il est complètement inondé. Le tapis est mouillé sous mes pas. Winnie aboie dans la chambre et malgré tout son tintamarre, je distingue un sifflement discret, un peu plus loin, celui de l'eau qui s'écoule gaiement. Un tuyau doit avoir éclaté parce que le salon, la cuisine et le couloir sont devenus un lac miniature. Je piétine en cherchant la fuite du regard avant de comprendre qu'elle vient du lavabo de la salle de bains.

Je trouve Winnie, saine et sauve, sur l'île formée par mon lit, qui aboie sans discontinuer. Vodka criaille, en colère, sur son perchoir lorsqu'il me voit, et Janis saute dans sa cage comme une folle furieuse. Ce moment est tellement digne d'une comédie télévisée que j'éclate de rire, mais mon rire se mue rapidement en un gémissement étouffé.

Il me suffit de tourner le robinet pour la fermer, mais le mal est fait. Je m'effondre sur les fesses dans une mare profonde et observe les dégâts dans la salle de bains. Les tapis sont fichus. Les meubles sont probablement fichus, eux aussi. Les piles de papiers que j'ai laissées par terre dans le salon se sont désintégrées. Les livres, les vêtements, les chaussures, les jouets pour chien, tout.

Pendant quelques instants, je reste sous le choc. Rien ne me vient en dehors de :

Oh merde.

Oh merde.

Oh merde.

Je déteste l'idée d'être confrontée à des problèmes d'adulte comme celui-ci. Je sais que ce n'est pas de ma faute, mais mon propriétaire va paniquer et je vais devoir faire d'immenses efforts pour ne pas me sentir obligée de m'excuser. Il rejettera la faute sur Winnie ou sur Janis, parce que j'ai dû sortir le grand jeu pour qu'il me laisse emménager avec mes animaux. (*En réalité*, je n'ai pas tout donné non plus – beurk.) Je vais devoir nettoyer tout l'appartement et trouver un endroit où vivre, au moins provisoirement. Et cet endroit doit accepter les animaux, raison pour laquelle la plupart des hôtels ne sont pas une option. Je ne peux pas débarquer dans l'appartement minuscule de ma mère avec un chien, un oiseau, un lapin et Glenn, résident potentiellement permanent. Emily a une chambre d'amis, mais sa maison est d'une propreté si obsessionnelle qu'y passer du temps, même juste pour le dîner, m'angoisse parfois.

Je me relève et récupère mon sac sur le comptoir de la cuisine pour appeler mon propriétaire. Sans surprise, il vient de raccrocher avec mon voisin du dessous, dont le plafond a commencé à goutter. Je suis soulagée de ne pas avoir à lui annoncer la nouvelle. Il m'informe qu'il couvrira le prix du loyer de mon logement temporaire jusqu'à ce que le problème soit résolu, et je sais que mon assurance remplacera tout objet abîmé par l'inondation. C'est un soulagement, mais ça craint quand même parce que je dois trier mes affaires, seule, déterminer que faire et trouver où dormir.

Je suis sûre que ma mère acceptera de garder Janis, Vodka et Daniel. Winnie restera avec moi. Je fourre tout ce que je peux dans deux valises et installe ma famille animale dans la voiture avant de m'asseoir et de fixer les alentours à travers le pare-brise. Daniel nage comme il peut dans la petite tasse. Vodka répète le mot *cookie* environ sept cents fois sur la banquette arrière. J'entends Janis gratter du papier journal dans sa cage.

— Nous sommes SDF, les mecs.

Winnie me regarde avec l'air de me trouver mélo-dramatique, donc j'appelle Emily pour me faire plaindre.

— *Inondé ?* répète-t-elle. Sérieusement ?

Mes lèvres se mettent à trembler, le tremblement se transmet à mon menton, et me voilà en train de pleurer au téléphone en gémissant que tous mes projets artistiques sont fichus, comme mon tapis et mes espa-drilles bleues préférées, et que je ne vais pas vivre avec mon perroquet et mon lapin pendant plusieurs semaines, et que j'aimais cet appartement parce qu'il avait un excellent ensoleillement, et que ma voisine fait beaucoup de pâtisserie, donc ça sent toujours bon, et…

— *Hazel, tais-toi,* me crie Emily dans le combiné. Je suis en train de parler. Je pense que tu pourrais t'installer chez Josh.

Je renifle.

— Si Josh est comme toi pour ce qui est du linge et du ménage, il m'assassinera dans mon sommeil.

— Il va passer deux semaines à L.A.

Je marque une pause. Il a donc pris un billet d'avion. Je suis à la fois heureuse pour Josh et triste. Il mérite mieux que Tabitha, même si je le connais à peine et que je ne l'ai jamais rencontrée, elle.

— Je vais l'ajouter tout de suite à la conversation.

Emily disparaît sans me laisser le temps de protester, et lorsqu'elle revient, elle s'assure que nous soyons tous en ligne.

— Je suis là.

Josh semble fatigué, ou ennuyé, et je n'arrive pas à dire si c'est son style apathique habituel, s'il est énervé… ou les deux.

— Donc, l'appartement d'Hazel est inondé, commence Emily.

Josh semble significativement plus alerte lorsqu'il lance :

— Attends, sérieusement ? Ça s'est passé pendant qu'on déjeunait, à l'instant ?

— Vous venez de déjeuner ensemble ? demande Emily.

J'ignore l'intérêt soudain de sa voix et explique :

— Un tuyau a explosé, et en temps normal, je ne pourrais pas m'empêcher de faire des blagues sexuelles de mauvais goût, mais vraiment, c'est juste nul. (Je tripote mes clés de voiture sur le contact.) Je vais devoir m'installer ailleurs pendant au moins trois semaines.

Emily saute sur l'occasion pour ajouter :

— Josh, j'ai pensé qu'elle pouvait squatter chez toi, le temps de trouver une solution à plus long terme. Tu ne seras pas là et il y a beaucoup d'espace. Elle confinera l'ouragan dans la chambre d'amis.

— Vraiment ?

Je me demande si Emily croit à ce qu'elle affirme.

— Pas d'animaux, réplique immédiatement Josh.

Je riposte :

— Winnie ? Je peux te payer un loyer.

— Est-elle propre ?

Je pose une main sur ma poitrine, authentiquement offensée.

— Je vous demande pardon, Monsieur, mais mon chien a des manières impeccables.

Josh rit sèchement.

— Bon, d'accord.

— Vraiment ? (Je danse sur mon siège.) Josh, tu es le meilleur.

— Ouais, ouais.

Son ton me fend le cœur.

— Tu as l'air triste, meilleur ami.

— C'est moi, ta meilleure amie, me rappelle Emily.

Je n'arrive pas à m'empêcher de répondre, surexcitée :

— J'avais dès le départ élaboré ce plan machiavélique pour que vous vous disputiez mon amour.

Josh soupire.

— Je vais raccrocher. Je suis au boulot, je m'envole pour Los Angeles à 19h. Emily te donnera sa clé.

Je demande :

— Ça va ?

Emily renchérit :

— Attends, que se passe–t–il ? Pourquoi est–ce que ça n'irait pas ?

Je lâche la première explication qui me passe par la tête :

— Il était en détresse intestinale tout à l'heure.

Josh grogne.

— Tout va *bien*. (Il se tait, puis il se remet à parler d'une voix plus douce.) Appelle-moi si tu as besoin de quoi que ce soit, OK, Hazel ?

Mon cœur se serre.

— Merci, Josh.

Il n'ajoute rien, mais j'entends qu'il se déconnecte de l'appel.

Emily reste complètement silencieuse.

— Allô ?

Elle s'éclaircit la gorge.

— Je suis encore là.

— Donc, quand est-ce que je peux passer récupérer les clés ? C'est tellement gentil de sa part, je ne peux pas…

— Qu'est-ce qui se passe entre Josh et toi ?

Je demande un temps mort d'un geste frénétique, mais Emily ne peut pas le voir.

— Rien, *aaah*. Il n'y a rien de romantique entre Josh et moi, rien du tout. Je l'apprécie juste vraiment vraiment vraiment beaucoup. C'est un aimant à Hazel. J'adore son humour sarcastique et le fait qu'il semble me *comprendre*. Je pense que nous sommes en train de devenir de très bons amis, et ça me rend vraiment très heureuse.

— *Vraiment ?* dit-elle, et je commence à répondre avant de me rendre compte qu'elle se moque de ma tendance aux superlatifs.

– *Vraiment*. Sérieusement. Il n'y a pas la moindre attirance entre nous.

Emily grogne.

– OK.

CHAPITRE 6

Josh

Deux vols en deux jours, plus de drame que pendant une nuit d'ivresse dans une résidence universitaire, et me voilà de retour chez moi. Pour couronner le tout, la porte refuse de s'ouvrir.

Je retire la clé et m'agenouille pour étudier le problème. J'ai remplacé les deux poignées de porte quand j'ai rénové l'entrée et le porche de l'arrière-cour. Je ne parviens pas à imaginer une seule raison valable pour que la porte d'entrée soit bloquée.

J'examine la serrure… À moins que quelqu'un ait forcé dessus pour l'ouvrir?

Hazel.

Je me redresse, jette un coup d'œil à ma montre tout en réfléchissant aux options qui s'offrent à moi. Cette journée a été un cauchemar de bout en bout, et même si je sais que je ferais sans doute mieux d'aller dormir sur le canapé de ma sœur, je ne rêve que d'une chose : me déshabiller et me jeter dans mon lit. Il est un peu plus de 2h du matin, ce qui signifie qu'Hazel, selon toute vraisemblance, est profondément endormie dans la chambre d'amis. Il n'y aurait donc aucun mal à me faufiler à l'intérieur et à lui donner une explication au réveil, n'est-ce pas ?

Ma décision prise, j'attrape mon sac et descends les marches, avant de me diriger vers le jardin de derrière.

La lumière de la rue n'éclaire pas ce côté de la maison : le mur, ombragé par les arbres, est humide même la journée. À cette heure, il fait nuit noire. Je sors mon téléphone de ma poche, allume la torche pour m'éclairer jusqu'au portillon. Je ne suis pas passé par là depuis plusieurs semaines ; les charnières protestent lorsque je l'ouvre, et j'avance à tâtons sur l'herbe mouillée pour atteindre les marches, puis la porte. Heureusement, cette serrure semble en état de marche. Je déverrouille rapidement et silencieusement la porte, et trébuche une fois à l'intérieur. Une chaussure – provenant de la dizaine de paires qui traînent au hasard dans un coin, éparpillées sur le tapis. Épuisé, trop fatigué pour y faire attention, je les écarte de mon chemin.

La douche devra attendre.

Je traîne des pieds en direction de ma chambre lorsque je perçois un mouvement dans la lumière de mon téléphone. Je dirige la torche vers le comptoir et découvre un paquet de chips, des miettes menant jusqu'à un carton de pizza vide, et l'évier débordant de plats sales. L'envie soudaine de tout nettoyer maintenant me démange, mais un cri dans mon dos attire mon attention. Je me tourne et lève les mains juste à temps.

J'ai à peine le temps de m'écrier : « Put… » avant de ressentir une vive douleur. Tout devient noir.

~

Quand je reprends conscience, Hazel me dévisage. On dirait qu'elle sort d'un dessin animé : les yeux écarquillés, dans lesquels brille une lueur de folie, et un parapluie menaçant brandi au-dessus de sa tête. Elle porte un débardeur et le plus petit short du monde. Si je ne mourais pas d'envie de l'assassiner, je prendrais sans doute un moment pour admirer la vue.

– Est-ce que tu m'as frappé avec un *parapluie* ?

– Non. Oui. (Elle le laisse immédiatement tomber.) Pourquoi t'es-tu faufilé par la porte arrière de ta propre maison ?

La douleur de mon crâne s'intensifie à cause du volume de sa voix.

– Parce que quelqu'un a cassé la serrure et que ma clé ne fonctionnait pas.

– Oh. (Elle se mord la lèvre inférieure.) Elle n'est pas cassée, en réalité. Je me suis enfermée dehors et j'ai essayé de l'ouvrir avec une épingle à cheveux. Techniquement, c'est l'épingle qui est cassée. Pas la serrure.

Elle plante ses mains sur ses hanches et me regarde. Le problème, c'est que cette posture fait ressortir sa poitrine. Même dans la pénombre, j'en vois suffisamment pour penser que je devrais baisser le thermostat. Hazel ne porte clairement pas de soutien-gorge.

– J'ai cru que tu étais un assassin. (Elle désigne son chien, à moitié allongé sur moi, qui me lèche le visage.) Winnie a commencé à grogner, puis j'ai entendu quelqu'un marcher sur le côté de la maison. Tu as de la chance que je ne t'aie pas explosé la cervelle sur le sol de ta cuisine blanche aussi propre qu'une pièce en milieu stérile.

Je serre les paupières. Si je garde les yeux fermés assez longtemps, je réaliserai peut-être que cette journée n'était qu'un cauchemar en les rouvrant. Malheureusement, tout est bien réel.

— Tu parles, on dirait qu'une famille de ratons laveurs s'est établie ici.

Hazel a la décence de prendre un air légèrement coupable avant de s'éloigner vers le réfrigérateur pour ouvrir le freezer. Je détourne le regard juste avant qu'elle se penche.

— J'allais tout nettoyer, dit-elle, un sachet de petits pois congelés à la main. Qu'est-ce que tu fais ici ? (Elle s'agenouille et me les tend.) Ça ne s'est pas bien passé ?

— C'est un euphémisme.

Je me redresse et appuie les petits pois congelés contre mon front, où je sens une bosse pointer. D'une certaine manière, c'est une bonne façon d'achever mon voyage en enfer. Le premier jour, Tabby a admis qu'elle couchait avec quelqu'un d'autre. J'ai passé le reste de l'après-midi à la plage, à observer l'océan, sans me sentir exactement surpris mais en m'efforçant de réfléchir au problème avec honnêteté, puisqu'elle avait insisté sur le fait qu'on pouvait trouver une solution. Mais, le deuxième jour, elle m'a avoué qu'ils avaient commencé à coucher ensemble avant qu'elle déménage à Los Angeles, qu'elle avait voulu se rapprocher de lui et qu'il l'avait aidée à trouver un boulot. Cerise sur le gâteau, elle m'a avoué qu'elle espérait pouvoir continuer à nous voir tous les deux.

Le deuxième jour, c'était aussi aujourd'hui.

– Tu as envie d'en parler ?

Je commence à peine à digérer ma rupture avec Tabitha. Je regarde fixement droit devant moi, les yeux rivés sur l'unique grain de beauté de l'épaule d'Hazel. Au lieu de ressentir le besoin de lui expliquer ce qui s'est passé avec Tabby, je meurs d'envie de lui demander quand elle a remarqué l'existence de ce grain de beauté pour la première fois. Qu'est-ce que cela signifie ? Est-ce le choc ? L'épuisement ? La faim ? Je dirige à regret mon regard vers son visage.

– Ça va aller.

Je jette un coup d'œil à mes chaussettes. Elles sont grises, à imprimés ananas et coupes glacées – un cadeau de Tabby, l'une des premières fois où je suis venue la voir après son déménagement. Elle m'avait emmené à Disneyland et je me revois en train d'attendre dans la file en pensant *un jour, j'épouserai cette fille.* Quel imbécile.

Nous sommes restés ensemble deux ans – dont un à distance – et maintenant, je n'arrive pas à cesser de penser à quel point j'ai été naïf et pathétique.

Hazel s'assoit à côté de moi sur le carrelage sombre.

– Donc, c'est terminé ?

– Ouais. (J'ajuste les petit pois et la regarde.) Il se trouve que c'*était bien* une roulure perfide.

Hazel prend un air bougon.

– Et ce, avant même qu'elle déménage.

Hazel laisse échapper un grognement féroce.

– Attends. Sérieusement ?

– Sérieusement. Elle a commencé à coucher avec l'autre mec avant de quitter Portland. Elle a déménagé pour se rapprocher de lui.

— Quelle *connasse*!

— Tu sais, le pire ce n'est même pas qu'elle va me manquer. C'est que je me sens comme un imbécile. Totalement pris en traître. L'autre savait tout de moi, alors que je n'avais aucune idée de ce qui se passait. (Je l'observe et – parce que je sais qu'elle comprendra pourquoi ça me tue – j'ajoute.) Il s'appelle *Darby*.

— Elle couche avec un mec qui s'appelle Darby?

Une colère noire monte en moi.

— Tout à fait.

Elle laisse échapper un gloussement.

— Tabby et Darby. C'est trop débile, même pour Disney.

Je ris sèchement.

— Mais pourquoi m'avoir parlé de lui? Pourquoi ne pas avoir mis un point final à notre relation?

— Elle avait probablement envie de te garder, parce que tu es un modèle de perfection. (Elle marque une pause.) Tu sais, en dehors de l'histoire d'*Alien*.

Ses cheveux sont un désastre au sommet de sa tête. Elle a les yeux gonflés de sommeil. Mais, pourtant, elle me sourit comme si elle ne m'avait pas vu depuis des mois. Hazel Bradford cesse-t-elle parfois de sourire?

Je lance, d'un ton accusateur:

— Tu essaies de me remonter le moral.

— Bien sûr. Ce n'est pas toi le méchant dans l'histoire.

— En effet, c'est toi la méchante, parce que tu viens de m'exploser le visage.

— Je ne m'inquiète pas pour la bosse sur ton front. (Elle se lève et me tend la main. Je la laisse m'aider à me mettre debout et elle me tapote la poitrine.) Mais comment va ton cœur?

— Il s'en remettra.

Elle acquiesce et se penche pour caresser une Winnie assoupie.

— Ne te faufile plus jamais dans la maison d'une femme seule si tu ne veux pas qu'on t'assomme d'un coup de parapluie.

— C'est *ma* maison, imbécile !

— Un texto pour me dire que tu rentrais t'aurait évité d'être agressé physiquement, *imbécile*. (Elle s'éloigne en direction de la chambre d'amis.) Repose-toi. Demain, on va au mini-golf avec ma mère.

~

J'étais tellement épuisé et j'ai dormi si profondément que j'aurais oublié cette proposition si je n'avais pas trouvé Hazel dans la cuisine, en short, avec des chaussettes à hauteur du genou à motifs losange, un polo et un béret, au saut du lit. Je la connais assez bien pour deviner que sa tenue est son interprétation personnelle du style de Tiger Woods. Elle m'a aussi piqué un tablier de cuisine et se tient face à l'évier, entourée d'un nuage de fumée noire.

— Je n'ai pas l'habitude de ta cuisinière, explique-t-elle en essayant de faire barrage de son corps pour cacher le désastre qu'elle a provoqué.

— C'est juste du gaz.

Je me penche pour attraper un torchon et m'en sers pour saisir la poignée de la poêle en fonte, encore fumante. L'odeur de bacon brûlé imprègne mon T-shirt et envahit mes narines. Je m'éloigne avec la poêle en direction de la porte de derrière et la pose sur le sol en béton ciré, le temps qu'elle refroidisse.

— J'ai une gazinière chez moi, mais elle ne fait pas *ça*.

— Ne fait pas quoi ? je lance par-dessus mon épaule. Générer du feu ?

— Elle ne chauffe pas autant !

Je referme la porte derrière moi, lance le torchon sur le comptoir et examine l'étendue des dégâts. Je *suppose* qu'elle prépare des pancakes. Ou du moins, c'est ce que le liquide beige qui coule sur les portes des placards semble indiquer. Un sachet déchiré de farine et ce qui doit être le contenu entier de mon garde-manger est étalé sur le comptoir. Il y a des plats *partout*. Je prends une grande inspiration pour me calmer avant de continuer.

— C'est un fourneau à gaz professionnel.

J'attrape la poubelle pour faire glisser des coquilles d'œuf à l'intérieur.

— Le débit de gaz est plus important, donc ça chauffe plus vite, parce que la flamme est plus puissante.

Elle affecte l'accent britannique :

— Fascinant, jeune homme.

Winnie s'assoit docilement sur le seuil de la porte de la cuisine et me regarde avec un air qui ne peut que signifier — je serais prêt à le jurer — *tu vois ce que je vis au quotidien ?*

Ouais, Winnie. Je vois.

— Hazel, qu'est-ce que tu fais ?

Elle lève les mains. De l'une, elle brandit une spatule Mickey Mouse qui doit lui appartenir, l'autre est tachée de violet. Je n'ai même plus envie de savoir.

— Je prépare le petit déjeuner avant qu'on parte au golf.

— On aurait pu prendre le petit déjeuner dehors.

D'ailleurs, vu l'état de la cuisine, c'est ce que nous allons être obligés de faire.

— Bien sûr, le bacon est un peu plus… cuit qu'en temps normal, explique-t-elle. Mais il nous reste les pancakes. (Elle dispose dans une assiette deux des plus tristes pancakes que j'aie jamais vus, se tourne vers moi et désigne sa création avec fierté.) Tu en veux combien ?

Je suis surpris par la vague de tendresse qui déferle en moi. Hazel a presque causé un incendie dans ma cuisine, j'ai un hématome sur le front parce qu'elle m'a donné un coup de parapluie – et je dois toujours réparer la serrure de la porte d'entrée –, mais je préférerais m'étouffer avec ses pancakes plutôt que de blesser son amour-propre alors qu'elle porte des losanges et un béret.

— Ces deux-là, ça suffira.

— Super, s'exclame-t-elle, ravie, en posant l'assiette sur le comptoir, à côté d'une bouteille de sirop d'érable.

Prête pour une autre manche, elle prend une louche de pâte à pancakes et la verse dans une poêle trop chaude, selon toute évidence.

— J'ai parlé à ta sœur ce matin.

Je m'interromps au milieu du processus d'élimination des parties brûlées de mon pancake pour la regarder.

— Déjà ? (Je jette un coup d'œil à l'heure affichée sur la cuisinière.) Il est à peine 8h.

— Je sais, mais je lui avais écrit hier soir quand j'ai cru que quelqu'un entrait chez toi par effraction. J'ai dû lui dire que personne n'allait m'assassiner dans mon sommeil, et donc que tu étais de retour.

Génial. Emily va exulter quand elle apprendra la nouvelle. Elle serait même capable d'organiser une fête pour célébrer la rupture. Je retourne à mes pancakes.

— Qu'a-t-elle dit ?

— Je ne lui ai donné aucun détail. Elle voulait que tu l'appelles ce matin.

— Évidemment.

J'ai parlé à peine assez fort pour qu'elle m'entende, mais ma remarque ne passe pas inaperçue.

— Tu n'es pas obligé de tout lui raconter, tu sais. Lui dire que c'est terminé est suffisant.

— Et comment crois-tu que ça va se passer ? (Je lève les yeux vers elle, Hazel replace une mèche derrière son oreille, dévoilant la longue ligne de son cou.) Tu penses être capable de garder l'infidélité de Tabby pour toi, en sachant que ça fait plus d'un an qu'elle me trompe ?

Hazel me dévisage d'un air interrogateur.

— Ce n'est pas à moi de raconter cette histoire.

L'idée de ne pas être obligé de lui donner tous les détails me soulage infiniment. Emily n'en finirait jamais de répéter *je te l'avais dit*.

Quand je baisse la tête, je surprends Winnie en train de me fixer, une lueur plaintive dans ses yeux bruns, comme pour me demander de faire tomber de la nourriture. Je déchire un morceau de pancake et le donne délicatement au chien.

— Ne la gâte pas, me dit Hazel par-dessus son épaule.

— Hazel, le chien que tu ne veux pas que je gâte porte un T-shirt Wonder Woman.

J'entends le clic du brûleur qu'elle éteint, et la voilà en face de moi, le coude appuyé sur le comptoir.

— Et… ?

— Rien. (Je donne un autre morceau de pancake au chien.) Mais suis-je vraiment obligé d'aller jouer au mini-golf ?

Elle découpe un morceau de pancake brûlant et le mange.

— Tu n'es pas *obligé*. Ma mère et moi y allons, et je pensais que tu n'aurais pas envie de rester seul.

Au moment où elle prononce ces mots, je sais qu'elle a raison. Mais je devrais aussi passer voir ma famille. Ça fait plus de deux semaines que je ne leur ai pas rendu visite.

— Je comptais aller voir mes parents plus tard.

Elle hausse les épaules.

— Comme tu veux. Si tu veux te joindre à nous, je peux t'accompagner chez tes parents ensuite. Je ne les ai encore jamais rencontrés.

— Tu n'es pas obligée de jouer à la baby-sitter, Hazel.

Elle s'écarte du comptoir avec un sourire coupable.

— OK. Désolée. J'en fais trop, c'est du Hazel tout craché.

Je la regarde faire la vaisselle et parvenir tant bien que mal à nettoyer la cuisine pendant que je mange mes pancakes du bout des lèvres. Elle ne fait pas la moue, et on ne dirait pas que je lui ai fait de la peine – elle semble juste avoir entendu quelque chose d'involontaire dans ma voix.

— Qu'est-ce que ça veut dire, c'est du « Hazel tout craché » ?

Elle se tourne vers moi, un torchon à la main, en haussant les épaules.

— J'ai tendance à être trop bavarde, trop loufoque, trop exubérante, trop impulsive, trop enthousiaste. Du Hazel tout craché, conclut-elle en appuyant ses mots d'un geste évasif.

Elle est toutes ces choses à la fois, mais c'est justement pour ça que je l'apprécie. Elle est unique. Je l'attrape par le poignet quand elle fait mine de quitter la cuisine.

– Où est-ce qu'on va jouer au mini-golf?

~

Physiquement, Hazel ne ressemble absolument pas à sa mère. Mais la génétique est une science mystérieuse et subtile, car je n'aurais jamais pu douter une seule seconde qu'elle descend directement d'Aileen Pike-et-non-pas-Bradford, comme elle se présente. Aileen porte une jupe fluide ornée de paons brodés, et un débardeur bleu éclatant, et non seulement elle a des bagues à tous les doigts mais ses boucles d'oreilles lui effleurent les épaules. Hazel et elle n'ont pas du tout le même style, mais leur apparence crie silencieusement *Femme excentrique*.

Aileen me fait un câlin de bienvenue, tombe d'accord avec Hazel pour dire que je suis adorable, mais pas le genre de sa fille, puis s'excuse pour le mail rédigé sous analgésiques par Hazel il y a plusieurs années.

– Je savais que j'aurais dû l'écrire pour elle.

– J'en ai toujours un exemplaire imprimé. (Je souris en y repensant.) Je vais peut-être même l'encadrer et l'afficher, le temps du séjour d'Hazel chez moi.

– Comme un rappel constant de mon charme?

Je saisis le club de golf et la balle rose vif que me tend le mec derrière le comptoir.

– Ouais.

– En parlant de ta maison, commence Aileen. Ma fille est-elle en train de la mettre à sac?

– Plus ou moins.

Hazel fait passer sa balle de golf bleue d'une main à l'autre comme si elle jonglait avec. Même s'il n'est pas vraiment possible de jongler avec une seule balle.

— Je l'ai assommé d'un coup de parapluie hier soir.

Lorsqu'elle discerne de la fierté dans la voix de sa fille, Aileen me lance un regard complice.

— Tu te réjouis que ça n'ait pas été une poêle, n'est-ce pas ?

Dans la mesure où le parapluie m'a causé un hématome de la taille d'un poing de bébé sur le front, je ne peux qu'abonder dans son sens.

— Elle a un sacré swing.

Nous avançons vers le moulin à vent qui ouvre le parcours et, par politesse, je laisse Aileen commencer. Elle rentre la balle en un coup : la balle évite les pales en mouvement du moulin, vole au-dessus d'une petite colline et atterrit directement dans le trou le plus éloigné.

Il me faut dix coups pour y parvenir — je tarde tellement qu'Hazel et Aileen s'assoient sur un banc à côté du petit ruisseau pour me laisser le temps de terminer. Hazel a ramassé une poignée de graviers dans la main, elle tente d'atteindre la bouche ouverte de la statue de poisson.

— Es-tu une surdouée du mini-golf ?

— Si seulement ça m'avait apporté quelque chose dans la vie, rit Aileen et, une fois de plus, elle me rappelle Hazel.

Elle a le même rire rauque et généreux, qui lui échappe aussi naturellement qu'un soupir. Ces deux femmes sont des machines à rire.

— Ma mère m'emmenait ici tous les samedis, explique Hazel, pendant que mon père regardait les matchs de la ligue universitaire du football américain.

Elles échangent un regard entendu, qui se transforme en sourire, puis Aileen demande à sa fille des nouvelles de son appartement. Il sera prêt dans quelques semaines. Je les écoute parler et m'émerveille de leur capacité à se comprendre à demi-mot, à terminer leurs phrases par un hochement la tête, une mimique ou un geste théâtral. On dirait davantage des sœurs que la mère et la fille. Lorsqu'Hazel tourne le copain de sa mère en dérision, je la dévisage, choqué, en m'attendant à ce qu'Aileen se scandalise, mais elle se contente de sourire et d'ignorer les piques d'Hazel.

Hazel et Aileen ont la même forme de folie, fondée sur une assurance inébranlable. Les gens les observent lorsqu'elles leur passent devant, comme s'il suffisait qu'elles esquissent des pas de danse le long du parcours pour qu'un courant magnétique émane d'elles. Je les suis, en réalisant avec quelle rapidité je suis devenu le faire-valoir des pitreries d'Hazel.

Je finis par me réjouir de ne pas avoir parié d'argent : Aileen nous met K.-O. Pour soigner nos ego blessés, elle nous offre un café et des cookies, et j'ai droit à plusieurs anecdotes incroyables sur Hazel, comme la fois où Hazel a teint ses poils de jambes en bleu, la fois où Hazel a décidé de jouer de la batterie et s'est présentée au concours de talents du lycée après seulement deux semaines de leçons, ou encore le jour où Hazel a ramené chez elle un chien errant qui s'est avéré être un coyote.

Lorsque nous montons dans ma voiture, je réalise que j'ai à peine dédié une heure de mon temps à penser à Tabby, mais au moment où je m'en rends compte, l'amertume me submerge à nouveau et je ferme les yeux en tournant mon visage vers le ciel.

Voilà. Ma copine couchait avec un autre mec pendant la majeure partie de notre relation.

— Oh, lance Hazel, en me jetant un coup d'œil de l'autre côté de la voiture. Tu viens de quitter la bulle de bonheur.

— Rappelle-toi que je suis un imbécile.

— Donc, voilà le truc. (Elle me suit dans la voiture.) Je sais que cette histoire avec Tabby craint, mais *tout le monde* se sent stupide à un moment ou à un autre, dans une relation, et tu as plus d'excuses que quiconque. Moi, je lutte constamment contre le sentiment d'être une imbécile. Je ne sais pas toujours comment interagir efficacement avec les autres êtres humains.

Je lui souris.

— *Non…*

Elle m'ignore.

— J'ai tendance à être trop enthousiaste, je m'en rends compte, et je dis tout ce qu'il ne faut pas dire. Je suis incapable d'être cool. Donc ouais, les mecs m'ont donné l'impression d'être une imbécile au moins un *trilliard* de fois.

— Sérieusement ?

Elle éclate de rire.

— Ça ne peut pas te surprendre. Je suis une dingo.

— Ouais, mais une dingo bienveillante.

Je mets la clé dans le contact, et nous faisons tous les deux signe à Aileen lorsqu'elle quitte sa place de stationnement. Un autocollant « NEIL DEGRASSE TYSON PRÉSIDENT » est fièrement collé à l'arrière de sa vieille Subaru.

— Je sais que trouver la personne parfaite ne va pas être facile parce que je ne suis pas une fille simple, dit-elle, mais je ne compte pas changer juste pour me rendre plus fréquentable.

J'allume le contact et lui jette un coup d'œil.

— Tu es terriblement obsédée par ta place dans la chaîne alimentaire de séduction.

— C'est l'expérience qui parle, répond-elle avant de rester silencieuse quelques instants. Sais-tu combien de mecs apprécient de sortir avec une fille mignonne et délurée quelques semaines, avant d'espérer que je me calme et devienne une Petite Amie plus « Normale » ?

Je hausse les épaules. Je vois plus ou moins ce qu'elle veut dire.

— Mais en fin de compte, conclut-elle en sortant le bras par la fenêtre pour sentir le vent sur sa peau, être moi-même me suffit. Je *me* suffis à moi-même.

Elle ne prononce pas ces mots pour me convaincre, ou même pour s'autopersuader ; elle n'en a pas besoin. Je la regarde sortir son téléphone et choisir la musique qui agrémentera le trajet jusque chez mes parents, et me demande si c'est en partie mon problème : j'ai toujours pensé que j'étais un mec qui valait la peine, mais maintenant, j'ai la vague impression de ne pas *être à la hauteur*.

CHAPITRE 7

Hazel

Je n'avais pas envisagé que rencontrer les parents de Josh pourrait me demander des préparatifs. Ce sont juste des gens, n'est-ce pas ? Emily a mentionné qu'ils avaient tendance à être très protecteurs (en particulier, avec Josh, puisqu'il n'est pas marié), mais… quels parents ne le seraient pas ? Je sais que sa mère remplit toujours son réfrigérateur de victuailles, ce qui ce qui n'a rien d'inhabituel non plus. Pour être tout à fait honnête, si ma mère n'avait pas un potager aussi fourni, je souffrirais probablement d'une carence en vitamine C.

Je me souviens que Josh m'a expliqué qu'offrir des fruits était une tradition familiale, donc je l'oblige à s'arrêter au supermarché sur la route, où je compose le panier de fruits le plus imposant et le plus fantastique possible.

— Tu sais, quelques pommes auraient largement suffi, me dit-il en fermant sa portière et en m'emboîtant le pas dans l'allée étroite.

Je lui jette un coup d'œil par-dessus un ananas aux feuilles particulièrement hautes.

— J'ai envie de faire bonne impression.

— Tu es tarée. Tu sais ça, n'est-ce pas ?

Le panier me glisse des mains, je le rattrape en m'écartant de lui au moment où il s'apprête à me le prendre.

— Écoute, je prévois de faire un fantastique discours de témoin à ton mariage un jour. Il est hors de question de partir avec un handicap.

Il éclate de rire et me fait signe de monter les marches du petit porche décoré par des fougères en pots et par un carillon scintillant.

La porte n'est pas fermée à clé, Josh entre.

— Appa ? crie-t-il en m'enjoignant de le suivre. Umma ?

Il continue en prononçant une série de mots que je ne comprends pas.

Entendre Josh parler coréen est tellement sexy que ça me fait délirer. Mais une voix qui vient de la maison attire bientôt mon attention.

— Jimin-ah ?

— Ma mère, précise-t-il calmement, en retirant ses chaussures et en les plaçant soigneusement dans l'entrée. Umma, crie-t-il, je t'ai amené quelqu'un.

Je l'imite, en parvenant finalement à retirer mes sandales au moment où une adorable dame aux cheveux noirs émerge du salon.

Je ne pense pas m'être rendu compte de l'incroyable ressemblance physique entre Emily et Josh avant de me trouver face au mélange de leurs traits. La mère de Josh est petite, comme sa fille, ses cheveux noirs qui lui arrivent au menton rebiquent, rebelles, sur le côté gauche. Elle ne sourit pas encore, mais son regard pétille d'une gaieté qui semble permanente.

Josh pose une main dans mon dos.

— Je te présente mon amie Hazel.

— L'Hazel de Yujin-ah ?

Je sens la rivalité frère-sœur pointer lorsqu'il fronce les sourcils.

— Eh bien… mon Hazel aussi, dit-il. (Nul besoin de vous dire que je suis ravie d'entendre ça, putain.) Haze, je te présente ma mère, Esther Im.

— Ravie de faire ta connaissance, Hazel.

Son sourire atteint sa bouche et se communique à son visage tout entier. C'est exactement le sourire inattendu de Josh, comme un rayon de soleil.

Je l'aime déjà.

Mon premier instinct est toujours de faire un câlin, de serrer les gens contre moi comme s'il existait une ligne directe entre mon cœur et mes extrémités. Heureusement, le plus gros panier de fruits du monde m'occupe les bras et m'empêche de céder à l'habitude.

Malheureusement, les enseignements dispensés par le visionnage de séries télé coréennes choisissent ce moment précis pour s'infiltrer dans mon cerveau et je me penche pour la saluer solennellement. Les pommes et les oranges s'échappent du panier et roulent dans l'entrée immaculée de Mme Im.

Les événements s'enchaînent à toute allure. D'abord, je laisse échapper un chapelet d'insanités – chose que je ne devrais pas faire devant la mère de quiconque, encore moins devant la douce *umma* coréenne de mon nouveau meilleur ami. Ensuite, je lance le reste du panier à un Josh interloqué et pris au dépourvu, et plonge en direction du sol, me retrouvant à quatre pattes sur le tapis.

Josh ne semble même plus horrifié par mes facéties.

– Hazel.

– J'ai ! je m'écrie, en ramassant frénétiquement les fruits amochés et en les mettant en lieu sûr dans mon T-shirt relevé pour faire office de panier.

– *Hazel.*

Son ton est plus ferme maintenant, et je sens qu'il m'attrape par la taille pour m'aider à me relever.

L'ouragan Hazel a encore frappé.

– Je suis confuse, dis-je en lissant mes cheveux et en réajustant ma jupe. J'étais tellement émue de vous rencontrer qu'évidemment, j'allais causer une catastrophe comme, par exemple, renverser un panier de fruits. (Avec toute la grâce dont je suis capable, je désigne les clémentines, calées dans mon décolleté.) Puis-je les ranger dans le réfrigérateur pour vous ?

~

Assise en face du comptoir de la cuisine, je lance un regard noir au verre d'eau que Josh me tend, en marmonnant :

– À ce rythme, je ne serai même pas invitée au mariage.

La mère de Josh, occupée à cuisiner, fait rissoler des oignons dans un fait-tout qui semble au moins aussi vieux que Josh.

– De quoi parles-tu ? chuchote-t-il avant de s'asseoir à côté de moi.

– Elle a commencé à parler en coréen. A-t-elle dit qu'elle me détestait ?

— Bien sûr que non. Elle pense que tu es une fille assez hilarante.

Assez hilarante ? Est-ce un compliment ou un euphémisme ? Quoi qu'il en soit, j'écarquille les yeux et souris.

— Ta mère semble assez futée.

Josh ne relève pas, me donne une petite tape sur le nez et se dirige vers le comptoir, pour attraper un ingrédient dans un placard trop haut pour sa mère. On ne pourrait pas exactement dire qu'il est grand comme un séquoia, mais il la dépasse d'environ une tête et semble géant à côté d'elle.

Mme Im me jette un coup d'œil :

— Alors, Hazel, où vit ta famille ?

— Mon père est décédé il y a quelques années, mais ma mère vit à Portland.

— Toutes mes condoléances. (Elle se tourne vers moi avec un sourire compatissant.) La grand-mère de Josh est morte l'année dernière. Elle nous manque toujours beaucoup. (Elle verse du riz dans deux bols, en tend un à Josh, qu'il attaque immédiatement.) Tu n'as pas de frère ou de sœur ?

— Non, Madame. Je suis fille unique.

Elle traverse la cuisine pour me donner l'autre bol. Ça sent merveilleusement bon.

— Et tu es institutrice ?

J'attrape mes baguettes — en métal, pas en bois — et parviens à porter la première bouchée jusqu'à mes lèvres. Le plat est délicieux, du riz frit aux légumes. Je pourrais moi-même demander Josh en mariage, si ça signifiait pouvoir manger comme ça tous les jours.

— C'est une collègue d'Emily, renchérit Josh.

— Oh, c'est sympa. J'aime que Yujin-ah ait de bons amis au travail.

De bons amis. Je parviens à me détacher de la contemplation de la nourriture et à lever mon pouce, à l'instant où elle lâche la bombe.

— Et Tabby ? demande Mme Im. Ça fait longtemps qu'on ne l'a pas vue.

Je jette un coup d'œil à Josh. Comme l'alter ego que j'ai toujours su qu'il serait pour moi, Josh est déjà en train de me regarder. Je hoche la tête en signe d'encouragement, pour lui rappeler que c'est sa vie et qu'il n'est en aucun cas obligé de divulguer l'intégralité de l'information aux gens.

Même si ces gens sont sa famille.

Josh s'éclaircit la gorge et prétend être extrêmement captivé par son bol vide. C'est un très mauvais acteur.

— En réalité, je voulais vous en parler. (Il se racle encore la gorge.) Tabby et moi avons rompu.

Il est évident que je suis une étrangère qui n'en sait pas plus long que ce qu'on a bien voulu lui dire, mais je ne pense pas qu'il serait déplacé de décrire la première réaction de sa mère comme une putain d'euphorie.

Elle s'efforce de ne rien laisser paraître, en lui pinçant la hanche avec un froncement de sourcils avant de le resservir en riz, mais il est certain que dans cette famille, ne pas savoir jouer la comédie est génétique.

— Donc Tabby n'est plus ta copine ?

— Non. (Son regard glisse dans ma direction et Josh devine sa question implicite). *Non*, répète-t-il, d'un air insistant.

Je me sentirais sans doute offensée si ce délicieux bol de riz ne m'apportait pas autant de bonheur.

— Tabby ne venait jamais nous voir, murmure-t-elle théâtralement, assez fort pour être entendue de Josh. (Elle se tourne vers le réfrigérateur). Nous devrions organiser un grand dîner pour fêter ça.

~

Si ma vie actuelle était un film, (1) je serais bien mieux habillée, et (2) je donnerais la réplique à Josh dans un grand nombre de scènes où il est affalé sur le canapé en jogging et où je danse devant lui pour lui arracher un sourire. Puisqu'il a posé des jours de congé pour voir Tabitha, il a décidé qu'il profiterait de ses vacances chez lui pendant deux semaines, ce qui me semble vraiment *super-nul*. Je suis en vacances d'été. On pourrait aller à Seattle ! On pourrait aller à Vancouver ! Allons faire du canoë, de la randonnée, du vélo, ou sortons dans un bar pour que je me bourre la gueule et me retrouve topless !

Rien. Il n'a envie de rien. Il passe son temps sur Netflix, une main glissée dans la ceinture de son survêtement. Même lui dire que je vois ses abdominaux s'atrophier — ce qui est triste à voir — ne le tire pas de son apathie.

Je ne sais pas ce qu'il a raconté à Emily. Lorsque nous sommes allés dîner chez elle l'autre soir, elle semblait aussi remontée contre l'ex de son frère qu'à l'accoutumée, mais n'a pas semblé canaliser sa colère dans une direction spécifique. Son discours tenait plus du *Comment mon merveilleux frère a-t-il pu gâcher autant de temps avec cette fille* que du *Comment cette pute a-t-elle pu tromper mon merveilleux frère pendant aussi longtemps ?*

Et je comprends pourquoi il n'a pas envie de tout lui raconter. En dehors d'attiser son penchant protecteur, être trompé est évidemment humiliant, et je réalise que c'est à 99% la raison pour laquelle Josh est collé à son canapé. Que sa copine choisisse un job plutôt que leur relation est déjà dur à avaler, mais l'idée que Tabby ait en réalité choisi un autre mec (Darby !) qui l'a aidée à obtenir ce job, et qu'elle ait joyeusement mené Josh en bateau parce qu'il est parfait, et qui sait, peut-être parce que c'est aussi un coup incroyable, est encore pire.

Savoir que quelqu'un l'a traité avec autant de désinvolture, sans qu'il en ait la moindre idée, changerait non seulement la manière dont les autres le voient mais aussi probablement la perception que Josh a de lui-même.

Donc je comprends sa propension à se vautrer sur son canapé, mais ça me fout le cafard. Pour résumer la situation : Josh est sexy, comme nous l'avons déjà établi, mais il a aussi le cœur incroyablement tendre, sous une apparence sarcastique. Il continue à m'offrir l'hospitalité – même s'il est de retour. Il met un point d'honneur à me remercier lorsque je fais la vaisselle (une fois sur dix), et il m'apporte toujours un café en revenant de son jogging matinal. Nous parlons sans détour, avec honnêteté, de nos rêves, de politique, de ce qui nous déprime ou qui nous ravit. C'est un peu comme vivre avec une meilleure amie qui est en réalité un homme, très agréable à regarder par-dessus le marché. Je ne compte pas vivre ici pour toujours, mais être coincée chez Josh Im pendant quelques semaines n'est pas exactement désagréable.

Pourtant, à quarante-huit heures de la fin de ses vacances, je suis sur le point d'exploser. Je suis sortie tous les jours pour faire une activité. Je suis allée randonner dans le Macleay Park avec Dave. Un autre après-midi, Emily et moi avons découvert un nouveau marché fermier, et Dave nous a concocté un dîner incroyable. Josh a passé la soirée assis sur leur canapé, sans détacher les yeux de ce qui passait à la télé – un tournoi de softball d'été, en l'occurrence. Aujourd'hui, je suis allée jouer avec des chiens et des chats à la SPA, et l'unique chose que Josh a trouvé à dire à mon retour, c'était qu'il était urgent que je prenne une douche.

Je lui crie :

— Tu n'as pas envie de baiser ?

Il me dévisage, en sortant lentement sa main de son pantalon.

— Regarde ton corps ! (Je désigne sa perfection physique d'un geste évasif.) Tu es magnifique. Et ton visage ? Putain de beau aussi. Ça suffit, Josh, où est passée ta libido ?

Ses yeux s'écarquillent. Je me rends soudain compte qu'il croit que je suis en train de lui faire une proposition alors que je fleure bon la grange.

— Pas avec *moi*, Jimin, avec quelqu'un à *ton* niveau ! Ça ne te plairait pas d'avoir quelqu'un – pas juste pour du sexe, mais pour sortir, discuter, profiter de la vie ? Qu'on joue un peu avec ta bite serait un bonus !

— Hazel.

— *Josh*.

Il esquisse un geste théâtral de la main.

— Je suis là, n'est-ce pas ? Je passe du temps avec toi et je te parle.

Il reporte son attention sur l'épisode rediffusé de *Law & Order*.

Je gémis :

— Joosssssh.

Il coupe le son de la télévision et lève les yeux vers moi avec un long soupir.

— Je déteste draguer, encore moins sortir avec des inconnues. D'ailleurs, je n'ai aucune envie d'avoir une copine.

— Mais baiser ?

— J'aime baiser, me concède-t-il. Mais ce qui vient avec ne m'intéresse pas en ce moment. (Il grogne et se réinstalle confortablement sur le canapé.) Les petits jeux ? La phase laborieuse j'apprends-à-te-connaître ? Mettre un vrai pantalon ? Non merci.

Je m'assois à côté de lui et lui prends la main. Elle est douce et chaude, mais lorsque je me souviens d'où elle vient, je la repose sur sa cuisse.

— Écoute. Je me rends bien compte que tu as laissé des plumes à cause de Machine et que tu penses que toutes les filles sont des connasses. Ce n'est pas le cas.

— Ce n'est pas *ton* cas, dit-il. Tu es juste agaçante.

— D'accord. Mais tu n'as pas envie de coucher avec moi.

— Et tu n'as pas envie de coucher avec moi, renchérit-il. Mais, Hazel, ce n'est pas comme si tu étais là et que tu sortais à droite et à gauche non plus. Quand es-tu sortie avec quelqu'un pour la dernière fois ?

— Sortir, c'est-à-dire avoir une relation ? OU coucher avec quelqu'un ?

Il se gratte le nez.

— La réponse serait-elle différente ?

Je le dévisage comme s'il avait perdu la tête.

— J'ai couché avec des mecs avec qui je ne suis pas sortie et je suis sortie avec des mecs avec qui je n'ai pas couché.

À son tour de me dévisager comme si j'étais folle.

— Quoi ? Tu ne t'es jamais juste… tapé quelqu'un ?

Il masque sa gêne en prétendant que je le dégoûte.

— C'est le pire mot du monde.

— Tapé. Tapé. Tapé. Tapéééééé.

Il laisse sa tête retomber contre les coussins du canapé.

— Seigneur, tu ne pourrais pas juste me laisser tranquille ?

Je l'ignore.

— Et si je te trouvais quelqu'un ?

— Non.

Écoute-moi une minute. (Je m'assois en tailleur à côté de lui, envahissant son espace.) Et si je te trouvais quelqu'un, que tu me trouvais quelqu'un, et qu'on sortait tous ensemble ?

— Sérieusement ?

— Sérieusement. Pas de pièges, aucune attente. Un double «blind date». Juste pour rire.

— Non.

— Allez, Josh, juste une fois.

Il tourne la tête et me dévisage.

— Si j'accepte, tu me laisseras tranquille jusqu'à la fin de la journée ?

— Oui.

— Et si je trouve ça horrible, je ne serai pas obligé de recommencer ?

Je hoche la tête, avant de tendre la main pour lui gratter le crâne. Il ferme les yeux.

— Si tu trouves ça horrible, *nous* ne serons jamais obligés de recommencer. Tu auras le droit de mourir en paix, une main dans ton pantalon.

Il reste silencieux pendant une minute. Est-il en train de considérer ma proposition ? Est-ce la partie sur la main dans le pantalon qui l'a convaincu ? Il rouvre les yeux.

— D'accord.

Je me redresse.

— D'accord ? Vraiment ?

— Ouais. Mais assure-toi que ce ne soit pas une connasse.

CHAPITRE 8

Josh

Nous prévoyons de nous retrouver un vendredi soir, presque un mois après avoir conclu notre marché, et nous nous mettons d'accord pour passer la soirée au *Rumrunner's Tree House*, un petit bar kitsch qu'Hazel a découvert en centre-ville. L'adresse aurait dû me mettre la puce à l'oreille.

Adam – défenseur de première ligne dans une équipe de football en salle – arrive à la maison tandis qu'Hazel est encore en train de se préparer. Je le fais entrer, impassible, et nous prétendons tous les deux ne pas l'entendre chanter horriblement faux de l'autre côté de la maison.

Les travaux dans l'appartement d'Hazel prennent plus de temps que prévu, mais nous avons réussi à trouver un compromis satisfaisant entre mon besoin d'ordre et le chaos qu'elle laisse derrière elle, où qu'elle aille. Puisque la maison est présentable pour la première fois depuis des jours, j'emmène Adam dans la cuisine pour lui offrir une bière.

Il me suit, Winnie sur ses talons, et s'assoit au bar.

— Ta maison est chouette. (Il hoche la tête.) Je crois que la dernière fois que je suis venu, tu terminais à peine le sol.

— J'ai posé le parquet au printemps et je viens juste de recevoir les nouveaux encadrements de fenêtres. Je te dirai la prochaine fois que j'organise un barbecue. Ça ferait plaisir à Zach de te revoir.

— Cool.

J'ai rencontré Adam à un événement jeunesse auquel on participait tous les deux il y a quelques années. Nous venions juste d'ouvrir notre cabinet et Adam était là, avec son équipe de l'époque. C'est un type plutôt sympa — évidemment, sinon je ne le présenterais pas à Hazel. Du haut de son mètre quatre-vingt-dix et avec ses cent kilos de muscles, impossible de nier qu'il soit beau gosse, mais il est assez discret. Mon premier réflexe a été de penser que le contraste entre leurs personnalités pourrait être intéressant, mais je me demande maintenant si l'Ouragan Hazel ne va pas l'anéantir.

— C'est un peu bizarre, non ? dit-il en se penchant pour gratter les oreilles de Winnie. Je veux dire, venir la chercher ici ? Vous vivez ensemble ? Je ne voudrais pas…

Je suis son regard en direction du couloir où Hazel se lance dans une version lyrique de « Cum On Feel The Noize[7] » de Quiet Riot, et comprends soudain ce qu'il veut dire.

— Oh non. Non. (Je lève les mains.) Hazel et moi n'avons jamais été, et ne sommes pas, ensemble.

---

7. Jeu de mots entre *come on* et *cum*, « éjaculer » en anglais.

— Alors, vous êtes juste colocataires ?

Je m'empresse de le corriger :

— Des colocataires *temporaires*. Elle loue un appartement, mais ils font des travaux dans l'immeuble et elle avait besoin d'un endroit où dormir pendant quelques semaines. Ou quelques mois, je suppose.

— Je me suis demandé ce qui se passait quand tu m'as appelé, parce que tu es la dernière personne que j'aurais imaginé partager son espace. (Il ricane en buvant une gorgée de bière.) Sans vouloir t'offenser, mec.

Je prends une rasade de bière avec un sourire en coin et me tourne vers le chien.

— Winnie ? Dingo ? Viens par là.

Elle saute à côté de moi. Je me penche vers elle et chuchote assez fort pour qu'il m'entende :

— Garde tes distances, d'accord ? C'est un connard.

Adam éclate de rire. Winnie aboie comme pour me donner son assentiment avant de me suivre en direction de la porte arrière et de dévaler les marches menant au jardin.

Quand je reviens dans la cuisine, Adam est plongé dans la contemplation d'un dessin de licorne qu'Hazel a griffonné pendant que je cuisinais hier soir. La licorne a deux cornes, une crinière violette, une robe rose et un énorme pénis jaune.

Adam lève les yeux vers moi, sa bière à la main.

— Elle n'est pas… folle ou quelque chose dans le genre, n'est-ce pas ?

J'ai un pincement au cœur en entendant ce qualificatif, à cause de l'aversion qu'il provoque en moi, mais je me retiens de lui demander de préciser ce qu'il veut dire par *folle*. Je me contente de secouer la tête.

— Absolument pas *folle*.

Bien sûr, c'est le moment qu'elle choisit pour faire irruption dans la cuisine, vêtue d'une robe d'été jaune vif.

— Qui est folle ?

Je réplique du tac au tac :

— Winnie. Elle continue à persécuter les écureuils. (Je pose une main dans son dos et l'attire vers nous.) Hazel, je te présente mon ami Adam. Adam, voici Hazel. Vous aurez peut-être l'occasion de vous croiser cette année parce qu'Hazel vient d'être engagée à Riverview et que l'équipe d'Adam participe au programme jeunesse là-bas.

Adam se lève pour la saluer et je vois les yeux d'Hazel s'écarquiller. Elle le regarde de la tête aux pieds, sans la moindre vergogne. Subtil, Hazel !

— Ravie de faire ta connaissance, dit-elle en lui serrant vigoureusement la main. N'oublie pas de venir me dire bonjour quand tu passeras à l'école. (Elle se penche et met une main devant sa bouche pour chuchoter avec un air de conspiratrice.) À moins que cette soirée ne soit un enfer, dans ce cas, ne t'avise plus jamais de m'adresser la parole. Oh Seigneur, Josh ! Ta tête ! Je plaisante !

— Absolument pas folle, je marmonne en me levant pour ouvrir à Winnie, avant de frapper dans mes mains : Allons-y !

~

L'amie d'Hazel, Cali – qui bosse dans l'administration de son ancienne école – doit nous rejoindre au bar, donc nous nous entassons dans ma voiture, Adam serré devant et Hazel sur la banquette arrière, dont la tête pointe régulièrement entre nous.

Elle s'avance encore plus pour regarder à travers le pare-brise lorsque je me gare.

— N'est-ce pas incroyable ? s'exclame-t-elle, presque sur mes genoux. Je ne savais pas que cet endroit existait avant que Google envoie un message à mon âme.

Dans la rue, je lève les yeux en direction de l'enseigne clignotante qui annonce une soirée quiz de culture générale. Les autres bâtiments de la zone sont modernes, tout en verre, ou style hipster rétro, peints avec des couleurs vives. Ils n'ont rien à voir avec l'édifice marron qui se dresse devant nous, dont le toit en pente est décoré de néons.

Le trottoir devant l'entrée est abîmé et craquelé, mais orné de pots de fougères et de fleurs d'un violet éclatant. La voix d'Elvis Presley et les guitares électriques nous parviennent de l'intérieur. Hazel sautille presque jusqu'à la porte.

— On pourrait aller ailleurs, je lance en l'attrapant par la main pour attirer son attention et la retenir.

— Tu plaisantes ? (Elle désigne les lampes parapluie et le faux toit de chaume disposé au-dessus d'une double porte vitrée.) Enfin, *regarde* cet endroit.

— Oh… je suis en train de regarder.

Elle me donne une tape joyeuse sur le ventre avant de me pousser en avant.

— Allez. Cali est déjà là et je te promets que tu seras impressionné. Elle fait du yoga.

À ces mots, elle hausse les sourcils d'un air suggestif.

Je paie nos entrées et la suis dans le bar faiblement éclairé. Il est tôt, mais le lieu est déjà plein à craquer. La salle principale se reflète dans un miroir fumé qui sert de fond à une petite scène. Des lanternes de papier scintillent au-dessus de nos têtes et les serveuses vêtues de jupes hawaïennes se fraient un chemin entre les tables, en brandissant des plateaux surmontés de Corona, une rondelle de citron glissée dans le goulot, et de verres tiki desquels s'échappent de la fumée de couleur.

Hazel croise le regard de Cali, de l'autre côté du bar, qui nous fait signe qu'elle a réservé une table.

Hazel doit sentir que mon attention est piquée parce qu'elle monte sur la pointe des pieds et murmure :

— Je te l'avais dit.

Adam avance, Hazel et moi sur ses talons.

— Je sais. (Je me penche vers elle pour couvrir le bruit de ma voix.) Mais tu l'as aussi décrite comme une fan de tricot avec une forte personnalité et trois chats. Pardon d'avoir modéré mon enthousiasme.

Cali fait à peu près la taille d'Hazel, elle est blonde aux yeux clairs. Quand elle se lève pour faire un câlin à Hazel, j'ai le temps d'apercevoir de longues jambes dans un petit short rouge et les bonnes courbes aux bons endroits. Je surprends Adam en train d'admirer la vue, lui aussi.

Hazel fait les présentations, et au moment où nous nous asseyons, une serveuse se matérialise devant nous pour poser des dessous de verre sur notre table.

— Le jeu va bientôt commencer, dit-elle en attrapant un stylo dans ses cheveux et en l'appuyant contre un bloc-notes. Est-ce que je peux vous offrir quelque chose à boire en attendant ?

Nous commandons des boissons et plusieurs entrées, puis elle nous laisse avec nos feuilles de score.

— Alors, comment vous connaissez-vous tous les deux ?

Cali nous désigne, Hazel et moi.

— La version abrégée, c'est que nous nous sommes rencontrés à la fac, explique Hazel, avant de nous revoir récemment. Je suis une amie de sa sœur.

— Vous êtes sortis ensemble à la fac ?

Je ne sais pas qui de nous deux est le premier à la corriger, mais nous secouons la tête à l'unisson, et à un certain moment, Hazel fait mine de s'étouffer.

— Disons qu'on se connaissait de vue, j'ajoute posément.

Cali désigne Adam et sourit.

— Et toi, comment connais-tu Josh ?

— Nous nous sommes rencontrés lors d'un événement sportif spécial jeunes.

Son intérêt progresse clairement.

— Tu es un athlète ?

— Football américain.

Il lui sourit fièrement, de toutes ses dents d'un blanc immaculé. L'ombre d'une fossette se creuse dans sa joue. C'est un sourire très américain, le genre qu'on imagine sur une boîte de céréales et sur les écrans de rediffusion des stades. Malheureusement, j'ai déjà vu ce sourire des dizaines de fois, même s'il est habituellement destiné à des pom-pom girls et à des groupies après un match. Je jette un coup d'œil à Hazel et me rends compte seulement maintenant que je lui ai arrangé un coup avec Adam le Coureur de Jupons, et qu'elle dort chez moi.

Une idée de génie, Josh !

— Je me suis déchiré les ligaments croisés il y a deux ans, en hiver, et Josh m'a renvoyé sur le terrain pour l'entraînement de printemps.

Nous perdons le fil de la conversation lorsque notre serveuse revient. Le verre d'Hazel est carrément un aquarium rempli d'alcool bleu dans lequel flottent des bonbons en forme de poissons. Derrière nous, un bruit sourd attire l'attention d'Adam et de Cali, Hazel me fait signe pour me faire comprendre que je suis responsable qu'elle garde – ou pas – sa robe sur elle.

Nous commençons à grignoter nos entrées lorsqu'un type d'âge moyen, vêtu d'un jean et d'un blazer – notre maître de cérémonie pour la soirée – monte sur scène.

– Bonsoir, tout le monde ! crie-t-il sous un tonnerre d'applaudissements surprenant. Les habitués du journal télévisé du week-end de Channel Four me reconnaîtront sans doute. Mon nom est Richard Stroker et je serai votre hôte le temps du jeu de ce soir.

– Richard Stroker[8] ? (Hazel reste bouche bée, son verre à la main, puis explose de rire.) Il s'appelle *Dick Stroker ?* Je savais que cette soirée allait être incroyable !

Adam lui jette un coup d'œil perplexe.

– Je ne comprends pas.

Le regard qu'elle me lance contient une centaine de sous-entendus, puis elle se concentre à nouveau sur Dick.

– Nous jouerons en sept manches ce soir, explique Dick. Pop culture, musique, mathématiques et sciences, histoire universelle, sport. (Adam lève le poing en signe de victoire.) Faune et flore, et grammaire. (Il continue malgré les huées de la foule.) Vous remarquerez la présence de plusieurs écrans de télévision autour du bar – aimablement offerts par *Bob'Sports*, merci, Bob – où les questions seront affichées. Vous devez tous avoir sept feuilles de score, chacune portant le nom de sa

---

8. L'hilarité d'Hazel s'explique car le diminutif de Richard est *Dick* («pénis») et le verbe *stroke* signifie «se masturber» en anglais.

catégorie. Nous ajouterons les scores individuels, puis nous calculerons le total pour désigner le vainqueur. Qui veut savoir ce qui est en jeu ?

J'éclate de rire en voyant qu'Hazel est la première à lever la main.

— Le troisième prix est un ensemble de couteaux à viande de la marque *Kizer. Kizer : parce que les couteaux chinois déchirent, eux aussi.* Les lauréats de la deuxième place gagneront un an d'abonnement à *Omaha Steaks,* d'une valeur de plus de 300 dollars. (Des *oooh* et des *ahhh* retentissent dans la salle.) Notre premier prix est exceptionnel, Messieurs Dames. Parce que tous les bénéfices du jeu de ce soir iront à la Fondation contre le cancer des enfants, *Budget Cruises* nous a généreusement offert une croisière de trois jours sur la côte Pacifique !

Tandis que Cali et Adam écoutent l'énoncé des règles, Hazel se penche vers moi.

— Il faut que tu sois dans mon équipe.

Je lui rappelle :

— Au cas où tu ne l'aurais pas remarqué, nous sommes censés être en plein « date ». Avec d'autres personnes. Joue avec Adam.

Je me redresse, mais elle m'attrape par la chemise.

— Je veux cette croisière, Josh, et tu es plus intelligent.

— Pourquoi penses-tu que je suis plus intelligent ?

— J'ai vu Adam contracter ses biceps à travers la fenêtre de la voiture. Disons que c'est une question d'instinct.

— Hazel, une croisière normale, c'est déjà pas terrible. Tu as vraiment envie de te jeter sur le buffet à volonté d'une croisière low-cost ?

– C'est *gratuit*.

– La diarrhée, ce n'est jamais gratuit.

Elle retombe sur sa chaise et je sais que je vais regretter mes paroles avant même de les prononcer.

– *D'accord*. Mais tu m'en dois une. La prochaine fois, c'est *moi* qui choisis le programme.

Elle reprend immédiatement du poil de la bête :

– La prochaine fois ?

Je m'empresse de mettre les choses au clair. Seigneur, ça fait deux secondes, et elle a déjà pris une assurance démesurée.

– *Si* on remet ça. Écoute, je suis prêt à admettre que sortir de chez moi me fait du bien. Je passais beaucoup de temps à la maison et…

– … à t'apitoyer sur ton sort.

– Non.

– À te tripoter parce que personne d'autre ne voulait de toi ?

Je lui jette un regard d'avertissement.

– Il est possible que tu aies raison, quand tu as dit que je *m'apitoyais sur mon sort*.

– Possible, répète-t-elle avec un petit sourire.

– De plus (je n'arrive pas à croire que ces mots sortent de ma bouche), j'aime gagner.

– *Je le savais !* Je savais que tu étais aussi compétitif que moi. (Elle désigne mon ventre.) Ce que je veux dire, c'est que personne n'a des abdos pareils sans une volonté de fer.

– Tout va bien ? demande Adam.

– Bien sûr ! (Hazel se penche vers lui, lui attrape le bras et baisse la voix, mais je l'entends. *Tout le monde* l'entend.) Est-ce que ça te dérange que je sois dans l'équipe que Josh ? Il n'est pas très fort à ce genre de jeu et je ne voudrais pas qu'il ait de la peine. Problème de confiance en soi, tu sais.

Je lâche, stoïque :

— Je suis là.

— Bien sûr ! s'exclame Cali avec un hochement de tête compatissant. Adam et moi pouvons former une équipe !

La décision prise, une Hazel au sourire éblouissant distribue les cartes. Quand je récupère la mienne, elle a déjà écrit le nom de notre équipe dessus : *L'École religieuse de Stephen Hawking.*

Le jeu commence par le thème pop culture, elle rédige immédiatement la réponse correcte à la première question : *Dans quel film de* Star Wars *le personnage Jar Jar Binks est-il apparu pour la première fois ?*

Les questions défilent, et à la cinquième manche, nous avons curieusement réussi à n'obtenir que des bonnes réponses.

— Waouh, s'écrie Cali en regardant notre total, avant de jeter un coup d'œil au leur. Qui aurait cru que vous étiez si intelligents ? J'imagine que le pauvre Josh n'avait pas tant besoin d'aide que ça, après tout...

— Qu'est-ce que tu veux, je suis une encyclopédie d'informations inutiles. (Hazel hausse les épaules d'un air innocent avant de désigner la scène.) Oh regardez, Dick est de retour.

— La catégorie suivante — et à considérer le nombre de cannettes de Budweiser dans la poubelle de recyclage — est celle que vous attendiez tous : le sport !

— Ouais ! (Adam écrase le poing sur la table en renversant sa bière au moment où Cali pousse un gémissement.) *Il était temps,* putain !

— Alors, cette question est un peu difficile, déclare Dick en jetant un regard circulaire à l'assistance.

— Balance ! crie Adam, plein de confiance et de bière.

— Le présentateur d'ESPN Lee Corso a joué au football américain à la fac. Il a étudié à Florida State dans les années 50 et a vécu avec un autre joueur qui rencontrera par la suite le succès sur grand écran. Quelle est l'identité du colocataire de Lee Corso, qui allait connaître la gloire ?

Adam sèche complètement. Cali paraît sur le point de s'en aller. Je n'ai aucune idée de qui peut bien être le Colocataire Devenu Célébrité de l'Ancien Joueur de Football Américain Devenu Présentateur d'ESPN, mais lorsque je jette un coup d'œil à Hazel, elle a les yeux écarquillés et vitreux, son expression lorsqu'elle fouille sa mémoire, d'après ce que je commence à comprendre.

— Je connais la réponse… marmonne-t-elle.

— Comment pourrais-tu savoir ça ? demande Cali. Tu n'aimes même pas le sport.

Hazel se penche sur la table pour m'attirer vers elle.

— Mon père adorait Dolly Parton et, chaque fois qu'elle passait à la télé, il enregistrait ses performances. Il regardait les rediffusions de ses concerts.

J'attends, certain qu'elle ne parle pas au hasard.

— Et ?

— La réponse est Burt Reynolds. J'en suis sûre.

Je me rassois sur ma chaise. Burt Reynolds jouait demi de mêlée à l'université Florida State. Elle a raison, putain. Hazel Bradford est un génie.

Lorsque nous arrivons à la dernière manche, je n'arrive pas à croire que je m'amuse autant. Adam parle à une fille de la table d'à côté et je ressens une bouffée de culpabilité en voyant Cali pianoter sur son téléphone, mais Hazel et moi sommes sur des charbons ardents. D'après la feuille de scores – et avec la carte finale qui s'ajoute au total – les deux meilleures équipes sont à égalité. Il nous suffit donc d'une bonne réponse à la prochaine question pour gagner. Je n'ai jamais autant désiré une horrible croisière de ma vie.

Dick a retiré sa veste et mélange le lot de cartes pour faire monter le suspense. Il s'apprête à poser la dernière question.

– Très bien, lance-t-il sur un ton solennel, dans le micro. Le moment décisif est arrivé. C'est la mort subite, nous allons donc procéder un peu différemment. Quand vous aurez complété votre réponse, envoyez le capitaine de votre équipe sur scène pour que nous déterminions si vous avez visé juste et désignions le vainqueur. Bonne chance à tous.

Il prend une profonde inspiration avant de lire la carte.

– Le terme *pronom* a beaucoup de significations en anglais. Pour la dernière question, nommez huit types de pronoms.

Hazel pose son stylo sur le papier et hésite seulement un instant.

Je murmure :

– J'en connais seulement deux.

Mais elle est déjà en train d'écrire. Une seconde plus tard, elle déchire la feuille, se lève et court jusqu'à la scène.

– OK, OK. (Dick lui prend la feuille des mains.) Comment vous appelez-vous ?

– Hazel ! s'écrie-t-elle dans le micro.

Elle agite la main en direction de la foule et je secoue la tête en riant.

– OK, Hazel, capitaine de… (Il plisse les yeux.) *L'École religieuse de Stephen Hawking* ? Lisez-moi votre réponse.

– Alors, Dick – je peux vous appeler Dick ?

– Les femmes n'hésitent en général pas, répond-il avec un clin d'œil lubrique.

– Vous voyez, Dick, je suis institutrice à l'école primaire, mais j'ai aussi une mémoire vraiment pourrie.

– Ça ne doit pas être facile, Hazel.

– Sans blague. C'est pour cette raison que je dois toujours trouver des moyens mnémotechniques. (Hazel lève un doigt puis compte en récitant.) Niquer des Pétasses Pétulantes Requiert Naturellement une Incroyable Détermination Interne. *Ou* encore : nominal, personnel, possessif, relatif, numéral, interrogatif, démonstratif et indéfini !

Dick marque une pause pour vérifier la réponse avant de prendre la main d'Hazel et de la lever en signe de victoire.

– C'est une réponse correcte, bien que totalement inappropriée ! Hazel, institutrice à l'école élémentaire, et son partenaire remportent le premier prix ! Nous tenons nos gagnants !

~

– Je ne sais pas comment tu as fait. (Emily entre dans le salon, un saladier de pop-corn dans une main et une bouteille de vin dans l'autre.) Mais non seulement tu as réussi à traîner mon frère dans un bar miteux pour un «blind date» mais tu as gagné une croisière de merde *et* il s'est amusé. Tu murmures clairement à l'oreille des gens coincés.

— Hé !

Je jette un regard noir à ma sœur.

— En réalité, je ne l'ai obligé à rien.

Je me tourne vers Hazel, installée sur le canapé derrière moi, et souris. Hazel défend mon honneur comme seuls les bons amis le font.

— Je n'ai même pas eu *besoin de l'obliger* à faire équipe avec moi. Son sens inné de la compétition m'a facilité la tâche : je n'aurais jamais pensé pouvoir le manipuler aussi facilement.

— *Hé !*

Maintenant, c'est à Hazel que je lance un regard noir.

Emily éclate de rire, ce qui provoque des aboiements de Winnie, allongée à mes pieds.

— Toi aussi ? je demande au chien en me penchant pour le caresser. Elle est aussi insupportable que sa maîtresse, une vraie nuisance et pourtant… charmante.

— Mon frère collet monté dans une croisière low-cost. Je n'aurais jamais cru que ça arriverait un jour.

— Oh, ne t'inquiète pas trop pour lui. (Hazel étire ses longues jambes, juste assez pour envahir mon espace.) La croisière, c'est pour le printemps prochain. Je suis sûre qu'il trouvera un moyen de se défiler d'ici là.

Quand le film commence, je pose la télécommande sur la table basse et me tourne vers Hazel.

— Avec une attitude pareille, ne compte pas sur moi pour t'envoyer de l'Imodium depuis la terre ferme quand tu me supplieras de le faire.

Dave nous rejoint dans le salon.

— Vous êtes sûrs que vous n'êtes pas mariés ?

Hazel se gratte le nez avant de lui envoyer du pop-corn dessus et Winnie se jette dessus.

— La seule personne avec qui je me chamaille autant, c'est ma femme, et ça m'a demandé des années de pratique, ajoute-t-il.

Il contourne le canapé et s'assoit à côté de ma sœur. Ces deux-là semblent tellement bien ensemble. J'ai du mal à ne pas me demander si *je* vivrai ça un jour. Si l'on en juge par mes résultats avec Cali, c'est mal parti.

Heureusement, j'ai à peine le temps de m'apitoyer sur mon sort qu'Hazel me balance un coup de pied dans les reins, en essayant de faire de la place pour Winnie sous la couverture. Je repousse son pied.

— Tu sais qu'il y a beaucoup de place sur ce canapé, n'est-ce pas ?

Dave nous regarde, goguenard.

— Vous voyez ?

— David, beurk ! Tes sous-entendus sont dégoûtants ! On sort à peine de table.

Emily prend une poignée de pop-corn et se rassoit sur le canapé.

— Donc, revenons au « double date » de l'enfer. Qu'est-ce qui est arrivé aux autres ? Je suppose qu'ils n'accepteront jamais de vous revoir parce que vous vous êtes révélés être des comparses geeks, obsédés par les quiz, qui ont fait une croix sur leur vie sexuelle.

— Oh, on ne vous a pas raconté le meilleur… je commence, mais Hazel m'interrompt.

— Le meilleur, c'est la *croisière,* Jimin.

Je la pousse pour la faire tomber du canapé et continue :

— Ils sont rentrés ensemble.

Emily reste bouche bée.

— Non…

— Si! (Hazel, qui vient de choir, hoche joyeusement la tête, comme si elle était ravie pour eux.) Je suis passée dans mon ancienne école pour déposer un carton d'affaires et j'ai vu Cali dans la salle des profs en train de tenter de dissimuler un énorme suçon avec du fond de teint. Qui fait des suçons de nos jours? Sérieusement.

— Mais vous allez recommencer, n'est-ce pas? demande Emily en regardant Hazel remonter sur le canapé et reconquérir le terrain perdu. Ne laisse pas mon frère retourner à ses survêtements, s'il te plaît.

Hazel engloutit du pop-corn en haussant les épaules:

— Je ne sais pas. Tu en penses quoi?

— Là comme ça, tout de suite, dis-je, je ne vois pas lequel de mes amis je pourrais traumatiser. Mais je ne suis pas contre l'idée d'essayer.

Hazel considère la possibilité.

— Ouais, je ne vois aucun candidat possible, dans l'ancienne *ou* la nouvelle école — je dois maintenir un minimum de professionnalisme, pour sauver les apparences. Et la plupart de mes amis sont mariés ou gays, ou encore plus bizarres que moi.

Je fronce les sourcils.

— C'est difficile à croire.

— Nous connaissons des tonnes de gens! s'exclame Emily en se décalant sur le bord du canapé pour regarder son mari. Que penses-tu de la fille adorable qui bosse chez ton chiropracteur?

Dave fouille dans sa mémoire.

— La rousse? Elle est lesbienne.

Emily hausse les épaules.

— Je sens que Josh ne va pas tirer un coup de sitôt, renchérit Hazel, donc ce n'est pas grave.

Emily se redresse.

— Oh! Et ton frère? Il s'amuserait tellement avec Hazel.

— Mon frère est fiancé.

Emily lui jette un regard plat.

— David, nous savons tous les deux que ça ne va pas durer.

— Peut-être, mais quoi qu'il en soit, on doit les laisser vivre leur propre expérience.

Hazel attrape la bouteille de vin et marmonne à mon intention :

— Je crois qu'on va en avoir besoin.

— Et le mec du cabinet dentaire, lance Dave, celui qui prend les rendez-vous? (Il nous jette un coup d'œil.) On devrait trouver un cahier pour dresser une liste des possibilités.

Emily fouille dans un tiroir et je tends mon verre à Hazel pour qu'elle me resserve.

Armée d'un stylo, Emily commence à prendre des notes.

— Le mec qui tond ta pelouse et joue toujours avec Winnie, Josh. Et il est vraiment mignon.

Dave lui jette un regard interrogateur en attrapant un cookie.

— Il n'a pas, genre, dix-neuf ans?

— Tu as peut-être raison. (Elle se tourne vers Hazel.) Haze, as-tu un problème avec les hommes plus jeunes que toi?

Hazel rote avant de répondre.

— Non.

— Et toi, Joshy ?

— J'estime que les hommes plus jeunes ne sont pas un problème, mais je préférerais une femme. Au moins en âge de voter.

Les yeux de Dave s'illuminent.

— Et si on leur créait des profils sur Grindr ou eharmony, ou une application du genre ?

Emily fronce les sourcils.

— Je ne crois pas que Grindr soit le plus adapté. Laisse-moi lancer une recherche sur Google.

Hazel s'appuie contre mon épaule en les dévisageant.

— Si on n'était pas là, ce serait pareil.

Je sirote une gorgée de vin.

— Je pense que tu as raison.

Pensive, Hazel lance :

— Tu sais… ma coiffeuse est plutôt mignonne. Et marrante. Elle pourrait te plaire.

— Vraiment ?

Elle lève les yeux vers moi. Elle est si proche que je remarque que ses yeux whisky semblent encore plus clairs ce soir.

— Mouais. Elle aime pêcher. Tu aimes pêcher ?

— Oui.

— J'ai pris rendez-vous la semaine prochaine. (Elle remonte ses cheveux au sommet de son crâne.) Je pourrais peut-être lui en parler ?

— Et toi ? Si on continue les « dates », je veux qu'on le fasse ensemble. (Hazel ouvre la bouche pour répondre, mais s'arrête. Je suis son regard. Emily et Dave nous dévisagent.) Quoi ?

— Rien. (Emily se penche pour écrire quelque chose, et je suppose que c'est un gribouillage parce qu'on l'a surprise en train de nous regarder.) Vous êtes mignons ensemble.

Hazel se redresse en faisant la belle.

— C'est parce qu'on est tous les deux incroyablement sexy. (Elle me jette un coup d'œil.) Je pense que ma coiffeuse pourrait plaire à Josh. Mais il n'a pas droit à l'erreur, parce que j'aime vraiment beaucoup ma coupe actuelle.

Je lève mon verre.

— Promis juré craché.

Dave saisit le bras d'Emily.

— Tu te souviens de ce barista à Heavenly Brews ? Celui qui flirte apparemment tout le temps avec toi ?

Emily lève une main pour se défendre.

— Tout ce que je dis, c'est qu'il ne me fait jamais payer quand je demande un double café.

— Je pourrais lui parler d'Hazel. (Il ajoute en la regardant.) Il est plutôt mignon, pour un mec. Cheveux bruns, athlétique. Je n'ai remarqué aucune tendance psychotique chez lui, et il prépare des cappuccinos délicieux. Je pense qu'il termine ses études ou quelque chose dans le genre.

Hazel penche la tête.

— Je suis intéressée. Les baristas tendent à apprécier les filles un peu spéciales.

Quelque chose frémit en moi lorsque je l'entends se décrire ainsi.

— Donc, c'est décidé ? demande Emily. Hazel parlera à sa coiffeuse et Dave au barista sexy. On se retrouve ici pour finaliser les détails ?

Hazel me tend la main, je la serre. C'est en train de devenir très… banal. J'espère juste que personne

ne me forcera à m'impliquer dans une relation avant
que je ne le décide moi-même.

CHAPITRE 9

Hazel

Malheureusement, je passe le samedi matin qui suit le « date » numéro deux à chercher une nouvelle coiffeuse.

Je suis en pleine lecture des commentaires Yelp lorsque Winnie commence à aboyer, en collant sa truffe humide contre la fenêtre du salon. Pauvres vitres de Josh, jadis étincelantes de propreté.

La minute de folie de Winnie commence. Elle court dans tous les sens, en agitant furieusement la queue et en dérapant sur le parquet. Seules deux personnes provoquent cette réaction chez elle. L'une s'est réveillée avec une migraine avant de retourner se coucher. L'autre, c'est ma mère.

— Du calme, lui dis-je en l'attrapant par le collier pour ouvrir la porte. Comme si tu avais besoin d'en faire des tonnes pour qu'on te remarque.

— La voilà ! chantonne ma mère. Qui est mon adorable et gentille fille ?

Je suis choquée – *choquée,* et je pèse mes mots – de me rendre compte qu'elle ne s'adresse pas à moi.

Winnie danse entre les jambes de ma mère lorsque celle-ci entre. Je ferme la porte derrière elle.

– Je suis ravie de te voir, moi aussi, maman !

– Chuuut. (Elle me tend un petit sachet de papier blanc fleurant bon les muffins à la myrtille. Tout est pardonné. Elle jette un coup d'œil à la cuisine.) Je vois que tu n'as pas encore mis le feu à la maison.

Je lève le pouce dans sa direction.

– Jusqu'ici, tout va bien !

Dieu merci, mon appartement devrait être bientôt prêt, enfin. Je suis impatiente de retrouver mon chez-moi avec mon lapin, mon perroquet et mon poisson. Même si je dois admettre que cohabiter avec mon nouveau meilleur ami va me manquer.

Winnie suit ma mère lorsqu'elle traverse le salon, et s'installe confortablement à ses pieds sous la table de la cuisine.

– Où est le beau gosse ? demande ma mère.

Je sors deux assiettes du lave-vaisselle et dispose les muffins dessus.

– Tu sais, la plupart des mères trouveraient autre chose à dire à leur fille, si elle vivait avec un mec par exemple, plutôt que de souligner à quel point il est *beau gosse.*

– Es-tu en train d'insinuer que j'ai tort ?

– Oh, pas du tout. Mais ne te laisse pas berner par ce joli visage, c'est un beau gosse insupportable.

– Ce doit être la raison pour laquelle vous vous entendez si bien, réplique-t-elle avec un sourire victorieux.

– Ah ah.

— Donc, où est-il?

La cafetière gargouille, j'apporte les assiettes à table.

— Il est parti se recoucher.

Elle jette un coup d'œil à sa montre, puis me dévisage, avec un sourire entendu et goguenard.

— Qu'est-ce que tu lui as fait?

— *Moi*? (Je m'efforce de prendre un air innocent. Elle ne se laisse pas berner. Prise sur le fait, je lui tends son muffin et me tourne vers la cuisine.) Disons que le « date » numéro deux a été un échec cuisant.

— Rafraîchis-moi la mémoire! Le type du café et (Elle marque une pause en me voyant hocher la tête.) Oh Seigneur!

— Ouais.

— Vous étiez pleins d'enthousiasme cette fois. Ce n'était pas marrant?

Je ne suis pas sûre que je décrirais cette journée comme marrante, mais c'était définitivement *quelque chose*.

En se basant sur le peu que je lui avais raconté sur McKenzie, Josh a organisé une sortie pêche sur le Columbia. J'étais tellement excitée que j'étais levée, prête et habillée dans la cuisine, en train de préparer des sandwichs avant même qu'il sorte du lit.

Nous nous étions mis d'accord pour nous retrouver sur le quai avant le lever du soleil. Le barista sexy — alias Kota — était déjà arrivé, un plateau en carton avec quatre cafés à la main. Bon point. Je me suis dit qu'il faudrait que je remercie Dave parce qu'il m'a suffi de regarder Kota pour savoir qu'il ne l'avait *pas* survendu.

Le ciel était encore brumeux, couleur sorbet, l'air de l'aube glacial lorsque nous nous sommes présentés. J'ai examiné Kota du regard : les cheveux bruns, calés derrière ses oreilles, avec les pointes teintes en rouge. Des boucles d'oreilles et un tatouage qui émergeait du col de sa chemise. Je ne vais pas mentir, j'étais séduite.

C'est alors que McKenzie a fait son apparition.

On était sur le bateau, on discutait tranquillement tout en se réchauffant les mains grâce aux mugs de café, lorsqu'une Honda rouge s'est garée sur le parking. J'ai remarqué que Kota a hésité au milieu de son récit de la fois où Dave avait mangé un sandwich à la salade et aux œufs, au coffee-shop, qui l'avait rendu malade. Mais il a continué à parler et il était toujours aussi mignon, donc je ne me suis pas laissée distraire.

J'ai entendu claquer une portière de voiture, puis un bruit de bottes crissant sur le gravier, qui résonnaient dans le silence matinal. Je me suis tournée vers McKenzie, j'ai souri et agité le bras dans sa direction. Elle m'a fait signe de la main et Josh s'est figé, en la regardant de haut en bas. Je suppose qu'il pensait un truc du genre : *sexy, joli corps, a priori pas l'air d'être tarée. J'en dois une à Hazel.*

Du moins, c'est comme ça que ç'aurait dû se passer.

Mais j'ai senti que Kota se raidissait à côté de moi et que son sourire détendu changeait. Quand McKenzie s'est approchée, j'ai observé la même réaction chez elle.

Merde.

J'ai haussé les épaules et je me suis précipitée pour l'accueillir.

– Tu es venue !

Je l'enlace étroitement. Elle exhale la même odeur que le salon que j'aime de plus en plus et j'espère avoir l'attention de Josh lorsque je le menace de lui couper les couilles de manière subliminale s'il gâche ce moment d'une manière ou d'une autre. Je m'écarte, en sautillant et en frappant dans mes mains.

— Je suis tellement contente que tu sois venue !

— Bien sûr !

Elle jette un coup d'œil par-dessus mon épaule et se raidit.

Je me tourne, la prends par le bras pour avancer vers les garçons.

— Tout va bien ?

Elle marche à côté de moi, en me regardant discrètement à travers ses cils.

— Comment s'appelle ce mec ?

Les vagues s'écrasent sur la jetée, l'eau clapote et une mouette crie dans le ciel.

— C'est Josh ! L'ami dont je t'ai parlé. Je te promets que tu vas l'adorer, il…

— Non, l'autre.

Je leur jette un coup d'œil puis la dévisage.

— Il s'appelle Kota. Tu le connais ?

— Plus ou moins, murmure-t-elle, au moment où nous arrivons face à eux.

— Josh, je te présente McKenzie.

Josh lui tend la main et… *euh*. Il la gratifie de son sourire de mec irrésistible. Pas la version discrète et mignonne qu'il réserve aux caissières de supermarché, le sourire que j'adore — celui qui lui fait pétiller les yeux et qui creuse sa fossette.

Son sourire inattendu, comme un rayon de soleil.

Doucement, Josh, laisse-la prendre ses marques avant d'envoyer la sauce.

— Et, Kenzie, fais-je, je te présente…

— Salut, McKenzie, m'interrompt Kota.

Il fait une moue bizarre. Josh me jette un coup d'œil, puis les regarde tour à tour.

– Vous vous connaissez ?

– Nous sommes sortis ensemble quelques f… commence Kota avant que Kenzie lève une main.

– Baisé. Nous avons *baisé* quelquefois – et il ne m'a jamais rappelée.

– *Ouufffff.*

C'est à peu près le seul son que j'arrive à prononcer. Une vague de malaise déferle sur nous. J'appelle Josh à l'aide d'un regard suppliant.

Il tape dans ses mains.

– On devrait peut-être se séparer et changer de plan.

McKenzie avance d'un pas et prend le bras de Josh.

– Ce n'est pas nécessaire. (Elle lui sourit mais le venin dans sa voix est dirigé vers Kota.) Je suis ici avec toi. (Un silence plein de signification.) Il ne compte pas.

– Hum, OK ?

L'affolement est visible dans le regard de Josh, le rouge lui monte aux joues.

Nous nous retournons lorsque notre guide descend la jetée qui mène au quai, un bloc-notes à la main. Il prend nos noms et nous accueille à bord, avant de nous donner des cirés et des bottes. Nous faisons les présentations, puis il nous briefe sur l'utilisation des gilets de sauvetage et les endroits autorisés ou interdits sur le bateau. On nous dit de prêter attention aux cordes sur le pont parce qu'il y en a partout et qu'elles peuvent s'avérer dangereuses si on se prend les pieds dedans. Il emploie les mots *piège mortel* – je n'invente rien. Nous parlons du mal de mer et on nous explique exactement où vomir en cas de nécessité. Je croise le regard de Josh au-dessus de la tête de Kenzie et, ravie, me rends compte qu'il est déjà en train de me sourire et d'articuler silencieusement *pas sur mes chaussures*.

Les *private jokes* sont un signe indéniable que nous sommes meilleurs amis.

Tout semble donc aller pour le mieux lorsque nous nous embarquons et commençons à pêcher.

J'écoute toutes les explications de notre guide et suis à la lettre les instructions du matelot. Kota est à côté de moi, exhalant son charme de mec sexy. Malgré l'entrée en matière gênante de notre « double date », il s'avère plutôt marrant. Mais j'ai du mal à ne pas laisser mon regard vagabonder vers Kenzie − clairement en train de sortir le grand jeu pour dégoûter Kota − qui rit et s'agrippe au bras de Josh comme s'il venait de la demander en mariage.

À un certain moment, ma ligne s'agite et commence à se dévider ; ce qui s'est accroché à l'hameçon essaie désespérément de s'échapper. Le matelot s'approche pour m'aider, ainsi que Josh ; Kota et McKenzie en profitent pour disparaître plus ou moins de notre champ de vision. Au moment où je tiens mon premier poisson devant moi, ils sont partis pour de bon.

Josh finit par attraper à son tour un poisson et nous prenons quelques photos. Une heure plus tard, nos invités ne sont toujours pas de retour, donc nous sortons notre déjeuner et commençons à peine à… discuter. Josh me donne des détails sur les enfants dont il est le tuteur à son cabinet de kiné, sur le mariage d'Emily, et m'explique qu'il ne s'est jamais inquiété pour elle, pas même une seconde, parce que Dave était exactement l'homme qu'il aurait choisi pour sa sœur.

Je lui parle de ma mère, de Winnie, de mon impatience à l'idée que l'école reprenne. Je lui raconte la fois où je suis tombée sur mon gynécologue en réunion parents-profs, qui a fait semblant de ne pas me reconnaître.

– Ce n'est pas si étrange que ça, dit Josh en se penchant pour observer sa ligne.

De temps à autre, un esturgeon saute au loin, sans se laisser appâter par les hameçons. Du moins, dans l'immédiat.

– Pourquoi font-ils ça ? je lui demande en observant les corps brillants d'écailles voler dans les airs avant de replonger dans l'eau.

Je comprends que ce soit un réflexe lorsqu'ils sont pris à l'hameçon – moi non plus, je ne me laisserais pas faire. Mais ça semble contre-productif. Genre tu es un poisson, et les gens sont en train de te chercher. Cache-toi !

Josh éclate de rire et s'appuie sur la rambarde du bateau. Il est tellement beau. Une fois qu'il se sera remis de son histoire avec Tabby, les filles feront la queue pour le séduire. Mais je distingue encore une pointe de réserve chez lui, qui lui courbe légèrement les épaules, et perçois ses doutes peser sur les traits de son visage.

– Je pense que personne n'a jamais posé directement la question aux esturgeons, mais je suppose que c'est pour vider leurs branchies. Ou peut-être pour éviter les prédateurs.

Je plisse les yeux en regardant vers l'horizon.

– Ou c'est peut-être juste pour s'amuser.

Josh reste silencieux, je le surprends en train de m'observer.

— Je ne l'ai jamais envisagé sous cet angle. (Il se tourne pour contempler le fleuve, le courant se renforce un peu et nous nous rapprochons instinctivement l'un de l'autre.) Je n'arrive pas à croire que je viens de rebondir sur le sujet, mais tu étais en train de me dire que ton gynécologue t'avait snobée et je suis curieux de connaître le fin mot de l'histoire.

— Donc, je me suis arrêtée en plein milieu du gymnase et je lui ai souri – pas mon sourire de politesse, mon vrai sourire – et il s'est contenté de me passer devant.

— Il ne t'avait peut-être pas vue.

— Il m'avait clairement vue – et crois-moi, je tombe tout le temps sur des mecs qui ont vu mon vagin et font comme s'ils ne me connaissaient pas. Ça n'a pas marché entre nous et il n'y a pas de problème. Mais j'ai *payé* ce mec.

Les coins de la bouche de Josh se relèvent.

— Il était peut-être pressé. Il n'avait peut-être pas envie de mélanger travail et plaisir. Je t'ai vue éviter des élèves quand on les croisait ensemble.

— C'est différent, et, pour ce qui me concerne, je n'ignore les gamins, ou leurs pères, que si je ne porte pas de soutien-gorge. (Josh secoue la tête, mais je continue, pour qu'il comprenne là où je veux en venir.) Ne devrait-il pas y avoir un certain niveau de reconnaissance sociale quand tu as vu les parties génitales de quelqu'un ?

Josh me regarde avec cette expression typique qu'il a lorsqu'il espère que je n'ai pas dit quelque chose qu'il est pourtant assez sûr que j'ai dite.

— Seigneur, Hazel. (Mais cette fois, son sourire est trop éclatant pour qu'il le retienne.) Et donc, qu'as-tu fait ?

– Rien. (Mes épaules s'affaissent.) Cette histoire est assez décevante, finalement.

– Pas vraiment. Au moins, je connais le protocole du lendemain si on voit un jour nos parties génitales respectives.

– Ce qui n'arrivera pas.

– Ce qui n'arrivera clairement pas, renchérit-il avant de se tourner en entendant des voix.

Kota avance vers nous, une main sur sa braguette, qu'il termine de remonter.

Sans déconner.

– Donc, c'est tout ? Tu te contentes de t'en aller, encore une fois ?

Kenzie perd légèrement l'équilibre en traversant le pont sur ses talons, puisque le bateau avance sur des eaux mouvantes. Ses cheveux sont emmêlés, son gilet de sauvetage ouvert, porté à l'envers. Nul besoin d'être un génie pour deviner ce qui vient de se passer.

– Au fait, j'ai simulé.

Kota se fige, puis se tourne lentement vers elle.

Je reste interdite.

Josh laisse échapper un petit sifflement compatissant.

– Ce n'est pas ce dont j'ai eu l'impression tout à l'heure, dit Kota.

Josh s'éloigne de la rambarde.

– Tout va bien ?

Kenzie semble sur le point de cracher du feu, elle est assez proche de Kota pour lui toucher le torse de son index accusateur.

– Comme je te l'ai dit, j'ai *simulé*. Tu n'es sans doute pas capable de remarquer la différence parce que tu te laisses berner par mes cris.

Kota repousse son doigt.

—Voilà la raison pour laquelle je ne t'ai pas rappelée. Tu es beaucoup trop compliquée.

Ce qui suit survient très rapidement. McKenzie se jette sur Kota et Josh tente de les séparer. Il y a un tourbillon de gilets de sauvetage, je crie des avertissements à propos de cordes et de pièges mortels, juste au moment où le bateau fait une embardée. Je termine sur les fesses. Lorsque je me relève et regarde autour de moi, Josh a disparu.

~

— Il est tombé dans la rivière ?

Ma mère me dévisage, sans la moindre considération pour son petit déjeuner abandonné dans son assiette.

— Ouais. Il portait son gilet de sauvetage et ils ont réussi à le repêcher, mais sa tête a frappé contre l'une des baumes en acier quand il est tombé.

— Oh Seigneur. Il va bien ?

— Ça va.

C'est là que Josh entre lentement dans la cuisine, un nouvel hématome rouge de la taille d'une fraise sur le front. Winnie le suit d'un air coupable.

— J'ai juste eu un peu de mal à me lever ce matin. Et au cas où tu te poserais la question, il est difficile de dormir avec un chien de trente kilos allongé sur soi.

— Elle t'adore.

Il me regarde avec un sourire fatigué, qu'il n'essaie même pas de retenir.

— Son amour est aussi suffocant que le tien.

Je lui souris gaiement, de l'autre côté de l'îlot.

– Tu as toujours de belles paroles.

Ma mère tire une chaise.

– Josh, mon chéri, assieds-toi. J'ai apporté de quoi prendre le petit déjeuner et Hazel prépare du café. (Elle ajoute en me dévisageant.) As-tu fini de lui causer des commotions cérébrales ou devrait-on se préparer pour un troisième round ?

Je m'apprête à me récrier lorsque Josh lance :

– Je vais bien, vraiment, insiste-t-il, mais il s'assoit quand même. Je suis juste content d'avoir pris une douche avant d'aller me coucher. Qui aurait cru que la rivière sente si mauvais ?

Je lui tends une assiette et dépose un baiser sur le côté intact de son front.

– Je crois que c'était moins la rivière que la couverture pleine de poissons dans laquelle ils t'ont enveloppé après t'avoir sorti de l'eau.

~

Josh et moi avons retenu la leçon après avoir laissé nos cercles rapprochés se croiser. Pour notre troisième tentative, nous ratissons plus large – façon de parler.

Le lendemain de notre sortie désastreuse avec Kota et Kenzie, je rencontre Molly dans le bus qui m'emmène au marché fermier où j'achète l'équivalent d'un salaire en victuailles pour cuisiner à Josh un dîner de remerciements sophistiqué, puisqu'il m'a accueillie pendant deux mois. Molly a beau être une inconnue, sur qui je suis tombée par hasard, elle est *magnifique* et, par-dessus tout, c'est une représentante de commerce pour une entreprise locale de cosmétiques biologiques.

Je dois admettre que j'ai une idée derrière la tête. Molly est sympa et s'est montrée aussi charmante qu'on peut l'être pendant un trajet d'une heure d'un bout à l'autre de la ville – donc oui, je pense vraiment qu'elle plaira à Josh. Mais le trait d'eye-liner de Molly est également *parfait*, et même si ça ne fonctionne pas entre Josh et elle… je pourrais peut-être au moins avoir droit à quelques astuces maquillage pendant le dîner, non ?

Selon Josh, le mec que je m'apprête à rencontrer – Mark – est un ancien client. Josh ne m'en a dit que du bien. Apparemment, Mark est aussi grand que beau, et c'est un mec génial, vraiment. Ils ne se sont pas vus depuis un moment, mais Josh est sûr que le courant passera entre nous.

Il se trouve que Josh a raison sur toute la ligne : Mark est grand, beau, et le courant est définitivement passé entre nous, à ceci près que…

Surprise ! Mark est en pleine transition pour devenir Margaret, et elle pensait rencontrer *le* colocataire de Josh. Un mec.

Il se trouve que Josh lui a passé un coup de fil pendant qu'il conduisait, et la réception était assez mauvaise sur le trajet. Margaret a bien expliqué à Josh qu'elle avait un peu… *changé* depuis le temps, mais le Bluetooth ne cessait de couper. Sans savoir ce qu'il avait raté, il a conclu l'appel en lançant : « Ouais, carrément. Je t'envoie le lieu et l'heure » avant de raccrocher.

Ça ne s'est peut-être pas exactement passé comme nous l'avions prévu, mais nous *avons* passé une soirée géniale et mon trait d'eye-liner n'a jamais été aussi impressionnant.

~

Les travaux dans mon appartement s'achèvent deux semaines avant la rentrée scolaire, dans les dernières bouffées d'humidité de l'été.

Même si je suis sûre que Josh sera heureux que Winnie et moi débarrassions le plancher de sa maison impeccable, je pense qu'on pourrait presque lui manquer.

Un peu.

Je dis ça parce qu'alors que notre cohabitation touche à son terme, je pense que même Josh est surpris de trouver cette situation de vivre ensemble normale. Bruyante ? Oui. Chaotique ? Absolument. Mais aussi : confortable. Oserai-je dire *facile* ?

La journée typique se déroule ainsi : Josh traîne au lit jusqu'au dernier moment, avant de se lever. Winnie le suit paresseusement, il boit la tasse de café que je lui ai servie sur le comptoir. Je cuisine une variation de petit déjeuner brûlé, et nous discutons en mangeant, nous nous envoyons des textos toute la journée, puis nous rentrons le soir pour dîner ensemble, avant de nous endormir devant la télé. Je n'ai jamais vécu quelque chose d'aussi proche d'une vraie relation. Je pense que ça a aussi été bénéfique pour Josh : il n'a pas fait allusion à Tabby depuis des semaines.

J'ai toujours adoré mon appartement *et le fait de* vivre seule, mais lorsque j'ouvre ma porte fraîchement repeinte et m'arrête sur le nouveau parquet pour examiner le résultat, je n'arrive pas à m'empêcher de remarquer à quel point l'appartement me semble vide.

Winnie semble arriver à une conclusion similaire. Elle renifle le palier, tourne sur elle-même devant la porte avant de ressortir, laisse échapper un gémissement, puis s'allonge sur le paillasson.

— Je vois ce que tu veux dire, lui dis-je en entrant et en déposant mes sacs sur le nouveau canapé.

En dehors du canapé, il n'y a pas beaucoup de meubles. La plupart de mes affaires ont été abîmées par l'inondation, le peu de choses qui ont pu être sauvées sont des vieilleries qui n'en valaient pas vraiment la peine. Comme toutes les personnes d'une vingtaine d'années que je connais, j'ai commandé le nouveau canapé chez IKEA, mais il semble à des années-lumière du cuir doux et vieilli de celui de Josh.

Winnie paraît réticente à l'idée d'admettre que c'est là que nous allons vivre. Même après l'avoir forcée à entrer, elle insiste pour camper près de la porte. Tête de mule. Je déballe quelques affaires et installe les autres animaux, fais le lit avec de nouveaux draps sur le nouveau matelas et inspecte les améliorations de l'équipement de la salle de bains ainsi que les placards de la cuisine. Je n'ai que de la nourriture pour animaux à portée de main, et aucune envie de remédier à ce problème ce soir, donc je commande à dîner et commence à démêler l'enchevêtrement de câbles pour brancher la télé.

Je suis en plein processus d'installation technologique, en train de pleurnicher à quatre pattes sur le parquet du salon, lorsque mon téléphone sonne dans le coin où je l'ai laissé il n'y a pas si longtemps.

Ça m'a fait bizarre de ne pas trébucher sur tes chaussures en rentrant chez moi.

Je savais que je te manquerais.

Peut-être un peu.

Enfin, qui va utiliser toute l'eau chaude tous les matins ?

Efface mon numéro.

Je plaisante.

La maison semble un peu vide.

Une bouffée de tendresse m'envahit, mais je la repousse avant de taper ma réponse.

Winnie est déprimée et refuse de s'écarter de la porte.

Je pense que tu lui manques.

Winnie. Bien sûr.

Tu sais que c'est un vrai pot de colle.

Comment est l'appartement, d'ailleurs ?

Je soupèse ma réponse en observant le salon immaculé et lumineux. Des murs vides, un tas de cartons à déballer, un labradoodle mécontent. Je suppose que ça pourrait être pire.

Plutôt chouette. Un peu dénudé, mais ça va s'arranger peu à peu.

J'ai failli passer mais je me suis dit
que tu aurais sans doute envie de t'installer
tranquillement.

Envoie-moi une photo.

Je fais quelques photos, dont une où mon visage occupe la majeure partie de l'écran et une autre avec le tas de câbles à côté de ma télé triste et définitivement noire.

Parce que Josh est naturellement attentionné, mon téléphone sonne presque immédiatement.

— Appartement de l'Hédonisme Hazélien.

— Tu veux que je vienne t'aider ? (Un sentiment me submerge. De la victoire, oui, parce que j'espérais qu'il passerait, mais autre chose aussi. Comme une pluie d'été ou une couverture moelleuse. J'ai vraiment envie de le voir. C'est aussi le cas de Winnie. Il suffit de la regarder.) Je pourrais brancher la télé pendant que tu ranges tes affaires.

En tant que femme forte et indépendante, je devrais refuser, arguer que je peux m'en sortir seule – ce qui serait le cas, à terme – mais *RuPaul's Drag Race*[9] passe à la télé ce soir et dire non ne serait ni efficace ni opportun.

À la place, je réponds :

— J'ai commandé à dîner. (Il y a assez à manger pour deux, maintenant que j'y pense.) Winnie sera contente de te voir. Elle arrêtera peut-être même de bouder.

— Laisse-moi le temps de prendre une douche, j'arrive dans vingt minutes.

---

9. Émission de télé-réalité américaine présentée par RuPaul, qui met en scène un concours de drag queens.

– Marché conclu. Je serai probablement dans la même position quand tu arriveras, donc entre sans frapper.

– Compris. Oh, eh, Haze ?

Je souris.

– Hum ?

– Dis à Winnie qu'elle me manque aussi.

CHAPITRE 10

Josh

Après l'avoir aidée à transférer ses affaires dans sa nouvelle salle de classe, je vois à peine Hazel pendant plusieurs jours — ce qui, étant donné qu'elle s'est réinstallée chez elle depuis seulement une semaine, est étrangement perturbant. En quelques jours, je suis passé d'une longue relation en couple au célibat pour, ensuite, voir ma vie être chamboulée par une presque colocataire. Vous pourriez penser que je serais heureux de retrouver mon espace et ne pas m'inquiéter de ce que quelqu'un est en train de tramer chez moi — ou fait brûler. Vous pourriez penser que je serais prêt à retrouver une forme de normalité. Pourtant, vous auriez tort.

Qui eût cru que la normalité pouvait être aussi ennuyeuse ?

Tout comme ma sœur, que j'ai vue dans cet état au moins une demi-douzaine de fois par le passé, Hazel s'immerge actuellement dans cette phase intense de l'existence de l'institutrice et ce n'est pas moi qui vais lui reprocher d'être aussi concentrée. De ce que je peux déduire, à observer sa manière joyeuse de poser des agrafes sur son tableau de liège, la rentrée scolaire la rend plus heureuse que Noël et son anniversaire combinés.

— J'adore être instit', putain, me dit-elle au téléphone juste après la prérentrée.

Je ne suis pas sûr d'avoir déjà entendu Em aussi enthousiaste après l'une de ces journées, mais Hazel est Hazel. Elle ne connaît pas la modération.

— Je suis à l'arrache à 90% du temps mais, mec, les CE2, c'est ma came.

— Ça ne m'étonne pas. Comme les enfants de huit ans, tu as du mal à attraper les objets sur les étagères les plus hautes et tu dois te souvenir de passer aux toilettes avant les longs trajets en voiture.

— C'est du joli, Jimin.

Un petit organe inconnu devient douloureux lorsque je réalise que nous avons cette conversation familière au téléphone, et non sur le canapé.

Le lendemain – le premier jour de cours d'Hazel à Riverview –, je suis accueilli par un brouhaha ininterrompu de voix aiguës lorsque je franchis les portes. Ça ressemble au bourdonnement d'un nid d'abeilles, qui émane du couloir, depuis la cafétéria. Hazel occupe la salle de classe numéro 12. Après avoir fait signe à un Dave lessivé par la rentrée, à travers la fenêtre vitrée du bureau du directeur, et embrassé rapidement ma sœur en train de discipliner un groupe chaotique de CM2, je traverse le couloir pour atteindre la porte recouverte d'emballages de sauce piquante, sur laquelle est inscrit : « Rien de tel qu' un taco pour bien commencer la journée de classe ! »

À travers la petite fenêtre, je la vois debout devant la classe, en train de surveiller ses élèves qui travaillent de manière autonome, et j'ai déjà du mal à contenir mon fou rire. C'est Hazel – bien sûr, elle allait s'habiller de la sorte. Sa robe bleue est resserrée à la taille par une ceinture décorée par des pommes rouges et des cahiers aux couleurs éclatantes. C'est un look très Ms Frizzle[10], que je ne pensais pas apprécier, mais il me suffit de jeter un regard en direction du long cou délicat d'Hazel et de sa queue-de-cheval chatoyante pour que… eh bien, si, définitivement.

Elle me repère, m'adresse un large sourire avant de s'approcher – même si je lui fais signe que je peux attendre la fin de la classe pour déjeuner avec elle à la cafétéria. Ses yeux whisky flirtent avec moi. Ses lèvres sont rouge cerise. Je frémis.

– Bienvenue à la fiesta !

Des boucles d'oreilles en forme de crayons de couleur oscillent à chaque mouvement joyeux de sa tête.

Je lui tends une pomme et un bouquet de tournesols entouré de papier transparent.

– J'ai pensé que je pourrais peut-être te voler une heure au déjeuner. Je voulais te souhaiter une bonne rentrée.

Elle prend les fleurs et les serre contre sa poitrine.

– Tu l'as déjà fait quand tu m'as écrit ce matin !

– Eh bien, je suis content d'avoir pris la décision d'aller au bout de mon idée ou j'aurais manqué ça.

---

10. Personnage du dessin animé américain des années 1990, *Le bus magique*.

Je désigne son apparence, des pieds à la tête, où, incidemment, se trouve un rat – de bibliothèque, en céramique – épinglé dans ses cheveux.

Elle tourne sur elle-même.

– Ça te plaît ? C'est ma tenue habituelle pour la rentrée scolaire.

– Et dire que ma sœur se contente de porter un nouveau cardigan ! Comment ça se passe, pour l'instant ?

– Plutôt bien ! Pas de crises de larmes et seulement un incident de ballon-poteau pendant la récréation. Les élèves rédigent leurs objectifs pour l'année. Tu veux entrer pour les saluer ?

Je m'apprête à refuser quand elle m'attrape par la veste et m'attire à l'intérieur.

– Les enfants. (Vingt-huit paires d'yeux arrachées à la contemplation de leurs cahiers me dévisagent de la tête aux pieds). Je vous présente mon nouveau meilleur ami, Josh.

Un brouhaha de *ooooooh* s'élève tandis qu'une voix rebelle s'écrie :

– C'est votre *petit ami* ?

S'ensuit un chœur de gloussements.

Hazel penche la tête, dans un geste très maîtrisé, et le silence revient instantanément.

– Josh est un invité de notre classe, nous devrions donc nous comporter du mieux possible. D'ailleurs, c'est aussi le frère de Mme Goldrich. Accueillons comme il se doit notre nouvel ami dans la classe.

– Bienvenue, Josh ! s'exclament-ils à l'unisson.

Le scandale du petit ami dissipé, ils perdent rapidement tout intérêt pour moi et retournent à leurs projets.

— Bravo, Mlle Bradford. C'était impressionnant. Tu sembles très douée pour mater les petits humains. Si seulement Winnie t'écoutait aussi bien !

— La seule manière d'obliger Winnie à m'écouter, c'est de me mettre un bagel sur la tête. (Elle se tourne pour déposer les fleurs sur son bureau.) Et encore merci pour le bouquet. Tu occupes la deuxième place, derrière une licorne, dans le classement des meilleurs amis, Josh Im.

— Je voulais te voir dans ton élément, ce qui m'a donné une bonne excuse pour passer avec du nouveau sur l'avenir des « double dates » de Josh et Hazel.

— Ooooh !

Elle applaudit et me regarde sortir mon téléphone de ma poche.

— Mon ami Dax est vétérinaire, il élève des Shetlands et d'autres poneys à Beaverton. Vraiment beau gosse aussi.

J'ouvre mon application Facebook et tape son nom.

— Tu as un ami vétérinaire qui élève des poneys et tu n'as pas pensé me parler de lui plus tôt ? Mon ami imaginaire, un blaireau parlant, vient de te voler la seconde place dans la hiérarchie des meilleurs amis.

Je rétorque :

— Je l'avais complètement oublié.

Je clique sur son profil et agrandis l'image pour qu'elle puisse juger par elle-même. Nous étions au lycée ensemble, et l'une de ses publications est apparue dans mon fil cette semaine.

Hazel se penche pour le regarder de plus près.

— Est-ce qu'il amènera un poney avec lui pour me rencontrer ?

— Je peux certainement lui poser la question.

Elle me prend le téléphone des mains et parcourt ses photos.

— Il n'est clairement pas désagréable à regarder, et la perspective de balades à poney lui fait gagner des points.

— Est-ce que je l'appelle ?

Je la dévisage. Elle me rend mon téléphone.

— Je pensais parler à la maître-nageuse de ma piscine, répond-elle à la place avec une moue. Elle semble vraiment cool *et* peut te sauver la vie si tu retombes dans la rivière.

— Je ne suis pas *tombé* dans la rivière, on m'a plus ou moins poussé.

— Force de la gravité terrestre.

Je l'ignore.

— On pourrait peut-être organiser quelque chose vendredi ?

— Je passe à la piscine sur le chemin du retour et te tiens au courant.

Le volume des voix de ses élèves augmente, je sens que le moment de m'en aller est venu.

— Cool. Je vais contacter Dax et on se mettra d'accord.

C'est seulement quand je suis de retour dans ma voiture que je réalise la raison pour laquelle j'envisage un nouveau « double date » : j'ai envie de passer du temps avec Hazel.

~

Quand j'arrive chez moi vendredi soir, il est clair qu'Hazel est entrée par ses propres moyens. J'entends la télé à l'instant où je sors du garage, et je crie : « Chérie, je suis à la maison. »

Winnie trottine vers moi lorsqu'elle m'entend, me bondit dessus et manque me faire tomber à la renverse lorsque je retire mes chaussures. Elle m'a manqué, mais c'est un très mauvais chien de garde.

Hazel se redresse sur le canapé lorsque j'entre dans le salon et tourne la tête vers moi avec un sourire :

— *Hola, señor.*

— Désolé du retard.

Nous avons rendez-vous avec Dax et Michelle ce soir, et il me reste juste assez de temps pour prendre une douche et me changer si nous comptons arriver à l'heure au restaurant.

— Mes rendez-vous ont pris plus de temps que prévu et j'ai dû gérer un problème d'assurance.

— Je m'ennuyais chez moi, donc j'ai décidé de venir. C'est une bonne chose, d'ailleurs, parce que ta mère vient de passer. (Elle lève un bol fumant et des baguettes). Et elle a apporté à manger !

Je m'assois de l'autre côté du canapé pour voir ce qu'elle est en train de dévorer. Mon estomac gargouille.

— Tu sais qu'on va aller dîner, genre dans une heure.

— Je te mets au défi de résister à la cuisine de ta mère si tu l'as sous le nez.

Hazel me met un morceau de bœuf et d'oignon vert dans la bouche, et je grogne de plaisir en mâchant. Je devrais vraiment me préparer, mais au lieu de me dépêcher, j'ajuste ses doigts sur les baguettes, lui vole une autre bouchée et m'assois à côté d'elle sur le canapé.

— Quand est-elle partie ?

Hazel s'écarte du bol assez longtemps pour répondre.

— Il y a vingt minutes, environ. Mais elle est restée un moment. Elle m'a montré des photos de toi bébé hyper-gênantes et on a parlé du fait que tu travaillais trop et que tu avais trop de paires de baskets noires. (Elle glousse en prenant une nouvelle bouchée.) Je l'apprécie vraiment.

Cette phrase attire mon attention et je l'observe. Je peux compter sur les doigts d'une main le nombre de fois où Umma et Tabby ont passé du temps ensemble en mon absence et Tabby a toujours mis un point d'honneur à se plaindre autant que possible ensuite. Apprendre à connaître mes parents ne l'a jamais intéressée. Et elle ne les a clairement jamais *appréciés*.

— Je suppose que le fait qu'elle t'apprécie aussi joue en ta faveur.

— Bien sûr qu'elle m'apprécie ! s'exclame Hazel en me tendant le bol et en éclatant de rire, car je m'empresse de l'attaquer. J'ai fait tomber des fruits chez elle la première fois qu'on s'est rencontrées et j'ai été la seule à manger le poisson fermenté puant qu'elle a préparé l'autre soir. Selon ta sœur, je suis au moins à moitié coréenne maintenant.

— Ça s'appelle du *hongeo* et, même moi, je n'en mange jamais. (Je prends une autre bouchée et en propose une à Hazel. Cette journée a été épuisante et, à mesure que les minutes s'écoulent, sortir me tente de moins en moins.) Umma t'apprécie parce que tu es excentrique, charmante et que, grâce à toi, elle a moins peur que je meure seul et malheureux.

— Seul et malheureux, répète-t-elle d'un air moqueur. Est-ce que tu t'es vu ? Il suffit d'accélérer notre recherche.

Des applaudissements venant de la télé attirent mon attention, et c'est seulement à cet instant que je remarque ce qu'elle regarde.

— Tu regardes les jeux Olympiques de… Londres ?

— J'adore les rediffusions d'événements sportifs. (Lorsque je lève un sourcil sceptique, elle soupire et ses épaules s'affaissent.) D'accord, je n'ai pas trouvé la télécommande.

— As-tu fait l'effort de chercher ? Tu es probablement encore assise dessus.

Je fais mine de me lever quand elle m'arrête d'une main sur le ventre.

— Tu ne peux pas changer de chaîne maintenant, je suis investie !

— Haze, il faut qu'on y aille.

— Alors, enregistre l'émission pour moi.

— Tu sais qu'il te suffit de chercher sur Google pour connaître les résultats ?

Elle m'adresse une expression bougonne digne des Muppets.

— Ce n'est pas drôle ! Chercher les résultats des JO sur Google, c'est un truc de rabat-joie.

— Ou, je ne sais pas, une manière de gagner du temps. (Je me lève du canapé.) Il faut qu'on y aille. Je vais prendre une douche rapide.

~

À l'instant même où nous entrons dans le restaurant, j'ai le sentiment que présenter Dax à Hazel n'était pas une bonne idée. À cause de la manière dont il la regarde. Certes, je ne suis pas un expert de la variété des expressions humaines, mais le mouvement de ses narines et son froncement de sourcils lorsqu'il l'examine de haut en bas — son chignon caractéristique très haut placé, son débardeur à imprimé vache, sa jupe en jean avec des santiags vertes – ne peut pas être bon signe.

Nous nous serrons la main, nous présentons mutuellement et suivons la serveuse vers notre box au milieu du restaurant bondé. Hazel lisse sa jupe sur ses cuisses et se tourne vers Dax en souriant. Je suis touché de voir qu'elle donne une chance à tout le monde, même à ceux qui la prennent de haut.

– Alors, d'où viens-tu, Dax ?

– Du Michigan. (Il se penche en serrant les mains.) Tu as vécu dans l'Oregon toute ta vie ?

Michelle est plutôt mignonne et, dans la mesure où elle est maître-nageuse, elle a évidemment un beau corps. Mais, même s'il semblerait que nous ayons beaucoup de points communs, je n'arrive pas à lui accorder l'attention qu'elle mérite, car la conversation qui me parvient de l'autre côté de la table ressemble plus à l'Inquisition espagnole qu'à du bavardage pour apprendre à se connaître.

Dax veut tout savoir de la famille d'Hazel, son boulot, son logement. Il lui demande si elle compte acheter une maison ou continuer à être locataire. Il semble inquiet à l'idée qu'elle ne connaisse pas les plans de retraite offerts par le district scolaire.

Tandis que Michelle et moi discutons tranquillement, j'écoute Hazel répondre gaiement aux questions de Dax, en ajoutant quelques anecdotes, sur sa mère («Elle a une voix magnifique mais seulement sous la douche»), son appartement («On aurait dit un océan il y a deux mois… peut-être parce que j'ai toujours rêvé de vivre sur un bateau») et son job («Il y a deux jours, je suis rentrée chez moi avec de la pâte à modeler

dans les cheveux sans savoir pourquoi. Les CE2, mec »).
En dépit de tous ses efforts pour être aimable, Dax ne
répond à ses questions que par oui ou non – voire par
monosyllabes.

Lorsqu'Hazel se lève pour passer un appel, Dax
croise mon regard avec une expression exaspérée
du genre *waouh, cette fille est tarée,* mais je fais mine de ne
pas comprendre.

– Pardon ?

J'entends l'agressivité dans ma question.

Il rit.

– Rien. Juste…

– Juste *quoi ?*

Je sens le regard de Michelle sur moi, et une tension
gênante monte entre nous comme du brouillard.

– Elle est… euh… un peu excentrique pour mon…

Dax s'interrompt au moment où Hazel revient.

Elle s'affale sur sa chaise et explique.

– Désolée. C'était ma mère. Elle s'est acheté de
nouvelles bottes et j'étais sûre qu'elle allait continuer
à me spammer avec des photos jusqu'à ce que je l'appelle
pour lui dire qu'elles sont incroyables. (Elle avale une
bouchée.) Je dois admettre qu'elles déchirent. Elles sont
turquoise avec des coquillages cousus en haut, et je parie
qu'elles lui donnent l'air d'une déesse licorne féerique
lorsqu'elle jardine. Même si ce sont, vous savez, des santiags.

Dax se mord les lèvres et fronce les sourcils en fixant
la table. Bien qu'Hazel continue à le traiter avec sa
bonne humeur habituelle, lorsqu'il se lève pour aller
aux toilettes quelques minutes plus tard, elle croise mon
regard et mime de boire une bouteille entière d'alcool,
cul sec.

– Ouf… marmonne-t-elle.

– Il semble un peu… intense, commente calmement Michelle en grimaçant.

Hazel sourit tout en mâchant quelques chips.

– Un chouïa. Je pensais qu'il avait un élevage de poneys ? Comment peut-il être aussi grognon alors qu'il passe ses journées entouré de *poneys* ?

– Désolé. (Je lui prends la main.) On peut le mettre dans la pile « Plus Jamais ».

Dax revient et jette immédiatement un coup d'œil à l'assiette d'Hazel, où il reste seulement quelques haricots noirs et une bouchée d'enchiladas.

– Tu as tout fini ?

Elle le dévisage longuement. Mon cœur devient un foyer de charbons ardents. Je vois qu'elle se force à sourire.

– Bien sûr. Mon plat était putain de *délicieux*.

Dax lève son verre et, s'il est possible de boire une gorgée d'eau avec l'air de juger quelqu'un, il y parvient. Il repose délicatement le verre avant de lever les yeux.

– Suis-je en droit de déclarer maintenant que je pense que le courant ne passe pas entre nous ?

Il ne s'adresse pas seulement à Hazel mais à moi, à toute la tablée, et nous cessons tous de parler.

– Sérieusement ? (Michelle ne semble plus pouvoir se contenir, elle laisse tomber sa serviette sur son burrito à moitié entamé.) Je suis certaine que Hazel ressent la même chose depuis que tu lui as posé une question sur son putain de plan de retraite. (Elle se tourne pour me dévisager.) Josh ? Tu sembles être un chic type. Mais si je peux me permettre de te donner un conseil, tu t'intéresses à la mauvaise personne ce soir.

Elle se lève et adresse un signe vague de la main à Hazel avant de s'éloigner.

Dax s'essuie les lèvres.

— Bonne idée, Josh, mauvais terrain de jeu. (Il se lève aussi, sort son portefeuille pour déposer un billet de vingt dollars sur la table. Me souriant comme si de rien n'était, il lance.) On déjeune ensemble cette semaine ?

Je croise le regard d'Hazel. C'est à ce moment-là que je réalise que je suis l'une des personnes qui la connaît le mieux — en dehors, peut-être, d'Aileen. Elle affecte une indifférence amusée, mais à l'intérieur d'elle-même, elle est en train d'extirper les yeux de Dax de leurs orbites à la petite cuillère.

Il s'attarde, en attendant ma réponse.

Je lance joyeusement :

— Va te faire foutre, Dax !

~

— J'ai l'impression d'avoir passé la soirée sur un ring de catch, dit Hazel en me suivant chez moi. (Elle s'affale sur le canapé.) Probable que Dax épuise un jour des femmes bien.

— Il était cool, avant.

Je laisse tomber mes clés dans le bol près de la porte et retire mes chaussures.

— Ou alors, ça a toujours été un connard, mais je ne l'ai jamais fréquenté en compagnie de femmes.

— Beaucoup de mecs sont géniaux avec les autres mecs et de vrais enfoirés avec les filles.

Je m'arrête sur le chemin de la cuisine en me penchant pour l'embrasser sur le front.

— Désolé, Haze.

Elle agite une main fatiguée et désigne la télévision pour me demander de l'allumer. Je passe la main sous les coussins du canapé pour trouver la télécommande et la lui tends.

Je me redresse et me dirige vers la cuisine. Il est maintenant clair que ma mère est passée par là. Mon estomac revient à la vie : j'ai à peine touché à mon tilapia Veracruz, trop préoccupé par Dax et Hazel pour réussir à manger.

Est-ce ce que Michelle voulait dire ? Que je devrais sortir avec Hazel ?

La chaleur me monte aux joues, comme si je venais de prononcer cette pensée à voix haute et qu'Hazel m'avait entendu. Sur le comptoir, l'autocuiseur maintient du riz au chaud et je trouve des Tupperware sur toutes les étagères du réfrigérateur, ainsi que des vieilles boîtes de beurre portant une étiquette décrivant le contenu et la date limite de consommation. Quelques-unes, avec le prénom d'Hazel dessus, sont remplies de ce que je suppose être le riz frit kimchi de ma mère — le plat préféré d'Hazel.

Comme si elle lisait dans mes pensées, elle s'écrie du salon :

— Ne mange pas mon riz frit !

Je la regarde, en maintenant la porte du réfrigérateur ouverte.

— Alors, pourquoi as-tu mangé mon bulgogi tout à l'heure ?

Elle m'adresse une expression théâtrale dans le genre *tu es un imbécile.*

— Parce qu'il n'y avait pas ton nom dessus !

J'attrape l'un des Tupperware, en répartis le contenu dans deux bols et les mets au micro-ondes avant de récupérer des bières dans le frigo et d'apporter le tout au salon.

Hazel reprend sa contemplation des épreuves olympiques de gymnastique là où elle les avait laissées avant de partir, et je vois un groupe de jeunes athlètes sur l'écran, faisant les cent pas sur le côté en attendant leur tour. Je connais déjà les résultats – j'ai vu les scores lorsqu'ils ont été divulgués il y a six ans –, mais je ne peux pas m'empêcher de grimacer lorsque la troisième compétitrice perd l'équilibre et tombe lourdement sur son pied.

Je regarde l'écran en me cachant à moitié les yeux.

— Il n'y a rien d'autre à la télé ?

Hazel se décale sur le canapé et tourne la tête pour me regarder.

— Ton truc, c'est le fitness, comment est-ce que ça peut ne pas te plaire ?

— « Mon truc, c'est le fitness » ?

— Tu sais ce que je veux dire.

Je désigne l'écran avec mes baguettes.

— Parce que, regarde, ça te détruit le corps.

Hazel regarde à nouveau la télé.

— Tu veux dire, genre des fractures, etc. ?

— Ouais. Je parle aussi du long terme. Ces jeunes commencent tellement tôt, et ce genre d'épuisement et d'entraînement est très difficile pour des corps en croissance. Plus tard, ils ont parfois des fractures de stress, parce que le fait d'avoir si peu de graisse peut retarder la puberté et affaiblir les os. Même interrompre la croissance. Sans parler de la force pure à laquelle leurs corps sont assujettis. Des petits poignets et des chevilles toutes fines ne sont pas faits pour ce genre d'impacts.

Elle fronce les sourcils.

— Je n'y avais jamais pensé sous cet angle. Ils ont l'air tellement musclés. Comme des petites machines de muscles.

— Ils sont musclés. C'est une partie du problème. Ils s'entraînent sans arrêt et ce style de vie éprouvant est presque impossible à tenir. Pourquoi penses-tu que la plupart des gymnastes arrêtent à vingt ans ?

— Mais après, une autre carrière s'ouvre à eux. J'aurais dû faire de la gym. Je parie que ce n'est pas trop tard.

— Tu as quoi, vingt-huit ans ?

Elle sursaute.

— Vingt-sept.

J'éclate de rire en voyant son air insulté.

— OK, fille de vingt-sept ans. Je parie que tu faisais des roues tout le temps.

— Tu déconnes ? Constamment.

— Mais tu ne pourrais sans doute plus les faire aussi bien maintenant. Notre centre de gravité change et, même si nous restons musclés et toniques, nous perdons en souplesse en vieillissant.

Elle fronce les sourcils dans ma direction.

— Es-tu en train d'insinuer que je suis vieille ?

Je pose mon bol sur la table basse en face de nous avant d'en extirper les derniers grains de riz.

— Tu vieillis, tu n'es pas vieille.

Hazel pose son bol à côté du mien et se lève en me prenant par la main.

— Viens avec moi.

— Quoi ?

Elle lève un sourcil, mais reste silencieuse. Je lui prends la main et la laisse m'aider à me relever.

— OK… On va où ?

— Dehors, pour être jeunes à nouveau.

— D'accord. Bien sûr. Tu as entendu ça, Winnie ? On sort pour rajeunir.

Winnie trottine derrière nous, parce que la seule chose qu'elle a entendue, c'est clairement *dehors*.

Hazel avance dans la cuisine sans me lâcher la main et ouvre la porte de derrière. L'écran de moustiquaire claque derrière nous. Le soleil a disparu depuis longtemps, mais l'éclairage avec détecteur de mouvements s'allume, et les ombres des arbres du jardin se dessinent dans l'herbe. L'air est lourd et humide, empreint d'une forte odeur de pin et de la douce fragrance de la paille qui se décompose sur les parterres. Même dans la nuit, Hazel saute plus qu'elle ne descend les marches et atterrit sur la pelouse.

Satisfaite de l'endroit qu'elle a choisi, elle se penche en avant pour remonter ses longs cheveux en un chignon qui défie la gravité lorsqu'elle rejette la tête en arrière. Winnie s'arrête à côté de moi et incline la tête. Nous l'observons tous les deux, impatients de voir ce qu'Hazel nous réserve.

Elle se redresse et me fait signe d'approcher.

Je traverse le jardin.

— Qu'est-ce que tu…

Je commence, mais je laisse ma phrase en suspens, le souffle coupé lorsqu'elle me fait tomber sur l'herbe mouillée. Hazel s'agenouille à côté de moi et commence à enlever mes chaussettes une à une.

Je fixe mes pieds nus et mon pantalon de costume, ma chemise boutonnée jusqu'en haut.

— Qu'est-ce… qu'on est en train de faire ?

Elle me considère pendant quelques instants, sans se laisser décourager par mon expression. Elle se mordille la lèvre tout en déboutonnant le haut de ma chemise.

— Je peux te poser une question personnelle ? demande-t-elle en attrapant mon bras droit pour remonter ma manche.

— Bien sûr.

— Tabby te manque parfois ?

Sa question me prend par surprise, je la dévisage. Elle est si proche de moi, seulement à quelques centimètres de distance. Je repère un petit grain de beauté que je n'avais jamais vu, sous son menton.

— Pourquoi est-ce que tu me demandes ça ?

Elle hausse les épaules.

— Tu avais raison. Essayer de trouver l'amour, c'est dur. Je pense que j'avais oublié à quel point. Ou je n'avais jamais procédé comme ça, peut-être.

Hazel baisse les yeux, croise brièvement mon regard avant de reporter son attention sur mon autre manche. Ses gestes sont doux et concentrés ; je me sens hyper-conscient du contact physique entre nous, et je rougis en repensant à la réflexion de Michelle. Le temps d'un soupir, je l'imagine se pencher et poser sa bouche sur la mienne. Je déglutis, incapable de savoir d'où sort cette pensée ou ce que je devrais en faire.

— Je comprends pourquoi tu étais si réticent à l'idée de te lancer à nouveau, ajoute-t-elle calmement. Je ne sais pas. Je me demande juste si ta relation avec elle te manque.

— Avant, je pensais être un bon petit ami. Quand je regarde en arrière, je me dis que ce n'était peut-être pas le cas.

Elle me fixe à nouveau, une lueur protectrice dans les yeux.

— J'ai parlé à Emily. Tu étais un super-petit ami. C'était Tabby la connasse.

— Je ne sais pas… La situation me convenait sans doute. Je commence à réaliser à quel point nous avions choisi des directions différentes, mais qu'il était plus facile de continuer comme si de rien n'était plutôt que de trancher dans le vif.

— C'est logique.

— Je pense que j'appréciais le fait d'être la personne la plus importante de la vie de quelqu'un.

Les doigts d'Hazel se figent sur mon poignet et je lui jette un coup d'œil pour voir sa réaction.

Elle évite mon regard, mais la rougeur sur ses joues s'accentue.

— Tu es la personne la plus importante de ma vie. Merci de m'avoir défendue ce soir.

Elle exprime sa vulnérabilité si librement qu'une vague de tendresse déferle en moi. Je lui prends la main et l'approche de mes lèvres pour embrasser furtivement ses phalanges.

— J'aime être cette personne pour toi, Hazel.

Un coin de sa bouche se relève, elle s'assoit sur ses talons.

— Et, apparemment, celle de Winnie aussi. Qui eût cru que malgré sa beauté, elle serait aussi sympathique ? renchérit-il.

Je souris.

— Que puis-je dire ?

Hazel grogne et lève les yeux au ciel avant de sauter sur ses pieds.

— Très bien, cœur d'artichaut. Faisons quelques roues pour que je puisse me moquer de toi et faire disparaître cet air de supériorité de ton visage.

— Ce n'est pas moi qui insiste pour dire que je peux toujours le faire. Être un vieillard me convient.

Je la suis en contemplant ses jambes lorsqu'elle avance sur la pelouse. Le ciel ressemble à un hématome derrière elle, un dégradé de bleu et violet dans la lumière pourpre de la pollution venant de la ville. Je suis momentanément distrait par la réverbération des lumières du jardin sur sa peau.

Hazel prend un moment pour se secouer les mains et tourner la tête plusieurs fois dans chaque direction.

— Honnêtement. Pourquoi est-ce que ce serait difficile ?

Elle se lance dans une fente aussi profonde que sa jupe en jean le lui permet.

— Comme faire du vélo, n'est-ce pas ?

Je désigne la maison.

— Est-ce que je dois aller chercher la trousse à pharmacie ou… ?

Elle se redresse, tend les bras au-dessus de sa tête, non sans avoir commencé par me jeter un regard noir. Elle attend une, deux, trois secondes, et se lance – le corps en avant, les pieds en l'air, et son débardeur fluide par-dessus la tête, m'offrant un aperçu de son soutien-gorge jaune fluo.

Quand elle atterrit à nouveau sur ses pieds, son chignon a glissé sur le côté de sa tête et son expression n'est que joie pure.

— Oh mon Dieu. C'était… tellement AMUSANT ! (Elle écarte ses cheveux de son visage et rentre son débardeur dans sa jupe.) Et euh… désolée pour le strip-tease.

Je ravale un éclat de rire.

— Ce n'était pas exactement désagréable. (Je penche la tête.) Tu vas recommencer ?

Elle s'exécute à nouveau et, si c'était possible, son sourire est encore plus éclatant qu'après la première roue.

— Pourquoi ai-je arrêté de faire des roues ? lance-t-elle, prise de vertige, mais enchaînant quand même les roues dans l'herbe.

Une fois revenue à la verticale, elle me désigne du doigt.

— À ton tour.

— *Moi* ?

— Ouais !

Elle m'attrape par les poignets et m'attire dans l'herbe.

— Je ne peux pas. Je suis plus grand que toi.

Elle cligne plusieurs fois des yeux, perplexe.

— Et ?

— Je tomberais de plus haut.

— Allez. On le fait ensemble.

— Hazel.

— *Josh*.

Je jette un coup d'œil dans le jardin, soudain nerveux.

— Les voisins vont me voir.

Inébranlable, elle se tient à côté de moi et se met en position.

— Allez, il fait nuit. Les bras en l'air. Un… deux… trois !

Le monde est sens dessus dessous, puis revient à la normale. Hazel et moi sommes un enchevêtrement de bras et de jambes sur la pelouse, et je ris si fort que j'en ai mal aux côtes.

— Waouh.

Je me frotte le ventre en essayant de remettre mes intestins à leur place.

— Mais j'avais raison, non ?

Elle est à bout de souffle, échevelée, les joues rouges, et je me demande comment personne n'a pu se rendre compte à quel point elle est folle et putain d'extraordinaire ?

Je décide de m'assurer que quelqu'un la remarquera.

— Ouais, Haze. Tu avais raison.

CHAPITRE 11

Hazel

Je ne dirais pas exactement que nous avons touché le fond au septième «date», mais Josh a tout de même ressenti le besoin de simuler une diarrhée et je l'ai volontiers accompagné jusqu'à sa voiture, tout en me confondant en excuses auprès de nos invités, par-dessus mon épaule.

Je lui ai présenté une fille que j'ai rencontrée dans la file de la caisse du supermarché. Autant que vous le sachiez : c'était une mauvaise idée, d'accord ? Elle semblait très cool quand nous avons parlé de notre amour commun pour le bar à jus du supermarché, mais il s'est avéré que les jus étaient l'unique sujet de conversation d'Elsa, en dehors de quelques apartés pour expliquer à Josh à quel point elle mourait d'envie de lui sucer la bite dans les toilettes.

Josh m'avait arrangé un coup avec un associé de la filiale de Fidelity qui gère son argent. (Le fait que Josh ait assez d'argent pour que quelqu'un le «gère» me laisse toujours perplexe. Je me considère satisfaite, pour ma part, lorsqu'il reste de quoi commander une pizza sur mon compte en banque à la fin du mois.) Cet associé, Tony, n'était pas désagréable à regarder, mais il a passé les vingt premières minutes à parler de ce qu'il pouvait ou ne pouvait pas manger dans le menu, et les vingt minutes suivantes à expliquer les règles du football américain à Elsa et à moi. Ça n'a apparemment pas dérangé Elsa qui, d'après Josh, tentait de lui caresser l'entrejambe toutes les dix secondes. Il m'a dit qu'il avait eu l'impression d'essayer de contrer une attaque de piranhas dans l'Amazone.

Je serais probablement parvenue à survivre à cette soirée, car mon escalope de poulet était délicieuse, mais Josh, qui n'en pouvait plus, s'est précipité aux toilettes, Elsa sur ses talons. C'est seulement quand elle l'a entendu crier : « Mon ventre ! Laissez-moi entrer ! » qu'elle a décidé de ne pas le suivre dans la cabine.

Il m'a envoyé un texto des toilettes, un SOS complètement frénétique, et cinq minutes plus tard, nous étions dans sa voiture, la musique à fond, avec une sensation bienheureuse de soulagement, aussi pure qu'inaltérable, affluant dans nos veines.

— C'était le pire « date » jusque-là, me dit-il en tournant sur Alder. Je sens encore sa main sur mes couilles.

— Je t'aurais demandé pardon et aurais souhaité que ça ne soit jamais arrivé, mais alors, je n'aurais pas connu le plaisir de t'entendre prononcer la phrase : « Sa main sur mes couilles ».

Il me décoche un bref regard noir.

— Ne prétends pas que ce n'est pas drôle, Josh. C'est *incroyablement* drôle.

Je le vois jeter un coup d'œil à l'heure sur le tableau de bord et suis son regard. Il est à peine 20h, un vendredi soir. Je n'ai pas envie de rentrer chez moi et je sais que si Josh retourne chez lui, il se contentera d'enfiler un survêtement et de s'avachir devant la télé. D'après Emily, le port du survêtement a connu une résurgence dramatique depuis que nous avons mis un terme à notre colocation.

— J'ai encore faim. (Le convaincre de ne pas rentrer ne sera pas facile, et s'il faut que je ruse pour y parvenir, je n'y vois aucun problème. Je me frotte l'estomac et fais de mon mieux pour avoir l'air affamée.) J'ai laissé mon délicieux dîner en plan pour protéger ta vertu.

Il commence à pleuvoir, et Josh me surprend en coupant la musique. Je le connais assez pour savoir qu'il s'apprête à me proposer une offrande de paix. Pour une raison qui m'échappe, Josh ferait des pieds et des mains pour me rendre heureuse.

— On pourrait aller quelque part.

Je souris dans la voiture plongée dans l'obscurité.

— Tu as lu dans mes pensées, Jimin-nie.

Il me jette un coup d'œil puis actionne son clignotant.

— Ça te dit de prendre un verre en dînant ?

— Toujours.

~

Je n'ai vu Josh pompette qu'une fois, chez Emily, après plusieurs bouteilles de soju. Les joues roses, il s'est mis à glousser et à parler fort — enfin, fort, pour Josh — avant de s'endormir contre mon épaule et de se réveiller comme si de rien n'était. En dehors de cette occasion, ce n'est pas un grand buveur, et même lorsqu'il boit, c'est à un rythme adorablement lent. Il savoure son gin-tonic unique tandis que je parviens à en avaler trois, en plus d'un hamburger et d'un paquet de chips aspergées de sauce.

Il tient son verre dans sa main et essuie les gouttes de condensation qui se forment dessus.

– Pourquoi est-on condamnés à l'échec ?

– Parle pour toi. (Je lève mon verre vide.) Perso, j'excelle en la matière.

– Je parle de sortir avec des gens. (Il passe une main dans ses cheveux.) Les autres ne nous montrent aucun intérêt ou, au contraire, ils veulent baiser dans le restaurant.

Le barman récupère mon paquet de chips vide et le remplace par un autre. Je me répète que ce n'est pas sérieux, mais qui suis-je en train d'essayer de tromper ? J'en prends une poignée, en répondant :

– Ça me semble assez normal. C'est soit du sexe, soit rien du tout.

Il secoue la tête, sirote son cocktail qui n'est plus que de la glace fondue.

– Ton expérience des hommes est extrêmement étrange, vraiment.

Je le dévisage. Il est ridiculement sexy, et je suis étonnée que toutes les femmes ne se comportent pas comme Elsa avec lui. Mais il a aussi un côté innocent.

– Non, Josh, écoute. Tu n'as jamais eu seulement envie de déchirer les vêtements de quelqu'un ?

– Si, bien sûr.

– Donc tu seras d'accord pour dire que tu as toujours ressenti une attraction immédiate pour toutes les filles avec qui tu as fini par coucher, n'est-ce pas ?

— Eh bien, oui, concède-t-il. Mais la plupart du temps, je n'essaie pas de les doigter sous la table la première fois que nous allons dîner.

Le rouge me monte aux joues et je m'éclaircis la gorge. Cette image vient de laisser une traînée de feu dans mon esprit — Josh qui se penche, m'embrasse dans le cou et glisse la main dans ma culotte — c'était… inattendu.

— Il est peut-être juste difficile de te résister.

Il jette un regard sceptique à son verre. Je le regarde aspirer une nouvelle gorgée dans sa paille, avec précaution. Puisqu'il ne répond pas, je demande :

— Avec combien de filles as-tu couché ?

Il marque une pause, fixe le plafond en comptant dans sa tête. J'ai le temps de voir le barman servir sept verres pendant que Josh fait les comptes. Je vais peut-être devoir réajuster ma perception de sa vie sexuelle. *Vas-y, Josh, fonce !*

Après un long silence, il se tourne vers moi et dit :

— Cinq.

Je laisse tomber mes chips.

— Tu as mis quatre minutes pour compter jusqu'à cinq ? Elles n'ont vraiment pas dû être mémorables.

— C'était juste pour plaisanter. (Il ramasse mes chips et me sourit de ses dents parfaitement blanches.) Mais c'était toutes des relations de plus ou moins long terme. Tu auras peut-être remarqué que les relations légères ne sont pas mon truc. (Il prend une nouvelle gorgée, plus longue cette fois, et termine son verre.) Et toi ?

— Moi ? (Je n'ai honnêtement aucune idée du nombre de mecs avec qui j'ai couché, donc je sors un nombre de mon chapeau.) Peut-être vingt.

Il écarquille les yeux et tousse en avalant.

— Vingt?

— Probablement plus? Disons trente.

Josh secoue la tête et éclate de rire.

— Waouh, d'accord.

— Ne réagis pas comme ça. (Je le désigne du doigt.) Ne te comporte pas comme si je venais d'enfreindre la limite magique du nombre de partenaires approprié pour une femme. Si j'étais un mec, tu aurais répondu : « *Au lycée*, n'est-ce pas ? », puis tu m'aurais topé dans la main et m'aurais dit que je suis un *vrai mec*.

Je vide mon verre moi aussi, et il m'observe, aussi amusé que contrit.

— Ce n'est pas faux. (Il me dévisage, ses yeux vont et viennent sur mon visage comme s'il me jaugeait.) Désolé. (Il lève une main pour m'offrir un tope-là de réconciliation.) Belle perf, *mec*.

J'éclate de rire, tape dans sa main, et il reprend son verre pour tourner sa paille dedans.

— Combien de temps a duré ta relation la plus longue ?

Je tergiverse en essayant de me souvenir.

— Six mois environ.

— Sérieusement ?

Je me tourne vers lui pour le fixer.

— Il faut vraiment que tu arrêtes d'être un connard plein de préjugés. Je t'ai déjà dit que maintenir une relation n'était pas facile pour moi. Je trouve la plupart des mecs plutôt ennuyeux, et tous les mecs qui me plaisent finissent par penser que je suis trop délurée ou bizarre après quelques semaines. Je ne suis pas capable de cacher très longtemps la partie immergée de l'iceberg de la folie.

Son expression s'adoucit, comme si sa configuration mentale passait de choquée à tendre.

— Pour info, j'ai entrevu la partie immergée l'iceberg et elle est plutôt cool. Surprenante, mais géniale. (Il plisse les yeux en voyant mon air ravi.) Je sens que le qualificatif « immergée » contient un sous-entendu, mais j'ai besoin d'un autre verre d'abord.

Il lève une main pour faire signe au barman de nous apporter une nouvelle tournée.

Mais cette fois, au lieu de commander un gin tonic, il demande un Talisker, sec. Et il termine ce verre en moins de quinze minutes, avant d'en commander un autre.

Nous continuons à boire, à parler, à boire encore, et le visage de Josh devient plus rouge et chaleureux, ses mots finissent par venir facilement. Son premier amour était une fille qui s'appelait Claire, l'une de ses camarades de lycée. C'était une Américaine d'origine coréenne, comme lui, et leurs familles se connaissaient. Ils allaient à la même église et ont perdu leur virginité ensemble après un an de relation. Elle l'a immédiatement avoué à ses parents, qui en ont informé les parents de Josh, qui sont devenus furieux et les ont obligés à rompre.

— Et ?

— Et ils m'ont puni pour le reste de l'année.

— Ça semble un peu strict. J'aurais probablement piqué une crise avant de faire le mur pour la rejoindre.

— Ta mère est super, et loin de moi l'intention de lui manquer de respect, mais c'est différent dans les familles coréennes. Je suis le fils aîné, c'est une grande responsabilité.

— Et donc, ça s'est terminé comme ça ?

— On ne désobéit pas à ses parents.

— *Jamais ?*

Il secoue la tête en avalant une gorgée.

Je m'appuie sur un coude, mes trois… quatre ? gin-tonics me rendent affectueuse et chaleureuse.

— Tu l'aimais ?

Josh semble amusé par ma remarque, il se penche sur la table pour imiter ma posture.

— Je l'aimais comme on aime au lycée, d'une manière intense, idéaliste, et sans la connaître si bien que ça.

D'une certaine façon, cela me semble fou qu'on ait passé autant de temps ensemble — qu'on ait même vécu ensemble — et que j'ignore tous ces détails de son passé.

Je soupire.

— Mon premier amour était un mec qui s'appelle Tyler. Première année de licence à la fac.

— Laisse-moi deviner, c'était un jeune Américain de base, membre d'une fraternité.

Ça me fait glousser, parce que Tyler *était* en effet le stéréotype parfait de l'étudiant américain. Casquette Yankees à l'envers, mâchoire carrée de super-héros, joueur de base-ball, insistant qu'il préférait la bière de la marque PBR à cause d'un goût subtil que la plupart des gens étaient incapables de distinguer.

— Ouais, mais il n'était pas superficiel.

Josh renifle dans son verre.

— Je t'assure ! Il était vraiment sympa. C'est lui, ma relation de six mois, dis-je, mélancolique. Je pensais que nous formions ce couple original composé d'une fille excentrique et d'un sportif, et puis un soir il m'a dit que je lui faisais honte, et j'ai répondu genre, va te faire foutre, je me casse.

— Tu as eu raison.

— Penserais-tu que je suis nulle si je te disais que je pense encore à lui ?

Il me regarde par-dessus son verre.

— Tu es assise face à un mec que sa copine a trompé pendant plus d'un an.

Je soupire.

— C'est vrai. Enfin… Tyler me cherchait toujours lorsqu'il était ivre et qu'il se sentait seul, et je le laissais faire en me demandant si c'était la bonne décision, et on couchait encore ensemble. Puis, à la fête suivante, il disait un truc du genre (je prends ma grosse voix) : Mec. Hazel, tu es tellement *bizarre*.

— J'ai eu une relation comme ça. (Il termine son deuxième whisky. Ses joues sont d'un rose adorable et je les pince mentalement.) L'ex qui revient lorsqu'elle se sent seule. La mienne s'appelait Sarah. Mais nous sommes restés ensemble un an et demi, et elle se mettait à pleurer chaque fois qu'on rompait, en me disant qu'elle voulait m'épouser un jour, mais pas *tout de suite*. Elle voulait sortir avec d'autres mecs pour être sûre.

Je grogne.

— Dégoûtant.

Pour être tout à fait transparente, je dois admettre que mon taux d'alcoolémie a légèrement transformé le mot en *dégoutchant*.

— Elle venait chez moi ivre, elle me séduisait, et le lendemain, je me sentais sale.

— Difficile de dire non à une femme nue dans ton lit.

Son visage vire à l'écarlate.

— Très vrai.

— Est-ce que le fait que Tabby ne soit pas coréenne dérangeait tes parents ?

Josh prend son troisième whisky des mains de la barmaid en la remerciant discrètement.

— Je pense qu'ils étaient plus gênés par le fait qu'elle n'ait jamais pris la peine de s'intéresser à eux ni d'avoir une relation avec Em. Comme je suis sûr que tu l'as remarqué, mes parents sont plutôt détendus. Ils ne sont pas du genre à s'immiscer dans ma vie personnelle, mais il est important pour eux de savoir ce qui s'y passe, et que la personne avec qui je suis fasse partie de notre famille. Tabby ne s'en est jamais souciée. C'est drôle que la raison pour laquelle ils n'ont jamais insisté pour qu'on se marie ne m'apparaisse clairement que maintenant. C'était un peu bizarre quand Emily nous a annoncé que Dave lui avait demandé sa main, alors que j'étais célibataire. Nous supposions tous que je serais le premier à me marier, simplement parce que je suis l'aîné. Mais ils savaient qu'elle ne me convenait pas, avant même que je m'en rende compte.

Je pense à ma mère et au fait qu'elle connaît tous les détails de ma vie. Je ne pourrais pas imaginer vivre autrement.

— C'est logique.

Il déglutit et hoche la tête dans ma direction. Son regard semble se brouiller légèrement.

— Ouais, tu comprends. Tabby n'a jamais compris, elle.

— Eh bien, je pense qu'on peut se mettre d'accord sur le fait que Tabby est une connasse. C'est pourquoi elle n'a jamais reçu son Tupperware personnalisé de riz frit.

Josh trinque avec moi.

— La première fois que ta mère est venue chez toi alors que tu étais encore au travail, elle a passé un quart d'heure à découper des serviettes en papier en deux. Elle m'a dit qu'elles étaient trop chères pour être utilisées en une seule fois. (Je me souviens de la manière pragmatique dont elle m'a expliqué ce qu'elle faisait, ce qui m'a poussée à réfléchir à toutes les serviettes en papier que j'avais gaspillées dans ma vie.) Enfin, si c'était moi, tu estimerais que c'est parce que je suis bizarre, mais quand elle le fait, c'est complètement logique, n'est-ce pas ?

— Elle est assez douée pour trouver systématiquement le moyen d'économiser et de recycler.

Je perçois un bruit de fond dans le bar et me penche pour m'appuyer contre son épaule. Je commence à accuser le coup de la fatigue. Je ressens la force de son soutien, mais surtout, la chaleur vibrante qui émane de son corps.

— Tu es une chaudière.

Josh hoche la tête, et je sens son visage effleurer mes cheveux.

— Je commence à avoir chaud.

— Ça ne fait pas le moindre doute.

Il éclate de rire en s'agitant un peu à côté de moi. Il mange ses mots :

— Tu veux rentrer ?

Nous nous tournons vers la fenêtre, et c'est seulement à cet instant que nous remarquons que la pluie s'est intensifiée et que nous ne sommes ni l'un ni l'autre en état de conduire.

— Taxi ? demande Josh.

— J'habite à deux blocs. On peut rentrer en courant. Tu peux dormir sur le canapé avec Winnie.

~

Nous sommes trempés, glacés et ivres. Nous montons les cinq étages menant à mon appartement en courant, dans une tentative typique des gens bourrés pour se réchauffer. Josh s'arrête sur le pas de la porte, dégoulinant d'eau sur le petit tapis, s'entoure les épaules de ses bras, en grelottant. Il prend quand même la peine d'enlever ses chaussures.

Winnie le renifle comme de coutume avant de décider qu'il est trop tard pour avoir des relations sociales et puis s'éloigne. Je suis sûre qu'elle suppose qu'il va la suivre pour aller se coucher.

— Donne-moi tes vêtements. (Je le désigne de la main.) Allez.

J'ai encore le souffle court à cause du sprint final, et je me sens ivre après tous ces cocktails. Le sol ondule sous mes pieds.

Il glousse :

— Si je te donne mes vêtements, alors je serai tout nu.

Il semble encore plus ivre depuis qu'il a quitté le bar. Le Josh bourré est mon Josh préféré.

— OK. (Je pose un doigt sur mon nez.) J'ai une idée. Va dans la salle de bains. Déshabille-toi et passe sous la douche. J'entrerai rapidement, je récupérerai tes vêtements sans regarder, les mettrai dans le sèche-linge et t'apporterai une couverture. Boum.

Il avance dans le couloir sur la pointe des pieds, en riant lorsque son épaule heurte le chambranle de la porte de la salle de bains. Il lâche doucement :

— Désolé.

La porte se ferme et j'entends la douche commencer à couler. Je suis soudain distraite par la traînée d'eau laissée par les vêtements de Josh par terre, et le fait de savoir sans l'ombre d'un doute qu'il est *nu* là-dedans. Avec une clarté d'esprit qui m'étonne, étant donné la quantité d'alcool que j'ai ingérée, mes pensées glissent vers sa remarque sur le fait de doigter une fille sous la table.

Du calme, Hazel Bourrée. Josh a déjà été nu près de toi par le passé. Je vivais chez lui et il était nu tout le temps. Voir Josh nu n'est pas intéressant, n'est-ce pas ?

ARRÊTE DE DIRE NU.

Je secoue la tête, le monde se met à tourner avant de se stabiliser lentement. Winnie réapparaît et me lèche la main. Je me penche pour la caresser, en ratant sa tête à plusieurs reprises.

J'entends le rideau de douche s'ouvrir puis se refermer, il est entré sous la douche, et son long grognement de bonheur me parvient jusqu'au salon.

Ce son provoque un effet étrange en moi. Étrange, chaud, des trucs glissants, me rendant subitement consciente de toutes les parties de mon corps, sous la ceinture, que j'ai ignorées pendant si longtemps.

Mais au moment où je prends conscience de mon corps, ma vessie se rappelle à moi de manière frontale, me donnant presque des coups de poing de l'intérieur. Elle crie BEAUCOUP DE LIQUIDE. JE SUIS PLEINE DE GIN TONIC. Je serre les cuisses en sautillant et en proférant des insanités parce que je n'ai qu'une seule salle de bains et que je n'ai pas pensé à aller aux toilettes avant de quitter le restaurant. Il faut que je récupère ses vêtements mouillés de toute façon… Je peux peut-être me faufiler dans la salle de bains et faire pipi très rapidement, sans qu'il réalise que je fais autre chose que récupérer ses affaires pour les mettre au sèche-linge ?

Je maudis aussi mon manque de considération pour l'état général de mon appartement lorsque la poignée craque dans ma main, et j'entends l'hésitation due à l'alcoolémie dans ma voix :

– Josh, j'entre pour prendre tes habits.

– D'accord !

C'est le mec bourré le plus heureux que j'aie jamais vu de ma vie. La salle de bains est envahie par l'odeur de mon gel douche, et il doit s'en être rendu compte, parce qu'il éclate de rire en lançant :

– Je vais sentir le gâteau !

Avec autant de discrétion ninja que je suis capable de rassembler, j'ouvre les boutons de mon jean, le baisse en même temps que ma culotte et m'assois sur les toilettes, mais le soulagement est tellement puissant que je laisse échapper un grognement avant d'avoir le temps de plaquer une main sur ma bouche. Je regarde avec horreur le rideau de douche s'entrouvrir lentement. Josh me fixe, bouche bée.

Je hurle l'évidence :

– Je suis sur les toilettes !

Il rit, ses yeux bruns brillent à cause de l'alcool et du bonheur de prendre une douche chaude après une course glaciale sous la pluie.

– Qu'est-ce que tu fais là ?

Je commence à lui faire frénétiquement signe de refermer le rideau.

– Je suis en train de faire pipi ! Dégage !

Il me regarde de la tête aux pieds puis des pieds à la tête avant de disparaître derrière le rideau. Son rire résonne contre le carrelage.

J'aimerais me noyer dans la cuvette.

– Je n'arrive pas à croire que tu m'aies vue en train de faire pipi !

– J'ai vu ton *cul*.

Il est clairement d'humeur à me torturer.

– C'est faux !

– Et tes cuisses. (Il baragouine, comme s'il avalait de l'eau tout en parlant.) Tu as de belles cuisses, tu sais, Hazie.

Je me relève dans un grognement, tire la chasse avec une irritation vengeresse, me lave les mains et ramasse son jean mouillé, en manquant m'étaler par terre. Je me penche, récupère le reste de ses vêtements trempés avec les miens et quitte la salle de bains pour tout mettre à sécher.

Le robinet couine lorsque Josh éteint la douche, au moment précis où je sors de ma chambre dans mon ensemble pyjama short-débardeur à imprimé dalmatien. Il émerge, une serviette autour de la taille.

– Tu as dit que tu allais m'apporter une couverture.

Je m'arrête net, et mon cerveau se retourne comme une tasse pleine de café : les mots se répandent sur le sol.

Le torse nu de Josh est un ensemble de lignes et d'ombres.

– Je… quoi ?

Je suis tout à fait consciente du regard concupiscent que je jette à la ligne de poils qui part de son nombril.

– Couverture, répète-t-il.

Le couloir est relativement sombre, ce qui devrait m'arranger, en théorie. Mais en réalité, c'est encore mieux ainsi. Ou pire. Je ne sais même plus.

– Ouais, je marmonne. Je… couverture.

Nous restons silencieux.

— Tu es en train de me fixer, Hazel.

Je lève les yeux vers lui. Honnêtement, avec sa mâchoire et ses yeux noirs aussi sensuels que doux, son nez droit, son visage est tout aussi attirant que son torse nu. Tout est perfection chez lui.

— Tu ne pourrais pas avoir quelques défauts ?

— Hein ?

— C'est vraiment injuste pour moi de voir une représentation aussi parfaite de la vie sauvage dans son élément naturel. (Je désigne son corps.) Alors que toi, tu m'as vue sur les *toilettes.*

Je pense qu'il me sourit, même si je fixe obstinément son torse.

— Juste, je… Ton… (Je fais des gestes en direction de son torse et de ses tétons que j'aime beaucoup.) Et le… (Je désigne vaguement son ventre et la douce ligne de poils qui s'y trouvent.) C'est joli. (Je suis mortifiée encore une fois en m'imaginant recroquevillée sur la cuvette, en grognant de soulagement.) *Toilettes.* Tellement injuste, Josh.

Je ne pouvais pas anticiper ce qu'il allait faire lorsque ses mains s'approchent de la serviette nouée autour de sa taille et qu'il tire dessus. Le coton bleu tombe sans un bruit par terre et mon cœur remonte dans ma gorge.

Josh

est

nu.

En face de moi, il semble que sa peau dorée s'étend sur des kilomètres et des kilomètres. Je suis incapable de ciller ; ses muscles transverses, dont il m'a un jour appris le nom mais que je connais seulement sous les qualificatifs de Courbes Dessinées de Ses Biceps, Crête

Séduisante Sous Sa Clavicule, Tablettes de Chocolat Comestibles et Ombre Appétissante Au-Dessus de Sa Hanche, me fascinent.

Je remarque aussi qu'il reste immobile, sans la moindre velléité de se couvrir. Il me dévisage avec un sourire goguenard, comme s'il savait qu'il avait caché cette œuvre d'art sous ses vêtements pendant tout ce temps et s'accordait avec moi pour dire que j'étais chanceuse d'y avoir accès. Le Josh Bourré Qui Glousse Bêtement est mon préféré, mais le Josh Bourré Plein De Confiance En Lui est ma nouvelle religion.

Mon regard est attiré vers le bas et je me rends compte que je m'attendais à ce qu'il se penche pour ramasser sa serviette et me redemande une couverture. Mais après avoir senti mon regard vagabonder librement sur son torse, Josh a commencé à… bander.

Et, alors que je regarde son sexe devenu dur…

Il se met à bander complètement.

Le fait que je le contemple lui a causé une érection. Je n'ai aucune idée de ce que je suis censée faire avec cette information. J'ai peur de cligner des yeux, peur qu'il disparaisse à la seconde où je les fermerai. Lorsque je reviens à son visage, je remarque sa bouche entrouverte. Son regard semble interrogateur, mais il me contemple aussi de la manière dont, je suppose, je le contemple.

Je n'arrive pas à détourner les yeux.

Qu'est-ce que signifie le verbe « respirer » ? Pourquoi est-il nécessaire de le faire, déjà ?

Tous mes organes semblent entamer une descente vertigineuse et se précipiter entre mes jambes. J'avance d'un pas et – parce que je n'ai pas la moindre capacité à me contrôler lorsque je suis sobre, et encore moins ivre – glisse les mains sur l'étendue de peau chaude de son torse. Son grognement est à peine audible. C'est un son que je ne lui connaissais pas, mais il lui correspond parfaitement – tranquille et discret, la version censurée d'une bouffée de soulagement.

En contraste, je laisse échapper un chapelet coloré de jurons en enfonçant mes doigts dans le creux de ses clavicules. Josh est tellement doux et appétissant. J'ai envie de le saupoudrer de sucre et de le lécher.

Apparemment, j'ai prononcé ces mots à haute voix, car il murmure.

– Tu pourrais. Si tu voulais.

Quoi ?

Josh Im me donne sa permission. Je touche à l'inatteignable.

Bordel de merde, qu'est-ce qu'on est en train de faire ?

– C'est une mauvaise idée.

Il hoche la tête, mais tend les mains en direction de mon short et caresse mes hanches dénudées. Il fait lentement descendre mon short, jusqu'à ce qu'il ne soit plus qu'une mare d'imprimé dalmatien à mes pieds.

Je laisse mes doigts vagabonder sur son corps et, apparemment, ils ont envie de glisser sur son abdomen dessiné et de saisir la partie la plus chaude, dure et parfaite de son corps. Il laisse échapper un gémissement et ferme les yeux.

Je promets :

– On le fera seulement une fois.

Il me répond d'une voix rauque, et je dois relâcher la pression sur son sexe lorsqu'il retire mon débardeur et le balance par terre, derrière lui.

— Une seule fois.

— On a juste besoin de relâcher la pression tous les deux.

Il pose une main sur ma poitrine, effleure la pointe sensible de mes seins avant de pincer, fort.

— Exactement.

Je lui rappelle d'une voix tremblante :

— Parce que tu n'as pas envie de sortir avec moi.

— Tu n'as pas envie de sortir avec moi, toi non plus.

Mais au moment où il prononce ces mots, il prend mon visage entre ses mains et pose sa bouche sur la mienne, et c'est intense, exactement comme j'ai toujours rêvé que ça le serait, embrasser quelqu'un que j'aime déjà tellement profondément et qui m'a vue exactement telle que je suis. Il a toujours un arrière-goût de whisky, sa bouche est douce et ferme, et il m'embrasse si bien, comme si c'était exactement ce dont il avait besoin ce soir.

Il incline la tête, m'embrasse encore, plus profondément, en se délectant de mes gémissements.

J'en veux toujours plus. J'ai l'impression d'être un fidèle aux pieds d'une divinité d'or.

Josh me déshabille avec un fantastique mélange d'impatience et d'habileté. Sa langue glisse sur la mienne, ses gémissements de plaisir et de désir résonnent dans ma bouche et dans mon esprit. Je me rappelle à quel point nous ne sommes pas sobres lorsque nous nous effondrons sans grâce par terre ; il est clair qu'on va le faire ici, maintenant, qu'on ne prendra même pas la peine de se mettre au lit. Le dernier vêtement que je porte disparaît et Josh s'installe entre mes jambes, en tendant la main pour me sentir, les yeux fermés. Il retient son souffle et me prend d'un coup.

Mais je suis incapable de fermer les yeux. Je suis incapable de cesser de le regarder même lorsque sa silhouette nage au-dessus de moi. Même dans l'obscurité, même ivre, je le vois assez clairement : la lourde masse de muscles et d'os, les angles parfaits de ses épaules, sa mâchoire, sa bouche ouverte et douce, ses grognements discrets et profonds à chaque à-coup, chaque fois qu'il se retire puis plonge en moi.

Il se penche, suce l'un de mes tétons avant de jouer avec, du bout des dents. Le mélange de plaisir et de douleur m'arrache un soupir, et je ressens plus que je distingue son sourire contre ma peau.

Demain matin, je suis certaine que je m'efforcerai de me souvenir de la scène dans ses moindres détails, parce que nous sommes frénétiques et sauvages, nous nous roulons par terre, avec mes mains sur son cul parfait, mes jambes passées autour de lui, l'attirant contre moi, le suppliant silencieusement de me prendre *plus profondément*. J'aurai besoin d'une confirmation intérieure pour être bien sûre que j'ai couché, bourrée, avec mon meilleur ami.

Demain matin, je me dirai qu'avoir crié dans son oreille quand l'orgasme m'a submergée n'est pas grave. Je me dirai qu'avoir mordu son épaule quand je nous ai surpris tous les deux en jouissant pour la deuxième fois, sous lui, ne pose aucun problème. Mais à cet instant, je souhaite seulement me concentrer sur sa chaleur, sur la sensation de son sexe en moi. Je veux me focaliser sur la douceur de ses cheveux qui me glissent entre les doigts, écouter ses gémissements à peine compréhensibles – *douce* et *peau* –, sur la manière dont les mots *putain* et *mouillée* semblent à la fois obscènes et respectueux.

Je me perds dans ses baisers dans mon cou et dans son érection qui s'accentue encore lorsqu'il murmure qu'il va jouir.

Tellement dur, Haze. Oh, Seigneur, je vais jouir tellement fort.

Je sais que je suis ivre et je sais qu'il s'agit de Josh Im – le modèle de Perfection, qui n'aurait jamais dû désirer Hazel Bradford – mais quand il jouit et se fige contre moi, en respirant lourdement dans mon cou, je choisis de me laisser aller dans ce sublime brouillard de plaisir, comparable à la sensation de vivre dans un nuage, comme je l'ai toujours imaginée.

CHAPITRE 12

Hazel

J'ai dû m'endormir sous Josh sur le nouveau parquet de mon couloir, parce que je n'ai aucun souvenir de m'être mise au lit. Le seul souvenir tangible de la nuit dernière est le fait que je sois nue, le corps douloureux et un peu collant. Josh est parti.

Mais Josh étant Josh, il a laissé un petit mot sur l'oreiller, qui dit simplement.

Je t'appelle dans la matinée.
J.

L'anxiété me serre le ventre. D'un côté, la nuit dernière a été plutôt exceptionnelle – enfin, je crois ? –, donc je n'imagine pas qu'il sera en colère parce qu'on a couché ensemble. De l'autre, le sexe change toujours la donne, et la dernière chose dont j'ai envie, c'est que quoi que ce soit change entre nous. J'ai peut-être davantage apprécié le sexe que je ne serais prête à l'admettre, mais je suis Hazel la Fofolle, et il est Josh l'Extraordinaire (la gueule de bois m'empêche de trouver un meilleur qualificatif) et rien – je dis bien *rien* – ne m'effraie plus que l'idée qu'on sorte ensemble et qu'il décide soudain que je suis trop délurée, trop bizarre, trop chaotique. Trop.

Je roule sur le côté et tente de mettre tous ces problèmes potentiels en sourdine en me rendormant, mais j'ai la bouche en coton et j'ai conscience que plus tôt je prendrai un Ibuprofène, mieux ce sera. Une fois la décision de me lever prise, une vague de nausée due à mes mauvaises décisions alcoolisées me submerge. Et la sonnerie de mon téléphone retentit.

Il est 7h17, Josh m'appelle.

Je me laisse retomber sur le lit et réponds d'une voix rauque.

— Repaire du Péché d'Hazel.

— Salut, Haze.

Ma gorge se serre en entendant la vibration profonde de sa voix, à cause du souvenir de ses gémissements de la veille.

Tu es aussi douce que je l'imaginais.

Ah, putain. Tu es trempée. C'est bon. C'est tellement bon…

Oh Seigneur, je vais jouir tellement fort.

— Salut… toi.

Josh s'éclaircit la gorge et je réalise que nous nous sommes tous les deux vus nus. Il pense peut-être à la même chose, parce que tout ce qu'il parvient à dire, c'est :

— Alors.

Je glousse, et mon rire ressemble à un crissement.

— Alors.

— J'espère que… ça va.

— Ouais.

Je jette un coup d'œil à mes jambes nues. J'ai un bleu sur le genou, et mon coccyx est un peu douloureux à cause des conséquences implacables d'une baise à même le sol, mais en dehors de ça, je suis indemne.

— Tout va bien.

— Et *entre nous* ?

Je hoche la tête et m'empresse de le rassurer.

— Je suis ta meilleure amie, Hazel. Bien sûr. Nous avons dit que ça ne se reproduirait pas. Tout va parfaitement bien.

Je comprends le soulagement qui imprègne son soupir.

— Bien, bien.

Il marque une pause et je l'entends prendre une grande inspiration comme s'il s'apprêtait à ajouter quelque chose, mais il reste silencieux pendant cinq, dix, quinze lancinantes secondes. J'aime penser que j'ai plus confiance en moi que la moyenne des gens, mais son silence fait remonter de petites bulles d'insécurité à la surface. Je sais que ce n'était pas la meilleure idée du monde, mais je n'ai pas non plus envie qu'il *regrette*, genre.

Me regrette.

— Le truc, c'est… commence-t-il. Je n'ai pas mis de préservatif.

Eh bien, ça explique pourquoi je suis si collante. Mon ventre se serre.

— Oh. Non. Pas de problème, il n'y a aucun risque.

— Tu prends la pilule ?

C'est tellement bizarre. Je n'avais pas imaginé cette conversation comme ça. Mais là encore, quand avais-je envisagé d'avoir cette conversation avec Josh ?

– Ouais, la pilule.

– Donc, j'imagine qu'il faut aussi que je te demande si tu as fait un test récemment ?

Oh.

– Je n'insinue pas… commence-t-il, et je peux pratiquement l'entendre grimacer.

– Ouais, je l'interromps. Non, c'est logique. Je n'ai couché avec personne depuis plus d'un an. Mais j'ai fait un test entre-temps. (Je suis soudain sur la défensive.) Et toi ? Je veux dire, après l'histoire de Tabby et Darby…

– Désolé, répond-il immédiatement. Bien sûr. J'aurais dû commencer par là. Pas de souci non plus de mon côté.

Le silence se fait une fois de plus et je me sens étrangement mélancolique. Nous ne craignons rien. Hier soir, c'était sympa et, oh, il m'appelle à 7h17 le lendemain matin. Il ne m'a pas évitée durant toute la journée qui a suivi notre partie de jambes en l'air alcoolisée. Tout va bien.

– Haze, dit-il calmement, je suis désolé d'être parti.

– Non, je comprends complètement. Je suis sûre que tu as dû te sentir bizarre en te réveillant nu et sur moi dans le couloir.

– En réalité, je n'ai pas réussi à m'endormir. Je t'ai portée jusqu'au lit.

Et maintenant, une image de moi s'impose, sac d'os ivre, en train de ronfler, plongée dans un profond sommeil post-coïtal, l'obligeant à me porter nue, transpirante et *collante* jusque dans mon lit. Génial.

– Eh bien, je suis sûre que ça a été un excellent rappel du fait que je suis infréquentable.

Il ne répond rien.

En réalité, son silence est d'une brutalité sans nom.

Pour une fois, je parviens à m'empêcher de prononcer les mots que je ne devrais pas prononcer, les mots qui dansent devant mes yeux, comme s'ils étaient projetés sur un écran : *ai-je perdu la tête ou est-ce qu'on aurait un peu dit qu'on faisait l'amour ?*

Même moi, je suis apte à comprendre que ça nous entraînerait sur un territoire encore plus gênant, si c'est possible, et qui suis-je pour savoir ce qu'on ressent en faisant l'amour ? Ma plus longue relation a duré six pauvres mois.

Finalement, il répond :

– J'ai assez mal au cul.

Un gloussement inattendu m'échappe.

– Je crois me souvenir de l'avoir beaucoup agrippé. Ton cul est assez génial. Tu dois aussi avoir des griffures sur les joues.

– Tes seins sont assez géniaux aussi.

– Emily te l'a dit il y a des lustres. Tu vois, tu devrais écouter ta sœur.

Il marque une pause et je nous suspecte tous les deux d'imaginer la réaction d'Emily en apprenant ce qui vient de se passer. Totalement imprévisible, ce qui ajoute encore à la nausée qui me submerge.

– Le fait que je ne me souvienne pas de tous les détails est probablement une bonne chose, ajoute-t-il calmement.

C'est sans le moindre doute la meilleure opinion à avoir, mais je souhaiterais en réalité que tout me revienne. Ça ne surviendra probablement plus jamais, et j'aimerais être en mesure de m'en souvenir pour toujours.

— Ouais, probablement.

CHAPITRE 13

Josh

Je suis sens dessus dessous.

Je pose mon téléphone sur ma table basse et m'effondre sur mon lit. Hazel a l'air d'aller bien. Ce qui est une bonne chose.

Je devrais être heureux qu'elle soit la même Hazel que lorsqu'elle s'est réveillée hier.

Mais je ne suis plus le même Josh.

CHAPITRE 14

Hazel

Je n'ai pas vu Josh depuis trois jours, mais on s'est régulièrement envoyé des textos pour parler de tout et de rien, comme d'habitude. Aujourd'hui, je lui ai raconté que Winnie a aboyé et qu'on aurait dit qu'elle criait «j'ai faim». Il m'a répondu que son sandwich au poulet dégoulinait de mayonnaise. Je lui ai dit que j'ai trouvé le bikini parfait pour notre Croisière de la Diarrhée au printemps prochain. Il m'a répondu de ne pas mentionner le mot diarrhée alors qu'il venait d'ingérer trop de mayonnaise.

En somme, je lui ai parlé aussi normalement que possible.

La question est de savoir si nous allons continuer à organiser des «double dates» après avoir couché ensemble, en étant ivres. Pour des raisons évidentes, notre relation a changé, mais je me répète que ce n'est pas inévitable. Nous ne sommes ni l'un ni l'autre à la recherche de l'amour, mais rencontrer des gens ensemble a été très marrant jusque-là, une bonne distraction pour ne pas penser constamment au travail, aux factures, au fait d'être un adulte à temps plein. Je n'ai pas toujours confiance en mon jugement en matière de mecs, mais Josh ne me présenterait jamais intentionnellement des ordures (si on excepte les « dates » six et sept). J'aime aussi passer du temps avec lui, et lorsque nos « dates » sont nuls, nous sommes là l'un pour l'autre.

Apparemment, je ne suis pas la seule à vouloir un bilan de mi-parcours. Lorsque nous retrouvons Emily et Dave pour le dîner, la première chose qu'ils nous demandent, c'est où nous en sommes. La première réaction de Josh est de me regarder pour que je réponde, parce que, ah ! c'est une excellente question !

— Eh bien… dis-je en prenant une grande inspiration, car je suis sur des sables mouvants.

Je m'efforce de gagner du temps en enlevant mes chaussures et en les plaçant avec une précision de laser à côté de celles de Josh près de la porte, mais dans ma tête, le souvenir de son corps sur le mien semble bloquer toute possibilité de réflexion cohérente. Je compte leur expliquer simplement que la plupart de nos « dates » ont été des flops et attendre leurs suggestions pour la suite. Mais dans un pur style typique Hazel, ma bouche décide de prendre le contrôle, et ce qui en sort, c'est :

— Josh et moi avons fini par coucher ensemble après avoir pris la fuite au septième « date ».

Le silence envahit la petite entrée comme du brouillard et je me tourne vers Josh pour l'appeler à l'aide. Il a les yeux écarquillés, comme s'il regardait un avion s'écraser et qu'il priait silencieusement pour qu'il retrouve sa trajectoire à la dernière minute.

Nous savons tous les deux que ce ne sera pas le cas.

– Donc, c'est arrivé ! (J'esquisse une petite danse crétine.) C'était *vraiment* sympa.

Je ferme les yeux parce que, *oh Seigneur, pourquoi ai-je dit ça ?*

Josh s'éclaircit la gorge.

– Nous nous sommes mis d'accord sur le fait que ça ne se reproduirait pas. Nous nous sommes mis *d'accord,* je répète, en levant une main dans un geste censé évoquer l'assentiment, ou quelque chose dans le genre.

Josh ne vient pas à ma rescousse, j'ai donc le champ libre pour aggraver le malaise général. Ce que je m'empresse de faire.

– Mais enfin, pour deux personnes dont l'une a pénétré l'autre, tout va bien, n'est-ce pas ? Tout va bien. Je pense que nous sommes prêts pour nous plonger dans la planification du prochain rendez-vous.

Je hoche la tête en cherchant l'approbation autour de moi. Emily nous dévisage, les yeux écarquillés.

– Vous avez… *quoi* ?

À un certain moment, pendant mon monologue haletant, Dave s'est plié en deux, incapable de contenir son fou rire.

Emily dévisage Josh, et une sorte de communication silencieuse entre frère et sœur s'établit. Comme toujours, Josh est plus ou moins impassible. Il déglutit discrètement, l'air de revenir à lui, et hoche la tête dans ma direction avec un sourire qui s'agrandit progressivement.

– Ouais, tout va bien. Rien n'a changé, Dieu merci.

Emily dit quelque chose à Josh en coréen et il lui répond calmement. Ce n'est pas le moment de penser à quel point il est sexy quand il parle cette langue.

Je croise le regard de Dave parce que nous n'avons, ni l'un ni l'autre, la moindre idée de ce qu'ils viennent de se dire, mais nous ne pouvons pas prétendre que ce n'est pas en lien avec le fait que son beau-frère a couché avec la meilleure amie de sa femme.

Étrange et terriblement gênant !

Dave tape dans ses mains, la tension se rompt temporairement. Josh pose une main dans le bas de mon dos, m'enjoignant silencieusement d'avancer vers la salle à manger où Dave a disposé son dernier chef-d'œuvre culinaire sur la table.

Josh prend place à ma gauche, Emily et Dave s'installent en face de nous. Je regarde Dave verser du vin dans le verre de sa femme et j'écarquille les yeux en voyant qu'il le remplit presque à ras bord. Josh et moi la dévisageons tandis qu'elle le porte à ses lèvres et en boit la moitié avant de reprendre son souffle.

Je croise le regard de Josh. Nos yeux disent *Ça se passe bien !* avant que les siens évoluent vers un *Eh bien, à quoi t'attendais-tu ?* Je n'ai rien à répliquer.

Dave me fait passer le pain, Josh se sert de poulet.

Le silence est meurtrier.

Emily termine son verre et Dave la ressert. Pour une personne si fluette, Emily tient la distance.

— Winnie a des vers, dis-je à la tablée, en étalant un peu plus de beurre sur mon morceau de pain. Je l'ai emmenée chez le vétérinaire aujourd'hui. J'étais hyper-inquiète à l'idée qu'on doive la traiter avec une sorte de pommade sur son derrière mais — non — juste des médicaments.

Je prends une gorgée de vin et leur souris. Josh repose sa fourchette et prend son front entre ses mains.

Deux secondes plus tard, ils éclatent tous de rire et Emily m'observe avec l'air de tendresse que je préfère.

– Elle n'a pas vraiment des vers, c'était juste une blague.

Si je ne suis pas une briseuse de glace professionnelle, je ne sais pas ce que je suis.

Après ça, la conversation devient finalement plus fluide. Dave se plaint des gouttières qu'il a dû nettoyer à nouveau ce week-end. Emily nous parle d'un enfant qui n'a pas réussi à atteindre les toilettes à temps et qui a fait caca dans son pantalon, ce qui signifie que le surnom Cacacameron poursuivra le pauvre gosse jusqu'à ses quatre-vingts ans. Je parle du projet sur lequel nous travaillons, où les élèves choisissent des professions, sujet d'un petit exposé, à l'occasion duquel l'un des garçons a informé la classe que son père (un chirurgien plastique) gagnait sa vie en touchant des nichons. Josh nous parle de sa nouvelle patiente, une femme de soixante-dix ans qui le voit pour un remplacement de la hanche et qui lui a fait pas moins de dix propositions sexuelles en une semaine.

Compte tenu de la manière dont a commencé la soirée, le dîner se passe presque bien.

Et au moment où la pensée me vient – dans la voiture tandis que Josh me ramène chez moi –, je me tourne vers lui et lance :

– Le dîner s'est presque bien passé. Presque.

S'il devine la référence à *Alien*, il n'en montre rien. Il regarde droit devant lui et esquisse un demi-sourire en direction du pare-brise.

Je soupire et touche la fossette de sa joue droite du bout du doigt.

— Est-ce qu'il faut qu'on en parle?

Il déglutit et s'agrippe au volant.

— Parler de quoi?

Je hoche la tête, les bras ballants, et réponds calmement: «OK» tout en regardant par la fenêtre du côté passager. Je peux entrer dans ce jeu-là, moi aussi. *Sexe? Quel sexe?*

— Tu veux dire, du fait qu'on ait couché ensemble? Ou du fait que tu l'aies raconté à ma sœur et à mon beau-frère, alias ta meilleure amie et ton boss.

Ouf. Mon ventre est tout retourné. Vague d'angoisse. Je lui jette un coup d'œil.

— C'est sorti comme ça, je suis désolée.

Il secoue la tête.

— Ça m'est égal qu'ils soient au courant.

— Ça m'a échappé. Je suis nulle.

— Ils l'auraient probablement deviné en nous voyant, me rassure-t-il.

Et même si on en a déjà parlé au téléphone, ça me fait vraiment du bien d'en parler ici aussi. Face à face. Rien entre nous. Hazel et Josh.

— Parfois, ton manque de filtre me tue, dit-il. Ce n'est même pas d'un filtre dont tu aurais besoin, mais d'une digue.

— Mais sérieusement. (Je pivote sur mon siège pour le regarder en face en ramenant mes jambes sous moi.) Je comprends ce qu'il en est, et il n'y a aucune raison pour que ça change quoi que ce soit. D'une certaine manière, c'est logique. Tu es mon meilleur ami et tu es sexy. Bien sûr que j'allais me jeter sur toi une fois ivre.

Son sourire s'élargit légèrement.

— C'est comme ça que ça s'est passé dans ton souvenir?

Je renchéris :

— Enfin, tu as participé, mais je t'ai presque supplié de me montrer la marchandise.

Il éclate de rire et je vois qu'il essayait de se retenir.

— Parce que je t'ai vue faire pipi. Tu es incroyable.

Je me recroqueville sur mon siège.

— Je ne m'en remettrai jamais.

— Tu as vomi des hot-dogs pendant qu'on te filmait pour la télé, dit-il en me jetant un petit coup d'œil au feu rouge. Mais le fait que je t'ai vue faire pipi est la mortification qui te poursuivra pour toujours.

— Je suis aussi toujours mortifiée par l'histoire des hot-dogs. (Je frémis à cause de la réaction physique que ce mot provoque en moi.) Je suis ravie que tu t'en souviennes.

Il me prend la main.

— Tout va bien entre nous, Haze. Je te le promets.

Après l'avoir serrée, il lâche ma main, et elle me paraît étrangement froide.

~

Ma mère se penche sans même essayer d'être discrète lorsqu'elle sort un petit cookie de la poche de son tablier et le donne à Winnie. Seigneur, elle ne possède pas de chien, mais elle stocke des friandises dans son tablier de jardinage.

— OK, petite. (Elle plante ses mains sur ses hanches.) Vide ton sac.

Je me relève en essuyant la terre sur mes fesses et ajuste mes gants.

— Pardon ?

Elle plisse les yeux et m'attrape par le menton en laissant des traces de boue sur ma peau lorsqu'elle dirige mon visage vers le soleil.

— Tu es ailleurs aujourd'hui.

Je retiens mon souffle en sentant mon visage se réchauffer dans sa main. Elle semble se décrisper, son expression s'adoucit.

— Vide ton sac, mon cœur.

— L'autre soir, Josh et moi…

Je hausse les épaules. Elle se mord les lèvres avant de lancer :

— Je le *savais.*

— Oh, ça va. Tu ne le savais pas. *Je* ne savais même pas que ça allait arriver.

— Intuition maternelle.

— Je pense que c'est un mythe.

Elle glousse comme une abrutie.

— Est-ce que c'était sympa au moins ?

— Je crois. On était ivres tous les deux, mais je me souviens que c'était plutôt génial, ouais.

Ma mère hoche la tête et arrache une mauvaise herbe qui pousse près de sa chaussure.

Je grogne. Je pensais que lui en parler m'aiderait à me sentir mieux, mais je me sens toute retournée de l'intérieur.

— Et c'est déjà différent entre nous. Nous avons décidé que ça ne le serait pas, mais…

— Vous avez « décidé » ? Oh, les enfants… (Elle éclate de rire en ramassant une petite bêche et des pousses de chou, avant de me faire signe de la suivre jusqu'au parterre suivant.) Ma chérie, ce n'est pas quelque chose que tu peux décider. Le sexe change la donne.

Nous nous agenouillons à côté de la terre fraîchement retournée et je tire un amas de racines de l'emballage en les lui tendant une fois qu'elle a creusé un petit trou.

— Mais je n'ai pas envie que les choses changent.

Ma mère appuie une main terreuse sur son genou, sans se relever, et tourne la tête pour me regarder.

— Vraiment ? Tu voudrais que ta relation avec Josh reste identique pour toujours ? Lui présenter des filles et vice versa ? Rentrer chez toi pour retrouver Winnie ?

— Et Vodka, Janis et Daniel Craig.

Elle ignore mon mécanisme de défense humoristique et creuse un autre trou, en tendant la main pour récupérer un autre cube de terre et de racines.

— Je ne sais pas comment l'expliquer, fais-je calmement en lui donnant le plant.

— Essaie.

Josh a toujours été quelqu'un que j'admire. Eh bien, il est beau, nous sommes tous au courant. Mais il est aussi incroyablement intelligent, et plein d'assurance, de contrôle sur ses émotions. Je n'ai jamais été capable d'être aussi tranquille, mais il y parvient tellement naturellement. (Je poignarde la terre avec la pointe d'une petite pelle.) Et en tant qu'ami ? Il est juste… adorable. Loyal, attentif, gentil et généreux. Bref, je le vénère. (Ma mère éclate de rire et je lui tends un autre plant.) Je sais que je suis comme Pig Pen pour Charlie Brown[11] et que je crée le chaos autour de moi, mais on dirait qu'il s'en fiche. Il n'a aucune envie de me faire changer ou que je prétende être quelqu'un d'autre. C'est mon alter ego. C'est mon meilleur ami.

---

11. Pig Pen est un personnage de *Snoopy et les Peanuts,* la série de bandes dessinées de Charlie Schultz. Toujours crasseux, il assume son apparence en ignorant les insultes des autres. Charlie Brown est le seul enfant à l'accepter inconditionnellement et à le défendre.

Ma mère se redresse en évaluant son travail du regard.

— Je ne sais pas, ma chérie, ça me semble assez extraordinaire.

Une spirale obscure d'anxiété commence à tournoyer en moi.

— C'est le cas. C'était bien le cas. Et puis on a couché ensemble. Le truc, c'est que je sais instinctivement que je ne suis pas la bonne personne pour Josh. Je suis désordonnée, loufoque et frivole. J'oublie de payer mes factures et je chante des chansons que j'invente à mon chien avant de me rendre compte de ce que je suis en train de faire. J'ai passé un été entier à me disputer avec le conseil municipal parce qu'ils refusaient de me laisser élever des poules dans mon appartement, et tu te souviens de la fois où j'ai acheté tous ces ballons parce qu'ils coûtaient 5 cents pièce mais qu'ils ne rentraient pas dans ma voiture ? Je sais sans le moindre doute que je ne suis pas le genre de femme dont il a besoin.

Une flamme s'allume dans son regard.

— Comment peux-tu dire ça ?

Je hausse les épaules.

— Je le connais. Il m'aime comme une amie. Peut-être comme une sœur.

— Il a *couché* avec toi, me rappelle ma mère, et ce souvenir fait battre mon cœur. Dans la plupart des régions du monde, ce n'est pas une activité très fraternelle. Hazel, ma chérie, es-tu amoureuse de lui ?

Sa question me prend totalement de court et je ne comprends pas pourquoi. C'était la suite logique de cette conversation. Je pose les mains sur mon ventre, en tentant de faire le point sur la sensation logée là et de traduire cette douleur en mots.

— Non, tu sais, parce que je pense avoir intégré un système de sécurité là-dedans. Je ne crois pas qu'il soit possible de revenir en arrière.

Ma mère acquiesce et son regard s'adoucit.

— Est-il étonnant que je n'aie jamais eu le moindre filet de sécurité ? Je n'ai jamais vécu un amour capable de me consumer. Je voudrais connaître ce type de flamme.

— *Je* ne suis même pas sûre de vouloir ça. Si j'offre mon cœur à quelqu'un qui passe à autre chose, je pense que ça me détruira.

Ma mère approche un pouce boueux de ma joue pour la caresser.

— Je comprends, ma chérie. Je voudrais te voir conquérir le monde. Et si ton monde, c'est Josh, alors je veux que tu rassembles ton courage pour ne pas le laisser filer.

— Parce que tu es ma maman.

Elle acquiesce.

— Un jour, tu comprendras.

CHAPITRE 15

Josh

Comme d'habitude, Emily passe dix bonnes minutes à contempler silencieusement le menu avant de décider ce qu'elle veut. Nous mangeons dans ce restaurant depuis des années. Je prends toujours la même chose, donc je tue le temps pendant qu'elle inspecte le menu, en ordonnant les sachets de sucre, en alignant salière et poivrière, puis je regarde par la fenêtre en m'efforçant de ne pas penser à Hazel.

Hazel sous moi, la chaleur de ses mains dans mon dos, la griffure de ses ongles. Ses dents sur mon épaule et son cri aigu lorsqu'elle a joui pour la seconde fois.

La *seconde* fois. Quand elle jouit, elle jouit et jouit.

Je ne pense absolument pas à son murmure discret lorsqu'elle m'a chuchoté qu'elle m'aimait, quand j'ai délicatement allongé son corps nu semi-conscient sur son lit.

Emily repose le menu sur la table, attirant mon attention vers le serveur qui fait son approche.

Elle lui sourit, commande avant moi et lui tend nos menus. Nous ne nous sommes toujours pas adressé un mot et je ressens un peu la tension qui précède le début d'une partie d'échecs, ou le calme avant le premier service à Wimbledon.

Ma sœur et moi déroulons nos serviettes à l'unisson, les plaçons sur nos genoux, et puis nous prenons une grande inspiration en nous regardant dans les yeux. Il me suffit de la regarder pour savoir ce qu'elle pense. Mais c'est Emily, elle s'apprête donc évidemment à m'en faire part.

— Mec.

J'acquiesce.

— Je sais.

— Josh. (Elle appuie un coude sur la table et se penche vers moi.) Genre… sérieusement.

Je secoue la tête et remercie le serveur lorsqu'il revient pour m'apporter mon café.

— Je sais, Em.

— Qu'est-ce qui se passe ? demande-t-elle en étendant les mains comme si Hazel et moi étions actuellement tous les deux nus sur la table.

Je hausse les épaules. Honnêtement, je n'en ai pas la moindre idée. C'est juste arrivé. Mais quand je regarde en arrière, j'ai l'impression que c'était la suite logique de nos retrouvailles du barbecue. Même lorsque nous essayions de sortir avec d'autres personnes, elle est toujours restée le centre de mon attention, la personne *avec* qui j'étais réellement.

— Est-ce le début de quelque chose ?

Le pied d'Emily tremble nerveusement sous la table, je tends le mien pour l'empêcher de continuer.

— Pour qui ? Pour elle ou pour moi ?

— Pour elle ou pour toi ! Ou pour tous les deux.

Je verse de la crème dans mon mug.

— Je n'en sais rien, d'accord ? Je ne sais plus où j'en suis.

— Je te connais, Josh, grogne-t-elle pratiquement. Je te connais. Tu es le mec le plus monogame de l'histoire de l'humanité. Tu ne te contentes pas de *coucher* avec quelqu'un. Je me fiche de savoir à quel point tu étais ivre.

Que puis-je répondre à ça ? Elle m'a dit la même chose chez elle avant le dîner. Elle n'a pas tort. Je ne suis pas un habitué des coups d'un soir. Je n'ai honnêtement jamais compris ce type d'élan. Le sexe, c'est tellement intime. J'offre toujours une part inconditionnelle de moi-même, sans retour en arrière possible.

Comme je reste silencieux, elle tapote son index sur la table comme si elle avait besoin d'insister.

— Tu n'es pas ce genre de mec. Tu n'as même jamais essayé d'être ce genre de mec.

— Emily. (Je repose délicatement la crème en sentant la tension monter de mes phalanges à mon bras.) Je me connais. Regarde-moi, je ne suis pas blasé. Ça me perturbe juste, d'accord ?

— Oppa, demande-t-elle en continuant en coréen, est-ce que tu l'aimes ?

Je ne réponds pas. J'en suis incapable, parce que j'ai l'impression que le dire ouvrirait quelque chose en moi, exposant un organe précieux. J'évite ce mot depuis que je suis sorti de son lit, que j'ai récupéré mes vêtements dans le sèche-linge et quitté son appartement. J'ai donné trop facilement mon amour à Tabby, et en comparaison avec ce que je ressens pour Hazel ? Ces émotions semblent maintenant pathétiquement lointaines et, pourtant, elle m'a blessé. Ce mot – *amour* – ressemble à un boulet de démolition. Je me vois casser une noix et en observer des morceaux dans ma paume, avec la certitude que je ne pourrai jamais les réassembler.

– Josh ?

Il m'est déjà assez difficile de respirer, alors formuler mes pensées… La bouche d'Hazel et ses épaules, les pointes douces et roses de sa poitrine, ses éclats de rire et la manière discrète dont elle m'a demandé de rester en elle avant de s'assoupir sous moi par terre – tout se télescope dans mon esprit.

– Je ne sais pas.

Le corps de ma sœur heurte le dos de sa chaise comme si on venait de la pousser.

– « Je ne sais pas » signifie « oui ».

– Je pense que c'est une possibilité. (Je fixe Emily.) Je pense qu'il est possible que je sois amoureux d'elle.

On nous apporte nos plats et nous marmonnons des remerciements au serveur. Je regarde Emily lever sa fourchette et dédaigner la salade devant elle. Soudain, manger me semble inimaginable.

Et si c'était juste un engouement passager après du sexe de qualité ? Et s'il s'agissait simplement de ce que mon cerveau et mon cœur semblent croire, et si j'aimais vraiment Hazel ? Et si elle est ce que je recherche, mais que je ne corresponds pas à ses attentes ?

Je repousse mon assiette.

– Josh, vous êtes *tellement* différents tous les deux.

C'est honnêtement la dernière chose que j'ai besoin d'entendre maintenant.

– Ouais. Je suis au courant.

— Elle ne va jamais se calmer. Hazel est l'antithèse du calme.

Malgré mon humeur chagrine, j'éclate de rire.

— Em, toute personne ayant passé plus de cinq minutes avec elle le sait.

Je suis frappé par le souvenir de la main violette d'Hazel tandis qu'elle préparait des pancakes. Je me demande si je saurai un jour d'où venait la tache.

Et comme si elle avait été désobligeante, Emily murmure :

— Mais c'est une fille exceptionnelle. Hazel est un amour.

La bête sauvage qui sommeille en moi resserre son emprise sur mon cœur lorsqu'elle prononce ces mots. Hazel est sans l'ombre d'un doute la personne la plus exceptionnelle que j'aie jamais rencontrée.

— Je pensais que tu voulais nous présenter pour qu'on sorte ensemble, Em. Après le barbecue.

— Oui. Mais vous êtes tellement proches maintenant. Ça m'inquiète.

— Moi aussi.

— Tu n'as pas le droit de lui faire du mal.

Je croise le regard de ma sœur et y distingue une lueur protectrice. Il me faut quelques instants pour pouvoir parler, à cause de l'émotion qui m'étreint la gorge.

— Je ne le ferai pas. Je ne compte pas le faire.

— Je suis sérieuse. (Elle me désigne de sa fourchette.) Tu dois être sûr. Vraiment sûr. Hazel est une sorte d'étoile solitaire qui se contente de flotter dans le ciel. Elle a énormément d'amis — comment est-il possible de ne pas l'aimer ? —, mais elle n'est vraiment proche que de quelques-uns d'entre eux. Te perdre la détruirait, Josh.

Je lève les yeux vers elle, sceptique. Hazel est faite de brique, de feu et d'acier.

— Tu exagères, Em.

— Tu ne me crois pas ?

— Hazel n'est pas fragile, c'est une brute.

— Quand il s'agit de toi, si. Elle t'idolâtre. (Elle sourit d'un air sarcastique.) Dieu seul sait pourquoi.

Je soupire en fixant le tourbillon blanc dans mon café noir.

— Mais si tu changeais d'avis sur quelque chose comme ça, dit Emily, je crois que c'est justement ce qui pourrait faire décliner sa lumière. Nous savons tous les deux qu'Hazel est un papillon. Je pense que tu as le pouvoir de lui brûler les ailes.

CHAPITRE 16

Hazel

Un mois à se voir régulièrement, comme avant, c'est ce dont Josh et moi semblons avoir besoin pour arrêter de plaisanter constamment sur notre partie de jambes en l'air alcoolisée et prouver à quel point TOUT VA BIEN ENTRE NOUS. Tous les week-ends du mois qui suit, nous nous adonnons à des activités amicales très appropriées, comme aller au théâtre, visiter les galeries d'art locales, dîner avec Emily et Dave en leur assurant que nous n'avons pas recouché ensemble, éviter les bars, les boissons alcoolisées (et la nudité) chaque fois que possible. Josh prend même l'habitude de m'apporter à déjeuner tous les mercredis à l'école pour qu'on puisse Juste Passer du Temps Ensemble.

Finalement, il est peut-être bon que j'aie une connaissance intime de son pénis, car maintenant, je peux le recommander en toute confiance à mes amies.

Nous sommes Absolument – et nous le clamons *haut et fort* – Prêts à Remettre le Couvert des «Doubles Dates», donc je passe prendre Sasha, la fille que j'ai invitée, au studio de yoga où elle donne des cours, parce qu'elle m'a dit qu'il lui semblait plus facile de prendre une douche et de se préparer là-bas plutôt que de rentrer chez elle en bus. Ce que je sais de Sasha depuis que je lui ai proposé de m'accompagner au double blind-date :

1. Elle n'a jamais possédé de voiture et ne prévoit pas d'en avoir une un jour.
2. Ses vêtements sont en chanvre, en cuir vegan ou en bouteilles de soda recyclées.
3. Elle ne s'est pas coupé les cheveux depuis quatre ans, parce qu'elle sent qu'ils ne lui ont pas donné la permission.

Même si elle semble être une personne consciencieuse et adorable, je ne suis plus très sûre qu'elle soit un bon choix pour Josh, en soi. Pour être parfaitement honnête, il est peut-être temps d'admettre que je ne suis pas une très bonne entremetteuse – nous avons connu beaucoup de flops.

Nous dînons dans l'un des restaurants de John Gorham, *Tasty n Sons*. *Toro Bravo* est probablement mon restaurant préféré dans tout Portland, mais je n'ai jamais goûté la cuisine de ce chef, et je n'ai intentionnellement rien mangé depuis le petit déjeuner pour pouvoir m'en mettre plein la panse et demander à Josh de me faire rouler jusque chez moi dans un tonneau, seule ou accompagnée.

Quand je passe la prendre, Sasha est éblouissante. Elle porte un jean noir et un T-shirt rouge très mignon qui met en valeur ses nichons d'enfer. Joli travail, le chanvre ! Elle a discipliné ses cheveux dans une sorte de tresse à la Raiponce qui semble peser au moins trente kilos. Quand nous entrons dans le restaurant bondé, les têtes se retournent. Je suis sûre que si Josh et le mec qu'il a invité – un type nommé Jones – ne se pointaient pas, Sasha et moi pourrions passer une assez intéressante soirée entre filles.

Mais je vois une main se lever au fond du restaurant et nous faire signe : bien sûr, Josh est déjà arrivé.

– Oh Seigneur, c'est lui ?

Sasha chancelle, les yeux rivés sur la table à côté de laquelle Josh s'est levé. Je m'apprête à lui répondre que oui, je suis l'élève la plus généreuse de son cours de yoga et qu'elle devrait me faire une réduction, mais le type assis à côté de lui se lève aussi et oh !

Je reste bouche bée

une,

deux,

trois,

quatre secondes.

Je *connais* déjà « Jones ».

Il ne s'appelle pas Jones Quelque Chose. C'est Tyler Jones.

Je suis rarement bouleversée, mais là, je me prends une claque. Tyler a été mes six mois. Six mois de relation suivis par des années de manipulation, me faisant croire qu'on pourrait un jour se retrouver pour que j'accepte de coucher avec lui, encore et encore.

Josh est au courant pour Tyler, mais il ne connaît pas toute l'étendue de ses manigances, et je n'ai pas le moindre doute sur le fait qu'il ignore complètement que mon ex Tyler est le pote de la salle de sport qu'il appelle Jones.

Et putain, Ty a fière allure. Il a toujours des cheveux blonds vaporeux style skateur qui lui tombent devant l'œil gauche. Son sourire de tombeur n'a pas changé avec le temps, la cicatrice sur son menton est toujours aussi séduisante et il est toujours aussi incroyablement grand. Ce soir, il porte un manteau élimé en flanelle et un jean délavé dont les boutons enserrent ce que je sais être une bite magique. Je parie que je verrai sous la table ses éternelles Chuck Taylor noires et qu'il a glissé dans la poche arrière de son jean sa casquette des Yankees. C'est comme si je replongeais dans ma vie d'il y a six ans.

Le sourire plein d'espoir disparaît du visage de Tyler lorsqu'il me voit. Il fait le tour de la table, se fraye un chemin dans la foule, comme un prédateur, et je suis une proie dépourvue du moindre réflexe de survie – je reste figée sur place. Sasha s'est rapprochée de Josh et je suppose qu'ils sont en train de se présenter sans nous, parce que tout ce que je vois, c'est Tyler qui marche vers moi et les têtes qui se tournent dans sa direction parce que – regardons les choses en face – c'est un mec sexy à l'air déterminé. Avant que j'aie le temps de décider si je vais rester ou m'enfuir en courant, il me soulève du sol en enfouissant mon visage dans son cou. Il répète mon prénom encore, encore et encore.

Hazel, Hazel, Hazel.

Oh Seigneur.

Bordel, qu'est-ce que tu fous ici ?

Je n'aurais jamais deviné que c'était toi !

Putain. Putain. Putain.

Josh croise mon regard incrédule par-dessus l'épaule de Tyler et je sens qu'il essaie de comprendre la situation. En dehors de tout contexte, ça doit ressembler à une sacrée salutation pré-«blind date». Il relève les sourcils, l'air interrogateur, et j'articule silencieusement : *Tyler.*

Je devine le juron qu'il lâche d'ici. *Tyler* Jones ? articule-t-il ensuite, et je hoche la tête.

Sasha pose une main sur son bras pour attirer son attention, mais je vois qu'il a la tête ailleurs. Il me jette constamment des coups d'œil et je le fixe comme s'il pouvait m'indiquer la marche à suivre, d'une manière ou d'une autre.

— Je n'arrive pas à croire que ce soit toi, dit Tyler en me reposant par terre, prenant mon visage entre ses mains et se penchant pour me regarder intensément.

Je me mords les lèvres, m'écarte un peu, parce que j'ai l'impression distincte qu'il s'apprête à m'embrasser.

— C'est… une surprise pour moi aussi.

— Vraiment ? (Il me sourit d'un air sceptique.) Je croyais que Josh t'avait dit qui tu allais rencontrer.

— Ouais mais… je ne t'ai jamais connu sous le nom de «Jones».

C'est seulement à cet instant qu'il réalise que je n'étais pas en train d'essayer de le surprendre avec ce vrai-faux «blind date», et que je n'avais aucune idée qu'il serait là. Seigneur, c'est tellement le genre de Tyler de penser que c'est lui qui a orchestré nos retrouvailles, d'une manière ou d'une autre.

Il incline à nouveau la tête pour croiser mon regard.

– J'espère que c'est une bonne surprise ?

L'hésitation que je perçois dans sa voix me surprend un peu.

– Je ne sais pas encore. La dernière fois que je t'ai vu, tu quittais ma chambre sans me dire au revoir. Tu es parti en voyage en Europe le lendemain avec la fille qui s'est révélée être ta copine.

Il ne détache pas ses yeux des miens et hoche la tête pendant que je parle, comme si mes mots étaient autant de dons dispensés par une déesse bienveillante.

– Je me suis comporté comme une merde. Comme une vraie *merde* avec toi, Hazel, et ça me hante tous les jours. (Tyler soupire, l'air véritablement bouleversé.) Bordel, je n'arrive pas à croire que tu sois là.

Il me serre à nouveau contre sa poitrine et mon expression de surprise se retrouve écrasée contre son sternum.

Mes doigts tremblent lorsque sa main géante saisit la mienne et qu'il me tire vers la table où Josh et Sasha commandent à boire. Lorsque j'arrive à son niveau, Josh est en train de lancer :

– Eeeeet la demoiselle qui vient d'arriver prendra un double Bulleit et un Ginger ale.

Il croise mon regard en ajoutant :

– Dans un petit verre.

Josh sait que j'ai besoin d'un shot, là tout de suite. Ça doit être écrit sur mon front.

– Josh, mec ! (Tyler écrase le poing sur la table, la salière et la poivrière s'entrechoquent.) Tu ne m'avais pas dit qu'Hazel était Hazel *Bradford* ! Est-ce que tu savais que c'était l'amour de *ma vie* ?

Josh reste bouche bée, et j'ai moi aussi envie de m'esclaffer de bon cœur en entendant la déclaration de Tyler. Combien d'Hazel a-t-il connues dans sa vie ? J'ai aussi envie de pousser un hurlement de banshee[12] assez puissant pour briser toutes les fenêtres du restaurant.

— On est restés deux ans et demi ensemble, mec, continue Tyler.

Au moment où je m'apprête à rectifier, il remarque Sasha et s'excuse de son impolitesse. Tyler ? Présenter des excuses parce qu'il est impoli ? Il lui serre la main, celle qui ne tient pas la mienne.

Désolé, désolé, je suis Tyler.

— Sasha, fait-elle, éblouie, comme si nous étions aussi fascinants que les premières émissions de télé-réalité.

— Je suis en pleine crise de panique. (Tyler me regarde et s'essuie le front comme s'il transpirait à cause du choc.) Josh et moi allons à la même salle de sport. Je ne savais pas qu'il m'organisait un rencard avec mon ex. Je pense à cette fille tous les jours depuis quatre ans.

Je ne suis pas sûre de savoir comment digérer ses propos, donc je me contente de lui adresser un sourire et de m'asseoir en face de Josh, qui me dévisage avec une telle intensité que je commence à être préoccupée par le point rouge que je crois voir danser sur mon front.

Nos verres arrivent, je profite du court laps de temps durant lequel Tyler commande une boisson pour prendre une bouffée d'oxygène et faire le point.

1. Tyler est magnifique.
2. Il semble vraiment désolé, voire presque trop.

---

12. La banshee est une créature féminine surnaturelle de la mythologie celtique irlandaise, qui hurle pour annoncer une mort à venir.

3. Mon cerveau s'est transformé en matière visqueuse. C'est l'Effet Tyler Jones. Il est charmant et beau, et il a toujours été ma kryptonite.

Autant dire que je n'ai pas évolué.

Je me souviens de notre première rupture et du sentiment qui m'a submergée lorsqu'il m'a dit que j'étais marrante mais qu'il ne se voyait pas avec moi sur le long terme.

Je me souviens de la première fois qu'il a quitté mon lit après être venu rien que pour me baiser, quand il m'a dit que c'était toujours aussi bon et m'a remerciée pour cette nuit très sympa.

Nous avons probablement couché ensemble vingt fois supplémentaires après ça, et chaque fois, je me sentais mal après. Ça avait moins à voir avec mon désir de revoir Tyler Jones qu'avec celui d'éliminer ce talon d'Achille de mon cœur. Chaque fois, je pensais : *Cette fois, je vais lui dire non ! Cette fois, je vais lui demander de partir après m'avoir fait jouir, mais avant qu'il ait eu un orgasme !*

Cette fois, cette fois, cette fois.

Je reviens dans la conversation alors que Tyler raconte notre séjour au ski. J'avais réussi à arriver saine et sauve au bout de la piste après avoir perdu mes bâtons et foncé dans un bloc de glace. Ce n'est pas une histoire particulièrement agréable pour commencer, mais au moins, dans cette anecdote, mes sous-vêtements sont restés intacts et ma jupe n'est pas passée par-dessus ma tête.

Pour l'instant.

— Ouais, on peut dire qu'Hazel a la peau dure, plaisante calmement Josh.

Je suis la seule à éclater d'un grand rire nerveux. Il me regarde en souriant après cette crise d'hystérie gênante remontée à la surface. Josh tend la main sur la table pour effleurer le dos de la mienne comme pour dire : *Je suis là, tout va bien* ou *Calme-toi.*

Tyler a un stock inépuisable d'anecdotes *Hazel Bradford dans ses moments les plus fous !* et il régale Sasha et Josh, fascinés, avec le récit de la Fois Où J'ai Cherché À Adopter Un Tigre, La Fois Où Hazel En Master A Ruiné L'Orientation Des Licences, et plus mortifiant encore, La Fois Où Nous Avons Décidé De Baiser Dans Les Toilettes De Tous les Musées Importants De Portland.

Josh grimace, parce que nous sommes allés au Portland Art Museum il y a deux jours.

— Dégoûtant, murmure-t-il en s'essuyant les mains sur son jean.

Je dois admettre que Tyler est un bon conteur, il me donne l'air d'être l'Olivia Pope de l'Amusement. Je vois bien que Sasha et Josh s'amusent vraiment. Mais à chaque nouvelle anecdote de notre passé commun, je me rends davantage compte du fait que j'ai beaucoup donné à Tyler, entre autres choses mon cœur et mon temps, et reçu si peu en retour.

Je suis stupéfiée de me rendre compte que *c'est* ce dont il se souvient, après tout ce temps passé ensemble, puis toutes ces années sans se voir. Si je devais partager mes anecdotes sur Tyler Jones, certaines seraient croustillantes : par exemple, La Première Nuit Où Il A Brandi La Bite Magique™ et La Fois Où Il M'A Montré Pourquoi Les Femmes Adoraient Le Sexe Oral, mais sinon, ce serait surtout La Fois Où Tyler A Dit

Qu'il M'Aimait Pour Me Baiser, et La Fois Où Tyler M'A Dit Qu'il M'Aimait Pour Que Je Le Suce.

Il me suffit de jeter un coup d'œil à Josh pour savoir, tandis que son pote de la salle de sport se perd dans ses récits interminables de nos escapades et de nos sexcapades, que tout cela n'est plus d'actualité. Je comprends immédiatement : si on me demandait quelle est la relation la plus significative de ma vie, je répondrais mon amitié avec Josh, sans hésitation. Mais je suis également certaine que Josh distingue aussi clairement que moi l'empreinte que Tyler a laissée sur moi. Moi aussi, je serais verte si Tabby était là, en train d'évoquer les frasques de leur passé.

Il contracte la mâchoire et lorsque Tyler s'arrête pour *respirer*, Josh prend la parole pour demander à Sasha quels sont ses centres d'intérêt, en quoi consiste son boulot, sa vie.

Tyler saisit l'opportunité pour se tourner vers moi, m'attraper la main et y déposer un baiser.

– Hazel ?

– Ouais ?

– Je suis désolé.

Mes poumons semblent se contracter jusqu'à ce que toute molécule d'oxygène soit évacuée.

– Pourquoi ?

Il hoche la tête, serre les paupières, et ses lèvres vont et viennent sur mes phalanges. Je croise le regard de Josh par-dessus la tête de Tyler, mais nous détournons rapidement les yeux.

– Je suis désolé d'avoir rompu et de t'avoir donné l'impression que tu n'étais pas une fille avec qui j'avais envie d'être sur le long terme. (Donc Tyler n'a *pas* oublié.) Je suis désolé de t'avoir utilisée comme une échappatoire chaque fois que d'autres aspects de ma vie se compliquaient. Et je suis désolé d'avoir disparu sans un mot.

Il me contemple et je lui offre un faible sourire. C'est agréable à entendre. Je ne vais pas prétendre le contraire. Mais je suis encore sous le choc, parce que je ne sais pas quoi répondre. Même les mauvais mots ne viennent pas.

Le serveur lui apporte un Coca light et, soudain, je comprends.

Je lance :

— Tu es en cure de désintoxication.

Il acquiesce.

— Ouais. Ouais. C'est le cas. Et je suis tellement plus heureux. (Il me lâche la main pour boire une gorgée.) Il y a tellement de choses que j'aimerais avoir faites différemment.

Je suis ravie pour lui, car c'est évidemment une bonne décision, mais je suis tellement perturbée par la présence de Tyler que je me révèle incapable de manger. Une gorgée, et j'ai l'impression que mon cocktail a un goût de moisi. Mon plat est trop salé et j'ai la distincte sensation d'avoir une ampoule fluorescente dans la bouche.

Tyler et Sasha — et, dans une moindre mesure, Josh — ne semblent pas perturbés par mon absence de réactivité, mais je ne peux pas prétendre que je ne suis pas soulagée quand l'addition arrive et que les deux mecs sortent leur portefeuille. Je n'essaie même pas de les dissuader de nous inviter.

— Haze, dit calmement Josh, tu veux faire emballer ton plat pour l'emporter chez toi ?

Je fixe mon assiette. Je l'ai à peine touchée.

– OK. Bien sûr.

Josh saisit mon sachet de nourriture quand nous nous levons et m'attrape fraternellement par les épaules avant que Tyler n'ait le temps de me prendre à part.

– C'était une soirée sympa, lance-t-il sans me quitter des yeux.

– C'était super.

J'entends le ton interrogateur de ma réponse, genre *Attends, c'était marrant ? J'étais sur la Planète Crise de Panique pendant presque tout le dîner et je ne sais même pas ce qui s'est passé.*

– Puis-je te donner mon numéro ?

Tyler me prend mon téléphone de la main, ouvre une nouvelle fenêtre et s'envoie un texto à lui-même :

Voilà le numéro d'Hazel

suivi d'un smiley.

J'ai envie de lui arracher son téléphone pour regarder combien il a reçu de textos similaires venant de filles différentes. Mais cette pensée déclenche une bouffée de culpabilité, parce qu'il se penche pour m'embrasser chastement sur la joue.

– Tu es une meilleure personne que moi, dit-il. (C'est gênant parce que Josh a toujours un bras sur mes épaules, donc Tyler embrasse pratiquement la main de Josh, mais il ne semble pas embarrassé de mettre son âme à nu, en public.) C'était vraiment chouette de te voir.

Josh sort avec Sasha, il me dit qu'il va la ramener chez elle et un poing se forme dans ma poitrine pour les frapper tous les deux. Tyler saute dans sa Jeep Cherokee et me fait un signe de la main en s'éloignant. Ma voiture démarre à la seconde tentative, et je rentre chez moi dans un brouillard, me gare sur le parking sans prêter la moindre attention à quoi que ce soit sur le chemin.

Parce que Josh est chez Sasha.

La pensée me hante, comme une punaise fixée sur un tableau de liège. *Écoute-moi. Josh est chez Sasha. Tu auras tout le loisir d'en faire une obsession plus tard. Juste… pas tout de suite.*

Je retire mes vêtements et les laisse en tas juste à côté du panier de linge sale, dans un acte de rébellion dont Josh ne sera selon toute probabilité jamais témoin. Je me démaquille et jette le coton dans la poubelle avec une violence que Tyler ne pourra pas apprécier. Je me mets au lit dans mon T-shirt BAD BITCH et ma culotte DRAGON PUSSY, et allume la télé installée sur mon armoire avec l'intention de regarder *Potins de femmes*.

Cinq minutes plus tard, j'éclate en sanglots.

– Hé. Hé.

Je reste bouche bée, m'agrippe à mes seins comme si c'était mon cœur et lève les yeux vers la porte de ma chambre.

Josh est ici.

Josh *est ici*? Je ne l'ai même pas entendu entrer. Il avance vers moi et s'assoit sur le bord du lit tandis que je m'effondre en voyant Sally Field courir dans la maison, des bigoudis plein les cheveux.

– J'ai utilisé la clé que tu m'as donnée. J'espère que ça ne te dérange pas.

Je ne peux qu'acquiescer.

– Hé, dit-il doucement, qu'est-ce qui ne va pas? Que s'est-il passé quand je suis parti?

— Rien. (J'efface les preuves de mon désarroi sur mes joues.) Je me sens juste un peu émotive.

Je tends la main vers le tiroir de ma table de nuit où se trouvent non seulement plusieurs vibromasseurs mais du chocolat. Il me regarde fouiller dans un tas désordonné de sex toys à la recherche de sucreries sans prononcer un seul mot, et ne dit rien non plus lorsqu'il me voit enfourner un Twix entier dans ma bouche et commencer à parler la bouche pleine.

— Voir Tyler m'a perturbée. Je pensais que tu allais dormir chez Sasha et j'avais envie de te parler.

J'enfouis mon visage dans sa chemise et renifle son odeur. Il sent la mer et le vinaigre, un écho de la maison de ses parents, et j'imagine ouvrir la bouche et manger sa chemise, en l'avalant au même titre que la barre de chocolat.

Puis je réalise que la couette a glissé sur mon corps et qu'il peut voir le dos de ma culotte DRAGON PUSSY. Il reporte son attention sur mon visage, les yeux écarquillés et incertains.

— Cette soirée aurait pu mieux se passer.

Je tire mon T-shirt sur mes fesses.

— Je n'avais pas la moindre idée que Jones et Tyler étaient la même personne. (Il passe une main dans mes cheveux emmêlés, comme pour s'excuser.) Je ne l'aurais jamais invité. (Il marque une pause.) Évidemment.

— Je sais.

Je le regarde lire l'inscription de mon T-shirt BAD BITCH plusieurs fois. Il éclate de rire.

— Étrangement, ajoute-t-il calmement, je t'adore quand tu es comme ça.

J'ignore le monstre argenté et pris de vertige qui se tortille en moi lorsqu'il prononce ces mots.

– Ça m'a bouleversée, parce qu'il était tellement gentil, et je te jure que pendant deux ans, tout ce que je voulais entendre, c'était ce qu'il m'a dit ce soir. (Je recommence à pleurer. Seigneur, je suis une épave.) Tyler était le mec qui m'avait brisé le cœur et avait provoqué chez moi une peur terrible de l'engagement émotionnel, et le voilà de retour. Il n'a pas changé physiquement, mais il se souvenait de toutes les fois où il a merdé et il s'est excusé. (Je laisse échapper un gémissement et utilise la chemise de Josh comme un mouchoir.) Et puis tu es rentré avec Sasha et j'ai eu envie de te parler.

– Tu l'as déjà dit, Haze.

– Eh bien, je le pense vraiment, vraiment.

Il me tient dans ses bras pendant plusieurs minutes. Qui sait, peut-être même une heure. Je perds la notion du temps et de l'espace. Si quelqu'un décidait d'inventer une machine à réconfort, elle ressemblerait en tous points à Josh Im. Il me frotte le dos de sa main droite tandis que sa main gauche me caresse les cheveux. Il murmure des trucs comme :

Je suis désolé.

J'ai vu à quel point tu étais sous le choc.

Chut, je sais. Viens par là, Haze. Tout va bien.

Je finis par m'écarter et m'excuser, entre mes sanglots, d'avoir couvert sa chemise de larmes mélodramatiques et de morve.

– Tu devrais rentrer chez toi pour regarder la télé et oublier ce qui vient de se passer. Je ne sais pas pourquoi je suis aussi perturbée.

– Je ne sais pas… j'ai l'impression que je devrais rester. (Il prend mon visage entre ses mains comme Tyler un peu plus tôt, mais au lieu de me sentir légèrement intimidée, je me sens juste merveilleusement bien, même s'il est assez proche de moi pour examiner mes pores et que je sais que je ne suis pas jolie quand je pleure.) Je n'aime pas l'idée de te laisser seule alors que tu es triste. (Il fronce les sourcils.) D'ailleurs, je ne t'ai jamais vue être triste.

— Ça va.

— Je peux rester.

J'opte pour adopter une légèreté – enjouée – mais malheureusement, mes mots chantants sont aussi pesants que des briques.

— Tu peux rester, mais sache que je ne compte pas recoucher avec toi.

Insérer ici un grincement sourd.

Josh lève les yeux au ciel et s'écarte.

— Ouaip. OK. Je rentre chez moi.

— Attends. (J'essaie de masquer l'accent désespéré de ma voix.) Je plaisantais. (J'essaie de rendre la plaisanterie crédible.) Je pourrais totalement recoucher avec toi.

Son visage s'assombrit, et Josh semble légèrement exaspéré. Sa voix est aussi calme que rauque.

— Voyons, Haze. Je veux juste m'assurer que ça va.

— Je sais. Je suis désolée, je ne suis pas moi-même. (Je m'essuie le visage et tente d'avoir l'air aussi calme que possible). J'apprécierais vraiment d'avoir de la compagnie.

Il a déjà enlevé ses chaussures dans l'entrée, donc tout ce qui lui reste à faire, c'est retirer son jean, et le voilà en boxer et en T-shirt. Son boxer est à imprimé piments jalapeño et moule sa bite, que je lorgne sans le vouloir – bite d'*ami*! Pas pour toi! Elle disparaît lorsqu'il se glisse dans les draps à côté de moi.

−Viens par là.

Il me prend la télécommande des mains et je pose ma tête sur son épaule puissante, en sachant qu'au moment où je sentirai son odeur acidulée et chaude, je serai sur le point de m'endormir.

− Mais hors de question de regarder cette mcrde de *Potins de femmes*, murmure-t-il. On pourrait mettre le premier *Alien*.

CHAPITRE 17

Josh

Je me réveille sur le point de jouir. Je suis encore habillé, mais mon torse est transpirant, mon sang bouillonne frénétiquement dans mes veines et, à l'instant où je reprends conscience, je sens l'orage gronder à la base de ma colonne vertébrale.

C'est entendre Hazel crier dans mon oreille qui m'a réveillé. Un instinct archaïque en moi doit avoir compris la signification de ses gémissements et les avoir pris en compte avant même que je sois totalement sorti du brouillard, parce que mes hanches continuent à se mouvoir lorsque je me rends compte (1) que je suis réveillé et (2) qu'elle est toute molle à côté de moi.

Tout s'immobilise autour de nous tandis que nous haletons, à bout de souffle. Sa jambe est sur ma hanche, ses mains dans mes cheveux et sa bouche seulement à quelques centimètres de la mienne.

— Waouh.

Je déglutis en levant la tête pour jeter un coup d'œil autour de nous, dans l'obscurité. La seule lumière provient de l'Apple TV qui fait défiler des économiseurs d'écran – une série tourbillonnante de fleurs et d'images de la vie sauvage. Le réveil sur sa table de nuit indique 3h21 du matin ; le film doit s'être terminé il y a des heures. Je retrouve à peine mes marques et je la regarde, la bouche entrouverte, les yeux qui brillent dans la nuit.

Donc, voilà la situation : d'une manière ou d'une autre, alors qu'on dormait, nous avons commencé à nous frotter l'un à l'autre sans retirer nos vêtements et je pense qu'Hazel vient de…

– Oh Seigneur ! (Elle déglutit). Je pensais que j'étais en train de rêver.

– Moi aussi.

– Je me suis réveillée en jouissant.

Donc, elle a *bien* joui. Bordel. Mon ventre se tend de désir.

– C'est à peu près à ce moment-là que je me suis réveillé, moi aussi.

– Je suis désolée, Josh. Je ne voulais pas…

– Non, arrête, c'était nous deux.

Elle doit sentir la ligne dure de mon sexe collée à sa chaleur, parce qu'elle murmure :

– Ça va ?

Tous les muscles de mon corps sont contractés. Les mains d'Hazel errent encore dans mes cheveux, et elle promène délicatement ses ongles sur mon crâne, relève légèrement les hanches pour se frotter contre moi comme si elle avait besoin de se faire comprendre.

Je suis en érection. Je ressens la douleur, la tension qui pulse en direction de mon nombril et qui se transformera lentement en inconfort pesant et palpitant. Demain, je m'inquiéterai de cette rechute. Pour l'instant…

— Il faut que je jouisse.

Elle chuchote :

— Ouais ?

Et incline la tête juste assez pour trouver mes lèvres. Elle est douce et chaude, et ses hanches se soulèvent du lit, frénétiques, dessinant des cercles contre moi.

— Ça ne me dérange pas… de le faire moi-même, je bégaie entre ses baisers. Si c'est mieux.

— Ce serait agréable à regarder, mais…

Hazel glisse la main dans mon boxer et caresse mes fesses et mes cuisses.

Avant que je monte sur elle, je m'arrête un instant — *que sommes-nous en train de faire et qu'est-ce que ça signifie ?* —, mais cette pensée s'évapore comme de la vapeur dans l'air froid. Nous devons nous écarter légèrement pour qu'elle puisse retirer sa culotte, et j'ai envie de la sentir, peau contre peau. Je lui enlève son T-shirt, puis retire le mien.

Le soulagement procuré par la sensation de sa peau nue contre la mienne, de ses jambes qui glissent sur mes hanches, fait table rase de tout le reste. Je sens à quel point l'orgasme est proche, juste sous la surface.

Elle tend la main entre nous, saisit mon sexe et joue avec, et je dois penser à autre chose — j'imagine que je suis en train de courir, de nettoyer la douche, de couper des carottes — pour ne pas jouir à cause de la chaleur et de la friction de son corps contre le sommet de ma queue.

— Je sais que je ne devrais pas parler parce que je vais ruiner le moment, mais putain, Josh. C'est tellement bon.

Je serre les dents, contracte mes abdominaux et m'efforce de rester immobile : mes hanches sont assez loin de son corps pour qu'elle ait le contrôle, mais assez proches pour qu'elle puisse faire tout ce qu'elle veut de moi.

— Je pense que je pourrais avoir un autre orgasme. Comme ça.

Putain.

— Genre… (Sa voix baisse, elle laisse échapper un petit soupir rauque et arque le cou. Parler semble de plus en plus difficile.) Comment un truc aussi simple… (Elle fait glisser mon gland contre sa peau mouillée, d'avant en arrière, de haut en bas, entre ses cuisses. (Je n'ai aucune idée du miracle par lequel je continue à respirer.) Comment ça… (petit gémissement) peut être aussi agréable ?

Je secoue la tête, parce que je n'en ai pas la moindre idée – ou peut-être parce que mon cerveau est juste en train d'essayer de convaincre le reste de mon corps de ralentir –, mais je suis distrait par la sensation des genoux d'Hazel, qu'elle relève pour les appuyer contre mes côtes.

Elle m'embrasse sur la bouche, mordille ma lèvre inférieure.

— Est-ce que ça te semble agréable ?

Je soupire, étourdi.

— Rien n'est plus agréable qu'être contre toi.

— Tu sais qu'il n'y a pas moins de sept mille terminaisons nerveuses dans le gland ? halète-t-elle. Plus que dans toute autre partie de ton corps ?

Mon bras se met à trembler à cause de l'effort que je déploie pour me retenir.

– Ça me semble logique.

Elle rit, mais le son qu'elle émet semble irréel, il flotte dans l'air tandis qu'elle se frotte à moi, les hanches surélevées. Elle me place exactement où elle me désire le plus. Tout s'arrête, et elle croise mon regard dans l'étrange lumière qui émane de la télévision.

– Je peux ?

Je laisse échapper un soupir, un petit rire à cause de l'absurdité de sa question, en l'embrassant sur le menton.

– Tu déconnes ?

– On le fera juste *deux* fois, alors.

En temps normal, je sourirais, mais mon cerveau n'est pas capable de traiter la moindre information en dehors de son incroyable chaleur, de la certitude que je suis sur le point d'obtenir exactement ce que je veux. Ma bouche ouverte reste sur la sienne et je la pénètre, en sentant sa respiration s'affaiblir.

– Josh.

Elle a raison, putain, qu'est-ce que c'est bon !

– Je sais.

– Est-ce la pire idée du monde ?

– Je ne sais pas. À cet instant, ça semble être la meilleure idée de l'univers.

Je l'attrape par les fesses pour soulever ses hanches, en allant et venant en elle, chaque fois un peu plus profondément.

Une bouffée de culpabilité me submerge, comme si coucher avec elle était une simple transaction – un accident survenu dans notre sommeil – et que je n'avais pas le droit d'apprécier autant le moment. Mais comment faire autrement ? Hazel est superbe sous moi : ses cheveux sont un amas de boucles sur l'oreiller, sa bouche est gonflée et humide, ses seins bougent chaque fois que je m'enfonce en elle.

Et j'ai l'impression qu'elle y prend plaisir, elle aussi. Elle me caresse comme si elle tentait de mémoriser la forme de mon corps, du bout des doigts, à pleines mains, et retrace les lignes de mon dos des pouces. Ses mains glissent sur mes fesses, remontent au niveau de mes épaules, dans mon cou, s'enfouissent dans mes cheveux. Quand je me redresse sur les mains pour voir ce que je sens, elle effleure mon torse : des épaules aux clavicules, de la poitrine au ventre, et jusqu'à l'endroit où je vais et viens en elle.

Ses doigts sont trempés, je les attrape instinctivement pour les sucer avant de me pencher pour l'embrasser. C'est une pensée coquine tellement étrange venant de moi, mais j'ai envie de lui faire ressentir ce moment à travers tous ses sens. Si elle veut le mémoriser, je souhaite, moi, le tatouer dans son esprit.

Regarde, je pense. *Nous sommes en train de faire quelque chose à cet instant.*

Seigneur, cette fois, je ressens tout très différemment, et je suis à la fois plus détendu et plus inhibé. D'une part, nous avons déjà couché ensemble, sentir son corps sous le mien m'est devenu familier et je sais – même à gros traits – ce qu'elle aime. Mais je suis sobre, donc chaque mouvement est intentionnel, chaque caresse est consciente.

Je réalise aussi, en entendant ses gémissements et en sentant ses mains avides sur mon corps, que pour moi du moins, ce n'est pas juste une passade, une bouffée de désir, c'est un sentiment plus profond. Je pense que c'est de l'amour, je crois qu'elle est celle que j'attendais, mais je n'arrive pas tout à fait à atteindre ce lieu émotionnel en entendant ses gémissements dans mon oreille. Je sais aussi qu'ils y résonneront pendant des jours.

— Josh.

— Ouais ?

Elle se tait, comme si elle était soudain devenue timide.

Je l'embrasse sur la joue, trouve ses seins de la main en réduisant mes mouvements à de tout petits cercles.

— Dis-moi.

Au lieu de répondre, elle prend mon visage entre ses mains et attire ma bouche sur la sienne. Son baiser est si profond, si désespéré, que je suis obligé de me demander si elle n'est pas en train de me demander quelque chose.

Est-ce réel ?

— Je ressens la même chose, lui dis-je. (Même si je ne nomme pas cette sensation.) Je suis avec toi.

Hazel glisse sa langue sur la mienne, écarte les jambes et me serre plus étroitement contre elle, jusqu'à crier dans ma bouche :

Oui

Je jouis

Je sens l'oxygène quitter mes poumons lorsqu'elle m'attire dans sa spirale — une rafale de soulagement qui m'emporte. Le plaisir est surréaliste : métal, liquide, lumière, m'arrachant un long grognement rauque, étranglé.

Elle m'agrippe les fesses des mains pour me maintenir enfoncé en elle. Je tremble de tout mon corps.

En dehors de nos respirations entrecoupées, le silence est total autour de nous.

Je murmure :

– Tu as eu un autre orgasme ?

J'ai besoin de savoir que c'est le cas. Si elle me dit non, alors je n'ai pas terminé.

Elle hoche la tête, son front transpirant contre mon visage.

– Et *toi* ?

Je tousse, incrédule, et elle glousse, mais lorsque je commence à m'écarter, elle me retient en entourant mes épaules de ses bras, en resserrant la pression de ses jambes autour de mes cuisses.

– Non. (Elle m'embrasse dans le cou.) Je ne suis pas prête à ce que ce soit déjà terminé.

Je vois exactement ce qu'elle veut dire.

~

Hazel est déjà debout lorsque je me réveille, nu, dans son lit. J'entends le bruit d'assiettes qui s'entrechoquent dans la cuisine, et une bouffée de soulagement m'envahit, parce qu'elle n'a pas sauté sur l'occasion pour partir courir et n'a pas ressenti le besoin d'évacuer la pression loin de moi.

Je prends mon front entre mes mains et essaie de déterminer quoi faire. J'aime Hazel ; avec la clarté du soleil matinal qui traverse la fenêtre, je sais que je l'aime. Mais sur le long terme, suis-je la personne dont elle a besoin ? Je ne veux pas la forcer à se poser si elle n'y est pas prête, et si elle a envie d'être avec quelqu'un de turbulent et de sociable comme Tyler, qui suis-je pour lui dire qu'elle ne devrait pas avoir ce qu'elle souhaite ?

Je me demande aussi quel est son état d'esprit après les événements de cette nuit. Hazel a déjà connu de pareils moments – du sexe sans attaches, des nuits sans lendemain. Mais je me souviens de moments, hier soir, où le désespoir pointait entre nous, comme si elle ne voulait pas me laisser partir. Je sais que ça pourrait avoir un lien avec l'importance de notre amitié et sa peur de la perdre. C'était peut-être une baise de réconfort, et rien de plus.

Je ne sais plus quoi penser.

J'enfile mon boxer et mon jean, mais pas ma chemise – un choix calculé. Je me dis qu'elle pourrait faire une blague sur mon corps ou s'approcher pour me toucher. Ce serait une bonne chose, n'est-ce pas ? Si elle veut parler de ce qui se passe entre nous, je suis totalement partant pour ça aussi.

Dans la cuisine, elle est en train de sortir des cuillères d'un tiroir et me jette un coup d'œil lorsque j'arrive. Elle porte son pyjama dalmatien favori – un short minuscule et un débardeur encore plus insignifiant –, raisons pour lesquelles c'est aussi mon préféré.

Une rougeur subite envahit sa poitrine et son cou lorsqu'elle me voit, mais je remarque qu'elle maintient fermement les yeux sur mon visage.

– Salut.

Je me gratte le ventre d'un air naturel.

– Salut.

Elle s'empresse de se tourner vers le tiroir à couverts, le refermant de la hanche.

– Qu'est-ce que tu prépares ?

Elle désigne une boîte de Shredded Wheat sur le comptoir et répond :

– Juste des céréales. J'ai pensé que tu en voudrais aussi.

CHRISTINA LAUREN

Puis elle désigne la cafetière du menton.

– Pas de pancakes bleus ? Pas de gaufres à la banane ?

Hazel éclate de rire en regardant en direction du comptoir.

– Je les carboniserais probablement.

Je me fige, alors que je m'apprêtais à attraper un mug.

– Depuis quand est-ce un argument pour toi ?

Un vrai sourire illumine son visage, puis elle semble se raviser et va chercher le lait dans le réfrigérateur.

Et, sérieusement, qu'est-ce qui se passe ? Où est mon Hazel Excentrique ?

Je prends soudain conscience de ce qui est en train de survenir. La nuit dernière a-t-elle ôté le sel de notre relation ?

– Haze.

Elle lève les yeux vers moi en versant des céréales dans un bol.

– Ouais ?

– Ça va ?

Je ne pense pas l'avoir déjà vue rougir.

– Ouais, pourquoi ?

– Tu te comportes de manière… normale.

Elle ne semble pas comprendre.

Je pose mon mug et tends la main en agitant mes doigts.

– Viens par ici.

Elle traverse la cuisine. Ses cheveux emmêlés retombent dans son dos. Les mots sont si proches de la surface : *Je sais que tout est très confus, mais peut-on essayer de mettre un peu de clarté dans cette histoire ?*

Mais elle m'évite du regard et je n'arrive pas à savoir si son air sérieux signifie qu'elle a peur ou qu'elle a besoin de mettre de la distance entre nous. Suis-je en train de passer à côté de quelque chose ?

Malheureusement, elle va devoir s'expliquer avec des mots et non avec des expressions ou des phrases marmonnées. Je pose les mains sur ses hanches, ce qui revient à une invitation à me toucher. Mais elle serre les poings contre sa poitrine.

— Est-ce à cause de Tyler ?

Elle cligne des yeux, perplexe, puis secoue la tête.

Est-ce que tu paniques à cause d'hier soir ? j'ajoute.

Elle hésite, puis secoue encore la tête. Mais elle était assez émotive hier soir, donc j'ai du mal à la déchiffrer : si la part la moins sûre de moi a raison, et qu'elle veut tenter quelque chose avec Tyler, je dois la laisser essayer.

N'est-ce pas ?

— OK, donc qu'est ce qui se passe ? Pourquoi ne portes-tu pas un déguisement de poulet et n'es-tu pas en train de faire frire des donuts maison dans l'évier ?

— Je suppose que ça a un peu à voir avec hier soir. (Elle se mordille la lèvre inférieure avant d'admettre.) Je… j'avais peur de ce qui arriverait… (Elle tord la bouche sur le côté, en choisissant ses mots avec précaution, mais prononce la dernière phrase à toute allure.)… si on essayait de prétendre que nous sommes compatibles.

Hum. J'ai plutôt l'*impression* que nous le sommes. Je pince délicatement ses hanches.

— Je ne pense pas qu'on soit en train de *prétendre* quoi que ce soit. Nous avons couché ensemble deux fois, et il n'y a pas de problème, n'est-ce pas ? Nous ne sommes pas obligés de donner une signification au sexe si ce n'est pas ce que nous voulons. Est-ce que ça va ?

— Oui. Et toi ?

Je ris.

— Bien sûr. Tu es ma meilleure amie, Hazel.

Son regard croise le mien, ses yeux s'écarquillent de surprise.

— Quoi ?

— Tu ne l'avais jamais dit.

— Bien sûr que si.

— Je t'assure que non.

Je commence à réfléchir, mais honnêtement, ça n'a aucune importance.

— Eh bien, c'est le cas. Je vais bien. Tu vas bien. Plus important encore, est-ce que tout va bien entre nous ?

Elle hoche la tête et me regarde finalement dans les yeux.

— Maintenant, ça suffit. Prépare-moi de mauvais pancakes.

Son corps se détend, un sourire idiot se peint sur ses lèvres. Elle se dirige vers la plaque de cuisson.

— Si tu insistes…

Je suis déchiré entre le relâchement et une tension grandissante. D'un côté, *Hazel* est de retour. De l'autre, j'ai l'impression que nous venons de nous mettre d'accord pour maintenir le statu quo, alors que je pensais avoir envie de faire évoluer notre relation.

Nous avons fait l'amour hier soir. Elle ne peut pas l'ignorer.

Elle sort un saladier.

— Est-ce que tu t'es amusé hier soir ?

Je la dévisage.

— Hum. Je pense qu'on avait déjà établi ça. Oui, je me suis amusé.

Elle éclate de rire et rectifie :

— Avant de venir ici.

— Oh. Oui, plutôt — Sasha est sympa. Tyler aussi. J'étais surtout inquiet pour toi. (J'étudie sa réaction. Elle se gratte le nez comme si elle essayait de s'empêcher d'éternuer). Tu te sens mieux ce matin ?

Elle a à peine sorti la farine que sa joue est barrée de blanc.

— Ouais. Je ne sais pas pourquoi ça m'a autant choquée. C'était chouette de le voir. On dirait qu'il s'est repris en main.

Hazel hoche plusieurs fois la tête, comme si elle essayait de s'en convaincre.

— Je pensais que vous étiez restés ensemble seulement six mois. Il a dit deux ans et demi.

— Il m'a fait courir pendant deux ans. Nous n'étions pas vraiment ensemble, il gardait juste l'option ouverte. (Elle croise mon regard et lève les yeux au ciel.) Ouais, je sais. Je suis une imbécile.

— Les *mecs* sont des imbéciles à cet âge. Je suis sûr qu'il a dit tout ce que l'on a besoin d'entendre pour que tu penses qu'il reviendrait, à chaque fois. Il a évolué maintenant. Et il semblait plein de remords.

Elle esquisse une petite grimace bizarre, puis détourne les yeux. Je me demande si elle pense la même chose que moi : *Pourquoi diable suis-je en train de le défendre ?*

Hazel va chercher des œufs dans le frigo. Son téléphone vibre sur le comptoir.

— Qui est-ce ? demande-t-elle par-dessus son épaule.

Je baisse les yeux et mon ventre se serre.

Je ne réponds pas, elle se penche pour me forcer à la regarder.

– Josh, qu'est-ce qui ne va pas ?

– Oh rien. (Je lui montre l'écran.) Mais Tyler t'a écrit.

– Sérieusement ? (Elle referme la porte du frigo.) Déjà ? Qu'est-ce qu'il dit ?

Est-ce de l'impatience dans sa voix ?

Je n'ai pas envie de lire le message. Lire ce message est littéralement la dernière chose que je désire au monde.

Mais c'est sans doute un mensonge, parce que j'ai aussi vraiment vraiment envie d'en connaître le contenu.

– Tu as honnêtement envie que je te le lise ?

– Ouais, vas-y, nous n'avons aucun secret l'un pour l'autre.

Je soupire lourdement, déverrouille son téléphone grâce à l'empreinte qu'elle a programmée pour moi il y a des mois et déclame le message :

Salut Hazel. J'ai eu le temps de me remettre du choc de te revoir hier soir.

Je marque une pause et lève les yeux vers elle.

– Tu es sûre ?

Elle casse un œuf dans le saladier et hoche la tête.

Je t'ai trouvée très belle. Je n'ai jamais utilisé le mot radieuse, mais il n'a pas arrêté de me venir en tête chaque fois que tu me souriais.

Je me pince la lèvre inférieure. Il a raison, elle est radieuse. Elle a l'air encore plus radieuse maintenant – et j'aime penser que c'est grâce à *moi*.

Tu es différente, mais tu es aussi toujours la sauvageonne dont je suis tombé amoureux. Te revoir n'a pas été facile parce que je sais que j'ai déconné.

Putain.

— Je pense vraiment que tu devrais lire la suite.

Elle me jette un regard plaintif.

Je prends une gorgée de café pour apaiser le feu qui crépite en moi.

Je te l'ai dit hier soir et je te le répète aujourd'hui : j'ai eu tort de te laisser partir, et je ferais n'importe quoi pour rectifier ça. Serais-tu prête à me donner une autre chance ?

Je repose son téléphone et me passe une main sur le visage.

— C'est tout.

Elle attend quelques secondes avant de parler. Pendant ce temps, je la regarde battre des œufs en neige.

— Ce n'était pas si mal, non ? demande-t-elle.

J'ai envie de donner un coup de poing dans le mur.

— Que vas-tu répondre ?

Elle laisse tomber le fouet et passe le dos de sa main sur son front – en y laissant une nouvelle traînée de farine.

— Josh. C'est mon ex – *L'Ex* – et il est de retour, il veut arranger les choses entre nous. Tu es *ici*. Tu es torse nu. Nous avons recouché ensemble hier soir et était-ce bien ? Oui, putain, oui. Mais suis-je la bonne personne pour toi ? Sommes-nous quelque chose l'un pour l'autre ? Ou juste des amis qui baisent ? Que répondrais-tu si tu étais moi ? Dis-moi *quoi faire*.

Je pousse un long soupir.

Si elle ressentait ce que je ressens, ce ne serait pas une option. Si Hazel hésite, même un peu, sur le choix Josh versus Tyler, alors il est évident qu'elle doit mettre les choses au clair avant que nous puissions avancer, elle et moi – si c'est ce qu'elle souhaite. L'horloge de la cuisine fait tic-tac, nous nous regardons dans les yeux et je calcule la probabilité pour qu'un désastre survienne.

C'est ma meilleure amie, je suis son meilleur ami.

Nous avons couché ensemble deux fois.

Sexe incroyable.

Il est possible que je sois amoureux d'elle.

– Josh.

Elle est, ou n'est pas amoureuse de moi.

Mais quoi qu'il en soit, elle n'est pas sûre de son choix.

– Josh.

Sa voix est si fragile qu'on dirait du cristal.

J'appuie mes phalanges contre le comptoir.

– Si c'est ce dont tu as envie, alors je pense que tu devrais donner une autre chance à Tyler.

CHAPITRE 18

Hazel

Je réalise que c'est mélodramatique, mais lorsque Josh part ce matin, je fixe la porte fermée pendant quinze longues minutes.

Je me suis toujours demandé ce qu'on ressentait au cœur d'un cyclone, d'une tornade ou à l'épicentre d'un tremblement de terre. Une ou deux fois, lorsque Tyler m'a blessée sans s'en rendre compte, j'ai pensé : *Ces émotions sont insignifiantes. Imagine que tu te trouves à l'endroit où la terre tout entière se met à trembler.* Je me demande si ce qui est en train de se produire en moi est simplement la version miniature d'une tempête tropicale : tout s'envole et se renverse.

Passer du temps avec Josh me donne la sensation d'atterrir après un vol d'une année, les bras ballants, sans la moindre énergie. Les sentiments que j'ai pour lui sont devenus si énormes qu'ils me paralysent presque. Ils me terrifient. Mon amour pour Tyler d'il y a six ans semble bien pâle en comparaison, comme une goutte d'eau dans un seau alors que, la nuit dernière avec Josh, j'ai été témoin d'un tsunami.

Mais je ne sais honnêtement pas si j'ai envie de vivre un tsunami. Ma mère m'a dit qu'elle aurait aimé connaître cette sensation ; je ne suis pas si sûre que nous soyons le type de femmes à tsunami.

Tyler veut une autre chance et Josh pense que je devrais la lui accorder. C'est probablement ce que le reste du monde ferait – ce que les gens *normaux* feraient. Je n'arrive pas à déterminer ce que mon instinct me dicte, et sans la moindre expérience de ce degré de combustion émotionnelle, mon baromètre interne est déstabilisé. Je n'arrive pas à savoir quelle est la réponse appropriée.

Donc je redresse les épaules, embrasse Winnie pour qu'elle me porte chance, prie pour que Daniel Craig me donne de la sagesse et réponds au message de Tyler.

> Je pense qu'il y a beaucoup de choses dont nous devrions parler.

> Viens dîner chez moi vendredi.

~

Tyler se tient sur le pas de ma porte avec un sac en papier contenant deux bouteilles de vin rouge. Ce serait plus facile pour toutes les parties présentes si nous sortions dîner, mais s'il a vraiment envie de se racheter, il mangera un plat préparé par mes soins et sera témoin de la catastrophe qui a lieu pendant que je cuisine. Je ne pourrais pas imaginer meilleure manière de tester sa bonne volonté.

Une fois entré dans mon appartement, il semble occuper tout l'espace. Il observe les alentours en hochant la tête comme si c'était ce à quoi il s'attendait, avant de se tourner vers moi avec un sourire et ses présents.

Je fixe les bouteilles qu'il me tend, confuse, pour des raisons évidentes :

— Tout ça pour moi ?

— On peut partager.

Je me fige, incapable de déterminer si ma question fait partie des Horribles Choses Qui S'Échappent De La Bouche d'Hazel, mais je me lance :

— Donc tu n'es *pas* en pleine phase de désintoxication ?

Il hoche la tête avec un rire détendu.

— Je ne bois plus quand je sors. Je bois juste à la maison. Aucun souci.

— … Oh.

— Joli appartement, *waouh*.

Tyler hoche la tête, impressionné, et je dois suivre son regard pour essayer de deviner ce qu'il voit. Même si j'ai fait le ménage, mon chez-moi n'a rien d'exceptionnel, vraiment.

Mais il fait l'effort d'être gentil. Et c'est déjà beaucoup, après tout.

Une petite voix me rappelle que Josh ne prend pas la peine d'en faire des tonnes et de prétendre que je vis dans un endroit charmant. Il ne ment jamais, ne simule pas l'enthousiasme. Il m'accepte juste telle que je suis.

Pourquoi suis-je en train de comparer Tyler à Josh Im maintenant ?

Probablement pour la même raison que je n'arrête pas de penser à Josh Im depuis une semaine.

Winnie s'approche, renifle Tyler comme à son habitude et me regarde comme si j'étais une traînée et une traîtresse. Indifférente, elle retourne là où elle s'était allongée près de la fenêtre. Vodka crie une fois, puis cache sa tête dans son aile. Le poisson ne daigne même pas lui accorder un regard. La seule réaction que j'obtiens de ma famille animale est un *bof* sonore, et même si Tyler est très en beauté dans son jean sombre, avec ses Chucks et son T-shirt noir moulant, je ne peux pas m'empêcher de penser que mes animaux le comparent à Josh Im, eux aussi.

Après une grande inspiration, je mets tout ça de côté. J'ai décidé de lui donner une autre chance, et le comparer au modèle de Perfection, c'est de la triche.

Donc, nous y voilà.

Je me suis lancée dans des lasagnes, mais lorsque Tyler me suit dans la cuisine pour ouvrir le vin, je vois la pièce à travers ses yeux : on dirait qu'un massacre a eu lieu ici même.

— Waouh. Qu'est-ce que tu as prévu pour le dîner ?

— Un animal écrasé ?

Je souris. Il éclate de rire et me surprend en se penchant pour m'embrasser sur le front.

— Tu as envie d'un verre de vin ?

Mon ventre se serre étrangement. Je n'ai pas envie de boire avec Tyler, je n'ai pas envie de me sentir détendue et à l'aise, et de retomber dans mes vieux schémas. Mais je ne veux pas non plus être impolie.

— Avec plaisir.

Le bouchon couine lorsqu'il ouvre la bouteille.

— Sur la route, je me souvenais de la fois où nous étions allés voir *The Crying Game* au cinéma et que tu t'es lancée dans une bataille de coups de coude avec le mec derrière nous parce qu'il avait prononcé le mot *tapette*.

Il me faut quelques secondes pour me remémorer l'épisode, qui me revient dans tous ses détails. Ce pauvre type avait ruiné la fin du film pour ceux qui ne l'avaient jamais vu, en révélant l'homosexualité du protagoniste.

— Oh. Ouais, il était nul.

— Seigneur, c'était la belle époque.

J'acquiesce, en désaccord intérieur, tandis que je le regarde nous verser deux énormes verres de syrah. Il me tend une dose indécente de vin et lève son verre pour porter un toast.

— Aux amours anciennes et aux nouveaux départs.

Je laisse échapper un « Santé » peu enthousiaste, lève mon verre et mouille à peine mes lèvres. Le toast me semble tellement nunuche et surfait que je regrette à moitié que Josh ne soit pas là pour échanger un regard entendu avec lui. Josh est merveilleux lorsqu'il sert ses parents ; j'adore le regarder servir le vin avec les deux mains, puis accepter un verre en retour, avec le même respect.

Le vin me laisse un arrière-goût bizarre, donc je repose le verre sous prétexte de surveiller la cuisson des lasagnes et de commencer à préparer la salade.

Finalement, le plat est plutôt réussi. Le fromage a coulé et il est joliment grillé sur le dessus, la salade provient d'un sachet, donc je n'aurais pas pu la rater, et le pain à l'ail ne demandait rien de plus que d'être sorti du congélateur et enfourné pendant vingt minutes.

Je ne suis pas la Barefoot Contessa[13], mais je n'ai rien laissé brûler et, pour me récompenser, je m'imagine en train de me toper dans la main.

Tyler parle de son job, de son appartement, des amis qu'il a conservés de l'époque de la fac, et je ne l'écoute qu'à moitié. Dans quoi me suis-je lancée ? Un rendez-vous galant, chez moi, avec Tyler Jones alias Le Connard ? Comment en suis-je arrivée là ?

Je n'avais honnêtement jamais passé autant de temps à penser à ma vie amoureuse avant ces derniers jours. Je ne suis pas idiote, je sais que mes sentiments pour Josh Im dépassent de loin l'amitié — salut, on a baisé il y a seulement une semaine et c'était féerique. Mais chaque fois que je m'imagine essayer d'avoir une *relation* avec lui, la panique me submerge et je ressens le besoin de sortir la tête par la fenêtre ou de déboutonner ma chemise. La perspective de sortir avec lui et de l'entendre un jour me dire que je suis bizarre ou gênante me donne envie de courir aux abris. Coucher avec lui ne me pose pas de problème. Mais mettre mon âme à nu avec Josh et regarder sa lèvre se relever de dégoût, comme il sait si bien le faire ? *Arrrrgh.*

Je repense à ma mère et à la manière dont elle a réagi quand mon père a prononcé cette phrase devant elle — *tu me mets tellement mal à l'aise, putain* — et à quel point ça n'a pas eu l'air de la décontenancer. Avant, j'avais tendance à penser que c'était parce qu'elle était tellement forte et qu'elle savait cacher sa peine, mais maintenant, je sais que son opinion ne lui importait pas. Elle ne l'aimait pas.

---

13. Surnom de la cheffe (Ina Garten) de l'émission de cuisine du même nom.

Et que j'aime Josh comme un ami ou davantage, *je l'aime*. Profondément.

— … donc je suis allé dans un autre garage, s'exclame Tyler, assez fort pour me laisser penser qu'il s'est rendu compte que j'avais la tête ailleurs, et pour attirer à nouveau mon attention. Et le type là-bas était d'accord avec moi. Putain de courroie de transmission ! Qui se trompe sur le diagnostic d'une *courroie de transmission* ?

— Ouais…

J'espère être parvenue à bien doser l'étonnement dans ma voix. J'y ajoute un regard indigné en direction de mon plat, repoussant les lasagnes de ma fourchette. Elles avaient l'air délicieuses quand je les ai sorties du four, mais maintenant, rien ne m'a jamais paru aussi peu appétissant. Je me demande si ça dérangerait Tyler que je me serve un bol de Cap'n Crunch à la place.

— Donc voilà, c'est pour ça que je n'avais pas de fleurs.

Je lève les yeux.

— Hein ?

— Pour toi. (Il se penche pour poser une main sur mon avant-bras.) Je t'ai offert un dessin de fleurs, tu te souviens ? Sur le pas de ta porte.

Ah bon ?

— Ah oui. Et il était très joli, en effet.

Il baisse la tête et sourit humblement.

— Eh bien, je voulais t'offrir de vraies fleurs et du vin. Faire un truc romantique.

Faire un truc romantique. Pour Tyler, c'était un pack de six PBR et la promesse d'une bonne baise ensuite. Je me demande si c'est toujours vrai et s'il a juste un peu élevé ses standards de séduction. Je m'écarte de la table, hors de sa portée.

– C'est très mignon. Mais tu sais, je n'ai jamais eu besoin de fleurs.

– Personne n'a *besoin* de fleurs. (Il attrape son assiette et me suit dans la cuisine, en relevant ses manches comme s'il comptait faire la vaisselle.) Mais toutes les filles aiment les fleurs.

Apparemment, j'avais raison. Tyler ouvre le robinet, remplit l'évier d'eau. Je remarque que l'eau qu'il utilise n'est pas particulièrement chaude, lorsqu'il place le bouchon au fond de la vasque, et je pose mentalement les mains sur les yeux de Josh pour qu'il n'ait pas à être le témoin d'une telle négligence vis-à-vis des techniques correctes de nettoyage.

– Parle-moi de toi, dit Tyler en attrapant mon assiette. (Il fronce les sourcils et jette toute ma portion de lasagnes dans la poubelle.) Raconte-moi ce que tu deviens.

Il est là depuis plus d'une heure et c'est la première question directe qu'il m'adresse.

Je m'appuie contre le comptoir pour l'observer.

Il est peut-être nul sous certains angles, mais il est clairement agréable à regarder de dos. De face aussi.

Et il est là, en train d'essayer. Faire la vaisselle, faire la conversation. J'ai l'impression que mon estomac est une péniche emportée par le courant et que si je parvenais à me calmer une bonne fois pour toutes, je pourrais peut-être apprécier sa compagnie.

– Eh bien, tu sais que je suis institutrice.

– Ouaip. CM1 ?

– CE2. (J'attrape mon verre de vin, le hume et décide que je n'en ai toujours pas envie.) C'est la première année que j'enseigne à Riverview. Voyons voir… quoi d'autre ? Ma mère vit à Portland maintenant.

— Elle a quitté Eugene, c'est ça ?

D'accord, il n'est peut-être pas si nul, après tout.

— Ouais.

Une petite lueur s'allume dans ma poitrine. Il se souvient de trucs me concernant. Des détails qui n'ont rien à voir avec la taille de ma poitrine ou mes zones érogènes.

— Ma meilleure amie ici est une fille qui s'appelle Emily.

— La sœur de Josh ? Je crois qu'il a parlé d'elle pendant le dîner.

Je m'autorise un fou rire mental. Josh a probablement parlé de beaucoup de choses dont je n'ai gardé aucun souvenir dans la mesure où j'étais bien trop occupée à me liquéfier sur place.

— Ouais, tu as une bonne mémoire. Et elle est mariée avec notre directeur, un type de la taille d'un séquoia qui s'appelle Dave, qui... je te le jure... prépare le meilleur barbecue de cette rive du Mississippi.

— Ça a l'air génial.

— Enfin, je dois admettre que je ne suis jamais allée à l'est du Mississippi et que je n'ai pas testé des barbecues à tellement d'endroits différents, mais Dave cuisine vraiment très bien.

Tyler éclate de rire.

— On pourrait peut-être dîner chez eux un de ces quatre ?

Et juste comme ça, au moment où je commence à me détendre, quelque chose se contracte à nouveau en moi. L'idée d'être assise à côté de Tyler à la table de Dave et d'Emily me semble obscène. J'imagine Josh en face de nous, installé à côté de Sasha, et puis je me vois lui lancer une côtelette pleine de sauce dessus. Dans mon esprit, elle atterrit en laissant une tache sombre sur sa chemise de travail immaculée et il me lance un regard noir.

Je marmonne un «bien sûr» peu convaincu avant de fouiller dans mes placards pour trouver le paquet de Cap'n Crunch.

Je plonge une main dans la boîte et continue :

— Tu sais, j'ai aussi une famille animale en ville. Tu as rencontré Winnie le Chiot, Vodka, Janis Hoplin et Daniel Craig.

Tyler me jette un coup d'œil par-dessus l'épaule et je réponds à son regard interrogateur :

— Désolée. Mon poisson. Daniel Craig. (Son regard reste perplexe, j'explique.) C'est un hommage. Mon poisson a une superbe queue.

Je distingue son sourire amusé juste avant qu'il se tourne à nouveau vers l'évier.

Peut-être que *c'est* différent cette fois. Tyler a peut-être vraiment grandi, ce qui signifie peut-être qu'il n'y a aucun problème si ça ne m'arrive jamais.

~

Lorsque la sonnette d'entrée tinte, Tyler en est à la moitié de la deuxième bouteille de vin. Le verre unique qu'il m'a servi plus tôt est resté presque intouché sur le comptoir de la cuisine.

Il se tourne en entendant la sonnerie :

— Tu m'as appelé un taxi ? plaisante-t-il d'une voix profonde, en détachant les syllabes. Je pensais que je pourrais dormir ici ce soir.

Le rire gêné qui m'échappe ressemble à un bug de cyborg et je me lève pour ouvrir la porte. Jusque-là, nous avons passé un bon moment, vraiment – je ne veux pas dire dans le genre *je vais me jeter dans tes bras* –, mais tout a été très sympa. Bien sûr, il a passé la majeure partie du temps à se remémorer nos Jours de Gloire, mais je suis surprise du niveau de précision des souvenirs de Tyler et du fait qu'il n'a pas tellement tendance à embellir le passé.

Je suis également surprise de trouver Josh et Sasha sur le pas de ma porte. Elle a remonté ses cheveux en un chignon qui pourrait être le nid d'une famille d'aigles et tient une autre bouteille de vin. Josh a un bouquet de tournesols à la main.

— Salut ! (Sasha me plante un baiser sur la joue avant d'entrer. Elle voit Tyler.) Quelle coïncidence ! « Double date », deuxième manche !

Je fixe Josh, occupé à examiner la longue silhouette de Tyler confortablement installé sur mon canapé. Même si nous nous écrivons presque constamment, je ne l'ai pas vu de toute la semaine, pas depuis qu'il a quitté mon appartement après…

Ma poitrine semble subitement pleine d'hélium.

— Salut. (Josh cligne des yeux avant de se concentrer sur moi). Quoi de neuf, trouble-fête ?

Il hausse les épaules.

— Je suppose que j'avais oublié qu'il venait chez toi ce soir.

Winnie dévale le couloir en entendant sa voix, et se précipite vers la porte.

— Et tu as pensé que je serais la personne indiquée pour tenir la chandelle pendant que tu dragues une fille sexy ?

— J'ai pensé que tu aurais peut-être envie d'un peu de compagnie, réplique-t-il en se penchant pour gratter les oreilles de Winnie.

Même si cette perspective me réjouit totalement, je me demande si, dans l'éventualité où je rejetterais son explication, il m'en offrirait d'autres jusqu'à me convaincre de le laisser entrer.

— Essaie encore.

— On avait une bouteille de vin en trop et j'avais envie de la partager avec toi.

— Non.

— Je n'ai pas dîné et j'ai senti une délicieuse odeur de lasagnes.

Je suis une très mauvaise cuisinière et Josh le sait.

— C'est la pire excuse jusque-là, Jimin.

Il me tend les fleurs.

— Tu aimes les tournesols.

Mon cœur bat plus fort et je recule d'un pas pour le laisser entrer. Il s'arrête dans l'entrée pour retirer ses chaussures et murmure :

— À moins que tu ne préfères… rester en *privé* ce soir.

J'entends des pneus crisser dans ma tête lorsqu'il prononce ces mots — l'air tendu, presque inquisiteur. Josh pense-t-il vraiment que je serais capable de baiser avec Tyler ce soir après avoir couché avec lui la semaine dernière ? Je n'ai même pas encore changé mes draps.

Ce que je ne devrais probablement pas avouer à Josh. Il serait horrifié.

— Nous passons un bon moment, mais je suis contente de te voir.

Ça me semble la meilleure manière de dissiper la préoccupation peinte sur son visage et de lui faire savoir que j'apprécie qu'il soit venu. Il est hors de question que je laisse Tyler Jones s'aventurer *en moi* chez moi ce soir.

Mais une ombre passe sur le visage de Josh avant qu'il ne m'offre un demi-sourire.

– Eh bien… tant mieux.

J'entends le bruit d'un bouchon qu'on fait sauter dans la cuisine et le *glou-glou-glou* d'un généreux verre de vin qu'on sert.

– Haze, s'exclame Sasha – et Josh et moi échangeons un bref regard car elle vient d'employer un surnom qu'elle n'a pas lieu d'utiliser – tu veux du vin ?

– J'ai déjà un verre sur le comptoir, merci.

– Elle tourne autour du même verre depuis trois heures, râle Tyler. Tu pourrais lui en servir un autre que ce serait pareil.

Un vendredi ? Ça ne lui ressemble pas.

Josh me passe devant pour retirer son manteau et le pendre au mur, un labradoodle complètement énamouré sur ses talons. Même Vodka s'est redressée.

– Normalement, à ce stade, elle a déjà englouti deux bouteilles et est en train de construire une selle pour Winnie avec des boîtes de céréales.

Du canapé, Tyler lance un « *N'est-ce pas* » fraternel.

Je pince le biceps de Josh pour me venger d'une manière infantile, puis le tapote d'un air admirateur parce qu'il semble encore plus gonflé qu'avant. Pour masquer le frisson qui me parcourt, je renchéris, joueuse :

– Ooh. Tu es tout dur et costaud ce soir.

Il me tape sur la main.

– Perverse.

— Tu as fait des pompes pré-sortie du vendredi soir ?

— Non.

— Tu obtiens de tels muscles juste en te branlant alors ? Waouh.

Il me donne une pichenette sur l'oreille et nos yeux se croisent

une

j'ai besoin de jouir

deux

j'ai besoin de jouir

trois secondes.

Il m'adresse un demi-sourire nostalgique.

— Je suis beaucoup allé à la salle de sport cette semaine.

Bordel de merde. Notre nuit tout entière défile devant mes yeux lorsqu'il prononce ces mots, d'une voix basse et grondante.

Nous étions sobres vendredi dernier.

Nous avons couché ensemble intentionnellement.

Oh Seigneur, *je connais les gémissements de Josh Im pendant le sexe.*

Les yeux de Josh se promènent sur mon cou et mes joues, et ses yeux s'écarquillent un peu. Apparemment, la chaleur que je ressens sous ma peau n'est pas le seul produit de mon imagination.

— Haze…

— De quoi parlez-vous tous les deux ?

Nous sursautons lorsque Sasha flâne dans le salon, un véritable aquarium de vin à la main, et en boit la moitié en deux gorgées. Josh et Tyler la regardent avec intérêt.

Nous marmonnons à l'unisson :

— De rien.

Sasha s'essuie la bouche du dos de la main sans la moindre délicatesse, dans un geste qui lui vaut au moins soixante-dix points de folie, avant de lâcher un long *Ahhhhhhh*, lui en faisant gagner vingt supplémentaires.

— Tu avais soif? demande Tyler.

Son ton me surprend. Pour la première fois ce soir, il est limite connard. Je ne lui en voudrais pas d'être un peu irrité par la présence de ces gens qui ruinent notre « date » s'il pensait avoir une chance de me baiser.

Mais Sasha ne semble même pas réaliser qu'il vient de parler.

— Josh m'a emmenée voir la pièce de théâtre la plus mignonne du monde un peu plus tôt.

Je ressens un pincement au poumon droit, et me frotte la côte pour l'apaiser.

— Ouais? Laquelle?

Une production 100% féminine du *Roi Lear*.

Tyler fait semblant de ronfler, mais je jette un coup d'œil à Josh en essayant frénétiquement de minimiser la blessure que cette information ouvre en moi.

— Tu l'as vue sans moi?

Une lueur de panique brille dans ses yeux.

— Je n'étais pas sûr que tu… Zach avait deux places… et Sasha était libre…

— Pas de problème.

Je me hâte de reprendre une expression normale, parce que je vois sur son visage qu'il se sent vraiment coupable.

Il s'assoit sur un fauteuil en face de Tyler et articule un *désolé* à mon attention, avant de jeter un coup d'œil discret et étonné à Sasha qui tourne autour du canapé, comme pour dire *Je ne savais pas quoi faire d'autre avec elle!*

Du moins, c'est de cette façon que je choisis de l'interpréter.

– Quoi de neuf, les mecs ?

Sasha s'affale à côté d'un Tyler à moitié allongé sur le canapé, faisant chanceler le verre de vin qu'il a posé sur son torse. Il le soulève pour éviter de le renverser et en profite pour en boire quelques longues gorgées. Je m'assois sur le bras du canapé.

– Hazy-Crazy-Lady m'a préparé à dîner, dit-il avant de roter, une main devant la bouche.

Josh et moi échangeons un bref coup d'œil désorienté à cause du surnom, et ses yeux se plissent une fraction de seconde avant que Tyler tende la main utilisée pour accueillir son rot pour me caresser les cheveux. Il me masse délicatement le crâne.

– Des lasagnes. Nous étions à la maison en train de rattraper le temps perdu.

En entendant ça, Josh arque considérablement les sourcils et je m'empresse de lui couper la parole, afin que l'utilisation abusive de l'expression *à la maison* passe inaperçue.

Je m'exclame :

– J'ai aussi préparé du pain à l'ail et de la salade en sachet !

Parce qu'il a parfaitement conscience que j'essaie de le distraire, Josh concentre son attention sur moi. Je lis ses pensées sur son visage : *Donc c'est officiel, hein ? Tyler et toi ? Être posés à la maison ? Ouvrir des sachets de salade pour ton homme ?*

Je lui jette un regard noir, dans une tentative de télékinésie. *Est-ce que j'ai mal compris l'autre jour ? Tu ne voulais pas que j'aille au bout des choses avec Tyler ? Ou était-ce* une manière subtile de me suggérer d'arrêter de t'inviter à te faufiler dans mon vagin ? C'est juste un dîner, de toute façon !

Est-ce que tu l'accompagneras aussi à sa réunion des Alcooliques Anonymes ensuite ?

Peut-être !

Il continue à me dévisager, mais son expression passe d'une possessivité étrange à de l'amusement, comme s'il appréciait de me voir me torturer l'esprit. Je le mitraille du regard, et il éclate de rire.

— Au fait, dit Sasha en vidant son verre et en se levant, sûrement pour le remplir à nouveau. J'ai des tickets pour le Harvest Fest. Quatre, d'ailleurs.

Tyler bondit, les yeux écarquillés.

— Sérieusement ? On devrait carrément y aller !

Josh se fige, sa bouteille d'eau au bord des lèvres.

— Qu'est-ce que c'est que le Harvest Fest ?

— Un festival d'une journée au Tom McCall Park, répond Sasha avant d'ajouter, au cas où ce ne serait pas clair pour Josh : un festival de *musique*.

Tyler nous regarde tour à tour, surpris que nous ne soyons pas tous immédiatement partants.

— Mec. *Metallica* y joue.

Sasha hoche la tête d'un air suffisant.

— Ouaip. On pourrait y aller tous ensemble, sans aucun problème.

Je me plante mentalement une fourchette dans l'œil.

Tyler se passe une main incrédule sur la bouche avant de soupirer, plein d'admiration :

— Limp *Bizkit*, mec.

De l'autre côté de la pièce, Josh laisse échapper un petit gémissement de douleur.

Je me gratte un sourcil.

– Allons-nous être les plus jeunes là-bas ?

Josh éclate de rire, je roule des yeux d'un air sceptique. Il ne peut pas jouer au type cool, là. C'est un homme dont la radio de voiture est restée bloquée sur KQAC, All Classical Portland.

– Oh, il y a bien mieux que ça, lance Sasha de la cuisine, en haussant le ton pour couvrir le glou-glou de la bouteille de vin.

Ses mots et le glou-glou sont suivis par le bruit de la bouteille vide qui s'écrase dans la poubelle de recyclage. Deux verres. Elle a terminé une bouteille entière en se servant seulement deux verres. Je n'arrive pas à décider si c'est impressionnant ou inquiétant.

– Three Days Grace, Simple Plan…

Josh et moi échangeons un autre regard de souffrance.

– My Chemical Romance, dit Tyler, qui vient de chercher sur son téléphone. Three Days Grace…

Sasha agite les mains en avalant une gorgée de vin.

– Je l'ai déjà dit.

– Je me contente de parcourir la liste. (Tyler se replonge dans la contemplation de son téléphone). Hum, oh ! Julian Casablancas joue aussi. Et Jack White. (Il lève les yeux vers moi et j'avoue que les deux derniers artistes ont éveillé mon intérêt.) Extérieur. Beaucoup de gens heureux. (Il marque une pause et m'adresse un sourire goguenard.) Des hippies partout, qui dansent les yeux fermés.

Mon intérêt est officiellement piqué. De l'autre côté de la pièce, je vois les épaules de Josh s'affaisser, en signe de résignation.

Je déclare :

– Nous sommes partants.

CHAPITRE 19

Josh

Dave réagit exactement comme je m'y attendais lorsque je mentionne que nous allons au Harvest Fest dimanche.

— C'est quoi le Harvest Fest ?

— Tu vois ?

Je frappe la table du poing et regarde Hazel qui semble principalement intéressée par la réorganisation en lignes égales de ses grains de riz sauvage dans son assiette.

— Même Dave ne sait pas ce que c'est, et il s'y connaît en musique.

Je lui jette un coup d'œil et explique :

— C'est un festival d'une journée avec quelques groupes des années 90 et du début des années 2000.

— Oh, d'accord. (Il prend une bouchée, mâche et déglutit.) En fait, maintenant que tu le mentionnes, j'en avais entendu parler. Ça ne m'intéressait juste… pas.

Je souris, goguenard, à Hazel qui se lance dans une bataille de regards avec moi. Je pose une main sur ses yeux et détourne les miens.

— Qui y va ? demande Dave.

— Hazel, moi, Sasha et Tyler.

— Encore Tyler, hein ? demande Emily, et son ton me fait frissonner.

J'écarte ma main du visage d'Hazel.

Elle jette un coup d'œil à ma sœur.

— Ouais. C'est probablement le plus enthousiaste d'entre nous.

Une mèche de cheveux lui tombe devant la bouche, je tends la main pour l'écarter, mais elle me devance. Je l'éloigne abruptement de son visage, gêné. Emily croise mon regard de l'autre côté de la table et je hausse les épaules avec l'air de dire *peu importe* avant de détourner les yeux et d'attraper l'énorme plat de viande que Dave a fait griller pour nous.

Mon cœur bat la chamade. Très franchement, je ne pense pas que Tyler intéresse tellement Hazel, mais le fait qu'elle lui donne une chance me laisse penser que je ne lui plais pas tant que ça non plus. J'espère juste que nous avons mis un point final à notre petit jeu d'amis-qui-couchent-ensemble à temps, pour que je ne devienne pas le mec qui soupirera après elle pour le restant de ses jours.

— Tyler et Sasha, épisode trois. (Dave me regarde droit dans les yeux.) Donc, il semblerait que vous allez arrêter d'expérimenter les « double dates » pour un moment ?

Je déploie un effort surhumain pour m'empêcher de regarder Hazel.

— Oh, en effet.

Du coin de l'œil, je la vois repousser la nourriture dans son assiette. Elle picore et n'a pas touché la Margarita en face d'elle. Si l'on excepte la cuisine de ma mère, la *carne asada* de Dave est la nourriture qu'elle préfère au monde. En général, elle se régale tellement qu'elle semble devoir se maîtriser pour ne pas manger avec les doigts.

— Ça va ?

Elle sursaute et lève les yeux.

— Ouais, ça va. J'étais juste en train de penser à ce que vient de dire Dave. Je suis un peu triste qu'on n'organise plus de « double dates ».

— Vraiment ? (J'exagère ma mine choquée.) Ça t'a plu de vivre cette série de désastres ?

Hazel hausse les épaules et ses immenses yeux bruns se fixent sur moi.

— J'aime passer du temps avec toi.

Emily me balance un grand coup de pied sous la table, celui de Dave suit une trajectoire diagonale et écrase le mien. Je les repousse tous les deux brusquement et Emily laisse échapper un petit gémissement.

— On peut toujours passer du temps ensemble, imbécile.

— Je sais. (Elle saisit sa Margarita, lèche le sel du rebord puis la repose.) Mais ça me donnait l'impression de vivre des *aventures*.

— De *terribles* aventures, lui rappelle Emily.

— De terribles aventures qui n'ont *jamais* débouché sur du sexe, ajoute Dave avec une emphase triomphante, et un silence d'hiver nucléaire s'abat sur la table. Enfin, se corrige-t-il, en dehors de cette fois.

Hazel me jette un coup d'œil et je bois une grande gorgée d'eau pour ne pas tousser.

Emily appuie les coudes sur la table et se penche en avant.

— Y a-t-il eu *une autre* fois ?

Je cesse de sourire en percevant un soupçon de jugement dans sa voix.

— Puis-je te rappeler que ma vie sexuelle ne te regarde pas ?

— Si je me souviens bien, ce n'est pas *moi* qui ai abordé le sujet en passant *la porte d'entrée* il y a quelques semaines.

— C'était moi, admet Hazel, et seulement parce que je suis constitutionnellement incapable de me taire.

Dave semble mourir d'envie d'ajouter quelque chose, mais choisit avec sagesse de se contenir. Le regard qu'il m'adresse est néanmoins joyeux.

— Donc vous avez recouché ensemble ? demande Emily.

Je la dévisage et réponds calmement en coréen :

— Dix secondes plus tard, ce ne sont toujours pas tes affaires, Yujin.

Elle fait la moue, mais ne réplique rien.

~

Lorsque nous émergeons de la Jeep de Tyler sur le parking dimanche, j'ai l'impression que l'ensemble des gens qui nous entourent sont en train de se remettre de la débauche à laquelle ils ont pris part la nuit précédente. Il y a beaucoup de mecs barbus aux cheveux longs remontés en chignon, vêtus de chemises en flanelle nouées à la taille et de jeans artistiquement troués.

Il est aussi à peine dix heures du matin, mais la majorité de l'assistance se prélasse sur l'herbe, une bière à la main. Un peu plus loin, sur la scène, deux monteurs plaquent quelques accords avant de changer de guitare pour les réglages son, et la foule éparse bruisse d'excitation en commençant à s'approcher. Sasha a préparé un pique-nique que j'imagine composé de boulgour et tofu enveloppés dans des feuilles de vigne, ou de tortillas de chanvre fourrées au temphe, mais elle semble très heureuse de porter son panier, donc j'en mangerai par politesse avant d'acheter un hot-dog géant à l'un des vendeurs avec Hazel. Sasha a aussi lâché ses cheveux — je ne l'ai jamais vue comme ça, et ça m'angoisse. Ses cheveux sont *vraiment* longs — ils lui arrivent sous les fesses — et comme elle avait ouvert sa fenêtre pendant la majeure partie du trajet, ils me voletaient dessus. J'ai fermé les yeux pour ne pas paniquer, mais ça ne m'a pas aidé ; j'avais l'impression d'être poussé sur une chaise roulante dans une pièce pleine de toiles d'araignées. Je peux maintenant clairement cocher la case *non* concernant le fétichisme des cheveux.

Ce qui n'est pas plus mal, parce qu'il n'y a pas la moindre once d'alchimie entre nous, et ça ne semble pas la déranger non plus. Nous ne nous sommes pas embrassés, nous n'avons même pas vraiment flirté. Je ne sais pas non plus pourquoi nous sommes sortis ensemble vendredi. C'était presque comme si… eh bien, Hazel avait invité Tyler à dîner, donc je me suis dit, autant sortir avec Sasha. L'avoir emmenée voir *Le roi Lear* alors que je savais que la pièce intéressait Hazel a été complètement involontaire — j'ai juste zappé — mais avec le recul, je me demande si mon inconscient ne s'est pas fait une joie de saper le moral d'Hazel.

À côté de moi, Hazel porte une petite pile de couvertures. Ses cheveux-à-la-longueur-parfaite, encore mouillés, sont ramenés en deux chignons sur les côtés de sa tête. Elle dégage une odeur de fleur qui, j'en suis sûr, pousse dans le jardin de sa mère à chaque printemps. Je suis pris d'une bouffée de nostalgie, et l'amour que je ressens pour elle me serre le cœur.

Nous atteignons la pelouse qui avait l'air tellement plus confortable de loin. De près, elle est clairsemée et boueuse. Sasha s'éloigne à la recherche des toilettes et Hazel installe vaillamment les couvertures sur le sol peu accueillant, me fait signe de m'asseoir et retire promptement ses chaussures pour danser sur place.

– J'avais oublié à quel point j'adorais ce genre d'événement !

– Les événements en extérieur avec des membres vieillissants de la génération X qui se bourrent la gueule en pleine journée ?

Elle me donne une tape sur l'épaule puis se tourne, en sautillant, étirant les bras comme un chat. Je jette un coup d'œil à Tyler qui observe Hazel tournoyer sur elle-même, sans musique, et la foule qui avance vers nous. Son attention est attirée par les groupes les plus proches, dont certains la dévisagent avec curiosité. Puis il la regarde à nouveau, l'air tendu.

– Viens t'asseoir à côté de moi, Crazy-Hazy.

L'irritation me pousse à parler.

– Je ne suis pas sûr que ce soit un surnom très sympa, *Ty*.

Tyler, je le croise à la salle de sport depuis quelques années maintenant. Il m'a toujours fait l'effet d'un type bien, plutôt souriant, n'hésitant pas à aider les gens qui semblaient en avoir besoin. Mais, à cet instant, il me toise comme s'il connaissait la teneur de mes sentiments pour la fille qui danse devant nous et il semble se demander comment me faire sortir le cerveau par les narines.

— Eh bien, c'est le surnom que je lui ai donné, *Josh*.

— Depuis toujours ?

Il hausse les épaules.

— À partir de maintenant.

Je ne peux pas m'empêcher d'insister.

— Comment l'appelais-tu à la fac ?

Tyler sourit, arrogant.

— « Bébé ».

Je comprends pourquoi il recherche un peu plus d'originalité, cette fois !

— Parce que c'était ce qu'elle *était* pour moi, explique-t-il en me défiant du regard, car il a réalisé que je suis en compétition avec lui. (Comment a-t-il pu ne pas s'en rendre compte jusque-là ? Hazel et moi passons tout notre temps ensemble.) C'était mon bébé.

Avec un timing impeccable, Hazel se tourne et s'affale, les jambes en tailleur, devant nous.

— Qui était ton bébé ?

Tyler se gratte la joue, mal à l'aise.

— Toi.

Elle fronce immédiatement les sourcils.

— J'étais ton *bébé* ?

Je m'appuie sur mes mains en leur souriant.

— J'étais en train de raconter à Josh que c'était comme ça que je te surnommais à la fac, clarifie-t-il.

— Ah bon ?

Seigneur, c'est délicieusement gênant. Il me jette un coup d'œil en reniflant.

– Ouais. Tu te souviens ?

Elle fronce le nez, puis me regarde en jaugeant ma réaction. Me rendre compte qu'elle ne cesse de se tourner vers moi – pour chercher du soutien, avoir mon opinion, être rassurée – allume des feux d'artifice en moi, et il me faut une bonne dose de volonté pour ne pas me pencher et l'embrasser devant lui.

Les techniciens quittent la scène la plus proche de nous, et les exclamations montent comme une vague dans le parc. Mon téléphone vibre dans ma poche. Un texto de Sasha.

– Sasha dit qu'elle est tombée sur des amis dans la fosse et qu'elle va rester là-bas. Elle nous propose de nous joindre à elle.

– Qui joue en premier ? demande Hazel à Tyler.

Il cligne des yeux, l'air exaspéré, puis sourit patiemment.

– *Metallica*.

– C'est eux qui font l'ouverture ? Je pensais qu'ils étaient la tête d'affiche.

La grimace de Tyler me donne envie de glousser.

– Non, c'est le premier concert.

– Je crois que je ne pourrais pas supporter autant de contact corporel à dix heures du matin, dit-elle avec un sourire authentique.

Après nous avoir regardés tour à tour, il se lève et s'éloigne pour retrouver Sasha près de la scène.

~

Une fois qu'il est parti, nous nous allongeons tous les deux dans l'herbe et fixons les nuages qui se meuvent au-dessus de nos têtes.

— On dirait qu'il va pleuvoir, dis-je.

— Ce nuage ressemble à une tortue.

Je suis son doigt.

— Je trouve qu'on dirait un bol de pop-corn.

Elle répond simplement :

— J'ai l'impression que Tyler et toi ne vous entendez plus très bien.

Je me tourne pour la regarder et lance :

Pourquoi penses-tu une chose pareille ?

— Il y avait de la testostérone dans l'air à l'instant.

— Parce qu'il t'appelait « bébé » ? (Je regarde à nouveau le ciel.) Je ne sais pas, je trouve que « bébé » est le surnom le plus nul du monde.

C'est sans doute une hyperbole. Tyler me met juste sur les nerfs aujourd'hui.

— Tu n'as jamais appelé personne « bébé » ? Pas même Tabby ?

— Pas même Tabby.

Pensive, elle laisse échapper un petit rire avant de se taire. Je lui demande :

— Tu t'es amusée avec Tyler la dernière fois ?

Je distingue un sourire dans sa voix lorsqu'elle répond :

— Tu veux dire, avant que tu n'arrives chez moi ?

— Ouais.

— C'était sympa. Je ne me sentais pas très bien et il adore vraiment se remémorer le Bon Vieux Temps, mais il semble faire tellement d'efforts que je n'ai pas vraiment envie de l'envoyer sur les roses.

Je ne réponds pas. Elle ajoute :

— Je pense que tu as eu raison de me dire qu'il méritait une deuxième chance.

L'air se fige autour de moi.

— Quand t'ai-je dit de lui donner une deuxième chance ?

Son cou rougit et elle me regarde, les sourcils froncés.

— Le lendemain de… la dernière fois qu'on… tu m'as dit de lui donner une autre chance.

Je m'appuie sur un coude pour la dévisager.

— Je t'ai dit que si c'était ce dont tu avais envie, alors il fallait lui donner une nouvelle chance. Je parlais de *toi*, et de ce que tu as besoin d'explorer, pas de lui et de ce qu'il mérite, ou de ce que *je* pense que tu devrais faire.

Elle reste songeuse pendant quelques instants avant de se détourner de moi.

— C'est étrange, depuis que nous avons commencé à sortir avec des gens, j'ai l'impression qu'il faudrait que je finisse par sortir avec quelqu'un au bout du compte.

Je la contemple. Quelques mèches se sont échappées de ses chignons, et je vois qu'elle n'a pas pris la peine de se maquiller ce matin, même si elle reste éblouissante.

— Je pense que nous savons tous les deux que c'est n'importe quoi.

Elle acquiesce.

— Je sais. Mais c'est mon sentiment.

Je lui rappelle :

— Et même si c'était le cas, ce n'est pas nécessairement avec Tyler.

Elle se tourne vers moi et son regard se fixe sur ma bouche.

— Non. Ça n'a pas à être Tyler.

CHAPITRE 20

Hazel

Nous restons silencieux pendant que retentissent les premiers morceaux du concert de Metallica. En réalité, nous sommes tellement silencieux que je me demande si Josh ne s'est pas endormi à côté de moi. J'observe les gens. Nous ne prêtons ni l'un ni l'autre d'attention particulière au concert. Quand je lui jette un coup d'œil, je vois qu'il est réveillé et qu'il se contente de contempler le ciel, pensif.

— Ne me demande pas à quoi je pense, dit-il en me souriant lorsqu'il sent mon regard se poser sur lui.

— Ce n'était pas mon intention !

— Si, complètement.

Il a raison, j'étais sur le point de le faire. Je m'allonge sur le côté et appuie ma tête dans ma main pour l'examiner. C'est une lumière idéale pour les photos : douce mais éclatante, avec du vert lumineux tout autour de nous. Je suis tentée de sortir mon téléphone de mon sac et de l'immortaliser de profil. J'adore la ligne douce et droite de son nez, les courbes puissantes de ses pommettes, la géométrie de sa mâchoire.

— Tu me dévisages.

J'adore ton visage, je pense. Je tapote sa tempe de l'index.

— J'aimerais juste savoir ce qui se passe dans ce cerveau qui est le tien.

Il hausse les épaules et ajuste la position de ses mains, croisées sur son ventre.

— Je me demandais ce que Sasha avait prévu pour le pique-nique.

— Tu as faim ?

— Ça finira par arriver, et je pensais que je préférerais sans doute localiser le stand de hot-dogs.

J'éclate de rire, me redresse et lui monte pratiquement dessus pour jeter un coup d'œil dans le panier.

— Elle a acheté des pommes, du céleri avec du beurre de cacahouète et ce qui ressemble à une salade de fruits rouges. Pas de sandwiches ou genre… de vraie nourriture.

Il ne répond pas et, dans la mesure où il rêve d'un hot-dog, j'ai la certitude que ce panier ne lui apportera pas satisfaction. Je lui jette un coup d'œil, toujours à quatre pattes, et réalise qu'il fixe mon T-shirt.

— Tu es en train de mater mes seins ?

Son regard revient vers mon visage et, au lieu de plaisanter ou de lancer une vanne en me disant par exemple qu'il a oublié de prendre du scotch ou des agrafes pour m'empêcher de perdre mon T-shirt quand je commencerai à boire de la bière, il ferme les yeux et soupire.

Ça ressemble à de la défaite, de la frustration ou à un sentiment semblable au désir inconfortable qui me comprime la poitrine. J'ai l'impression qu'une pile de briques pèse sur moi. J'ai envie de me pencher et de presser ma bouche contre la sienne.

Un petit gémissement m'échappe lorsque j'imagine le soulagement que je ressentirais : l'embrasser devant tout le monde, peut-être sentir ses mains sur mon visage, contre mes joues, pour que je ne m'écarte pas. Et je ne pense pas qu'il me repousserait. Je fixe Josh, qui a toujours les yeux fermés, et imagine m'asseoir sur lui, le sentir se tendre sous moi, le titiller dans un lieu où il serait impossible de le soulager.

C'est ce qu'une petite amie ferait. Ce sont des sentiments de petite amie.

Je suis la petite amie de Josh, qu'il le veuille ou non.

Je roule à côté de lui.

— Josh.

Lentement, tellement lentement, il ouvre les yeux et tourne la tête vers moi.

— Ouais ?

Le volume des voix augmente et je vois Sasha et Tyler avancer vers nos couvertures, souriant, transpirant, le souffle court. Ils s'affalent à côté de nous, haletants.

L'intimité silencieuse entre Josh et moi se dissout dans l'air.

— Bordel de merde, dit Tyler. C'était énorme.

La petite piqûre de culpabilité qui me hante se fait de plus en plus présente. Je n'ai pas prêté la moindre attention au groupe, même si je savais à quel point Tyler était excité à l'idée de les voir jouer. J'ai l'impression de tout faire de travers aujourd'hui.

Je me redresse et me penche pour lui serrer impulsivement la main.

— Je suis ravie que tu te sois amusé.

Josh se lève.

— Je vais m'acheter une bière. Vous voulez quelque chose ? Tyler ? Une bière ?

— Je ne bois pas, lui rappelle Tyler.

Josh éclate de rire avant de se retourner :

— C'est vrai.

Sasha le suit et il ne me jette pas un seul regard avant de s'éloigner vers la petite colline où se trouvent tous les stands des vendeurs, à la droite de la scène.

— Je peux te poser une question ? lance Tyler en se redressant.

Le malaise m'envahit.

— Bien sûr.

— Josh et toi, êtes-vous… ?

— Êtes-vous quoi ?

— Sortis ensemble ?

— Ensemble *ensemble* ?

Il acquiesce et je gigote, en me raisonnant : ce n'est techniquement pas un mensonge.

— Non. Nous ne sommes jamais sortis ensemble.

— Parfois, on dirait qu'il y a un truc entre vous.

Et, honnêtement, la seule manière que je trouve d'éviter cette conversation est de me lever quand System of a Down arrive sur scène, et de prétendre qu'écouter des chansons que je ne suis même pas sûre de connaître me motive vraiment beaucoup. Je ferme les yeux et, pendant un quart d'heure, je tente d'extérioriser toutes ces émotions.

Je danse pour oublier que j'essaie de me convaincre d'être attirée par Tyler.

Je danse pour oublier que je suis amoureuse de Josh et que je retarde le moment où il me rejettera parce que je sais que ça m'anéantira.

Je danse pour oublier que tout ça m'épuise, alors que je devrais me contenter de profiter de la journée, de l'air frais et de la musique.

Je tourne, je tourne et c'est tellement *amusant*, putain. Je ne me suis pas autant amusée depuis des lustres, en dansant comme une folle. L'air est froid sur mes bras nus lorsque je retire mon pull et je me rends bien compte que la plupart des gens restent immobiles sur la pelouse, mais s'ils savaient à quel point lâcher prise et danser comme ça – les bras tendus, les hanches se balançant en cadence, de l'herbe froide et mouillée sous mes pieds nus – est agréable, ils feraient exactement la même...

Hazel.

Je me tourne et regarde Tyler sur l'herbe derrière moi.

– Viens danser !

Je lui tends la main, mais il rit, mal à l'aise, avant de regarder autour de lui – en direction de la famille installée sur une couverture toute proche, qui nous observe avec un sourire.

– Juste... viens t'asseoir.

Il tapote la couverture à côté de lui.

– Je danse !

Tyler baisse la voix.

– Tu me mets... un peu mal à l'aise.

Les mots sont prononcés platement, accompagnés d'un bruit métallique, comme si une pièce venait de tomber dans un seau vide.

Donc, voilà ce qu'on ressent dans un pareil moment.

Mon sourire ne faiblit même pas, mieux, j'éclate de rire, incrédule :

— *Quoi ?*

Il se lève et s'approche de moi.

— Je t'en prie, dis-moi que tu n'es plus ce mec.

— Quel mec ?

— Le mec que tu as toujours été, qui accepte que je sois excentrique mais pas bizarre, qui veut que je danse seulement quand les autres dansent aussi, qui aime raconter plein d'anecdotes sur moi mais ne se rappelle même pas combien il était moqueur sur le moment, quand c'est arrivé.

Il blêmit.

— Ce n'est pas ce que je suis en train de faire. Tu es juste…

Une flamme s'allume en moi.

— Juste en train de m'amuser ?

Il grimace et hausse les épaules.

— Est-ce que tu dois être aussi *particulière* en permanence ? On ne peut pas juste passer du temps ensemble ?

— On est en train de passer du temps ensemble !

Il regarde autour de lui.

— C'est juste que des gens nous regardent et je ne veux pas que tu te sentes mal à l'aise.

— Je ne suis *pas* mal à l'aise.

— Hazel n'est jamais mal à l'aise, rétorque Josh, derrière moi, avec un petit rire.

Mais son sourire disparaît lorsque je me tourne vers lui et qu'il remarque mon expression.

— Waouh, qu'est-ce que j'ai raté ?

— Hazel était en train de *danser*, lâche Tyler en insistant sur le mot comme s'il était sûr que Josh comprendrait.

Josh, cependant, ne comprend pas.

— Et ?

— Et… voyons.

Maintenant, Tyler regarde Sasha, mais elle est tout aussi dubitative.

Elle ramène ses vingt-cinq mètres de cheveux au sommet de sa tête et laisse ses mains là.

— Tu dansais dans la fosse il y a moins d'un quart d'heure.

— Mais c'est la *fosse*, raisonne Tyler qui s'essouffle.

— Ta gueule, Tyler ! fais-je.

Je remarque soudain la casquette de base-ball que porte Josh. Mon irritation s'envole en un battement de cils. La casquette est orange et jaune fluo — genre, une couleur qui t'aveugle — avec, écrit en lettres majuscules géantes noires sur le devant : RINGARD.

Et je ne sais pas pourquoi, mais j'éclate de rire.

— Pourquoi as-tu acheté ça ?

Josh cesse un instant de contempler sévèrement Tyler pour retirer la casquette et me la mettre sur la tête.

— Je l'ai vue et j'ai pensé qu'elle te ferait rire.

Les yeux de Josh s'adoucissent et il me sourit d'un air si adorable que c'en est presque douloureux.

— Tu as l'air ridicule avec. J'espère que tu la porteras toute la journée, ajoute-t-il.

~

— Donc Josh t'a offert une casquette et c'est à ce moment-là que tu as décidé que tu étais amoureuse de lui ?

Je laisse tomber un avocat dans mon panier de courses et grogne en direction d'Emily. Aujourd'hui, il n'y a pas école et je souffre de maux d'estomac, donc je l'ai convaincue de se joindre à moi pour faire des courses de bon matin. Peut-être un peu *trop* tôt, si j'en juge par son expression.

— Est-ce que tu m'écoutes?

— Je crois bien, mais mon cerveau est resté fixé sur les premiers mots qui sont sortis de ta bouche il y a une demi-heure.

Je peux comprendre. La première chose que je lui ai dite quand elle est montée dans Giuseppe la Saturn, c'est : « Je suis amoureuse de ton frère et j'aimerais savoir si j'ai une chance avec lui, selon toi. »

Emily est restée silencieuse pendant dix longues secondes, bouche bée, avant d'exiger que je commence depuis le début.

Mais de quel début parle-t-elle?

Le début, est-ce quand j'ai vu Josh pour la première fois, lors d'une fête il y a dix ans, et que j'ai senti qu'il y avait quelque chose chez lui qui, juste… résonnait en moi? Ou le début, est-ce lorsqu'il est venu chez moi pour faire de la poterie et qu'il a découvert que Tabby le trompait?

Ou encore, quand on a baisé par terre, ivres, ou la nuit de tendresse, sobres, dans mon lit?

Cela fait seulement six mois qu'on se fréquente, mais j'ai déjà l'impression qu'il est comme un séquoia inébranlable dans la forêt de ma vie, donc le concept *commencer depuis le début* me déroute.

Je raconte à Emily le soir où il a invité Tyler à *Tasty n Sons*. Emily en sait déjà beaucoup — à quel point j'ai été bouleversée, et pleine de contradictions, parce que *je suis putain d'amoureuse de Josh Im*, mais à l'époque, c'était beaucoup plus alambiqué. Et je détaille tout – ma soirée sans boire d'alcool, Josh qui se matérialise chez moi, la nuit de sexe, et le lendemain matin lorsque j'avais l'impression d'avoir la tête pleine de coton et que Josh m'a conseillé de donner une autre chance à Tyler.

Je grogne encore.

– Tyler venait de m'avouer à quel point je le mettais mal à l'aise, et Josh est arrivé avec cette casquette stupide. (Je la désigne, elle est toujours perchée sur ma tête.) Et il m'a dit que j'avais l'air ridicule et que je ne devais jamais l'enlever. Tu ne comprends pas ?

Emily s'immobilise à côté d'un étalage de bananes.

– Si. Je comprends.

– Et ? Josh va-t-il réduire mon cœur en miettes, comme une grappe de raisins sous une botte en plastique ?

– Tu es en train de me demander, dit-elle avec précaution, si Josh est amoureux de toi, lui aussi ?

J'acquiesce. Mon cœur remonte de ma poitrine à ma gorge. Je ne me crois pas capable d'articuler un mot supplémentaire depuis qu'elle a formulé la question si directement.

– Je sais que Josh a des sentiments pour toi. (Elle change son panier de bras.) Je sais qu'il essaie de comprendre leur signification et qu'il tente de savoir où tu en es. (Emily grimace.) Je ne voudrais pas te donner de faux espoirs et te dire que je pense qu'il ressent la même chose, parce qu'il s'est efforcé de ne pas… être trop descriptif avec moi concernant ses sentiments.

Je grogne.

– Pourquoi ne lui poses-tu pas la question ?

– Parce que je suis lâche ? (Même si c'est assez évident à ce stade, je me sens obligée de le préciser.

Elle ne mord pas à l'hameçon, alors je développe.) Parce que lui poser la question risque de tout gâcher.

— Hazie, tu sais que je déteste l'idée de faire éclater ta bulle, mais je ne pense pas que vous pourrez revenir à ce que vous étiez avant, de toute manière. Vous avez déjà couché ensemble. *Deux fois. La plupart des* amis ne couchent pas ensemble, point final. (Elle fronce les sourcils et se remet à avancer.) Ce qui me rappelle que je dois acheter des tampons.

La couleur d'une pile d'articles de l'autre côté de l'allée se trouble, et je ne réalise même pas que la terre s'est ouverte sous mes pieds jusqu'à ce qu'Emily s'approche et se penche pour remettre mes courses dans mon panier, en levant les yeux vers moi.

— Hazel.

— Oh Seigneur !

Mon cœur est un poing qui frappe, frappe, et la nausée s'empare de mon estomac.

Elle se relève, me tend mon panier et je n'arrive pas à me concentrer sur son visage parce que mon cœur bat dans mes yeux.

— Ça va ?

— Non. (Je serre les paupières en tentant de refouler la vague de panique qui me submerge. Quand je les rouvre, je regarde Emily en face.) Je n'ai pas eu mes règles depuis genre… deux mois.

CHAPITRE 21

Josh

Emily et Dave sont sortis lorsque je passe chez eux avec un énorme tupperware de kimchi et un sac de riz de neuf kilos de la part d'Umma. Si Hazel pense que je suis un maniaque de la propreté, je n'ai rien à envier à ma sœur. On dirait que sa maison immaculée sort d'un magazine — décorée simplement avec un ensemble de meubles vintage des années 50 qu'Emily a passé dix ans à rassembler, des fleurs fraîches dans des vases, de l'art authentique et des appliques originales sur les murs.

La brillance immaculée du comptoir de la cuisine me rend la tâche facile : je repère instantanément le mot que ma sœur m'a laissé.

J,
Je suis sortie. Dave devrait bientôt rentrer à la maison. Si Umma t'a donné du riz, ne m'en laisse pas, je n'en ai pas besoin.
E.

Je souris en rangeant le riz dans le cellier, à côté de quatre sacs de la même taille. Mon stock de riz est tout aussi absurde – hors de question que je rapporte ça chez moi.

Quand j'ouvre le réfrigérateur pour faire de la place pour le kimchi, je dois sortir le tupperware de restes de *carne asada* de vendredi soir.

Une assiette de restes et une bière plus tard, ils ne sont toujours pas de retour.

Emily est souvent sur mon dos, à me répéter que je n'ai pas assez d'amis mecs… Qu'est-ce qu'elle veut dire ? Que je suis chez ma sœur, à manger les restes de son réfrigérateur et à froncer les sourcils en direction de ma montre parce qu'ils ne rentrent pas chez eux à 18h, un jour de semaine ?

J'appelle Hazel, mais tombe directement sur sa messagerie.

J'appelle Emily – même chose. Ont-ils *tous* une vie, sauf moi ?

Je sais que mon agitation est en partie due au fait que je suis chez ma sœur et que les signes de son mariage heureux sont omniprésents. Des photos de Dave et elle, à Maui, encadrées sur la table basse. Un tableau peint par Dave, qu'il lui a offert lorsqu'ils se sont rencontrés, est accroché dans le couloir. Leurs chaussures sont nettement alignées sur une étagère, près de la porte menant au garage.

Ma maison est propre, mes meubles sont sympas, mais l'espace me semble morne ces derniers temps. C'est tellement calme. Je ne me serais jamais attendu à penser une chose pareille, mais la présence de Winnie me manque. J'adorais être le témoin de son moment de folie chaque soir vers 17h lorsqu'elle sprintait dans la maison, surexcitée, pendant dix minutes, avant de s'effondrer à mes pieds.

Trébucher sur des chaussures, chaque fois que je passe la porte, me manque.

Hazel me manque. J'achèterais un million d'extincteurs et mangerais de mauvais pancakes tous les jours si ça signifiait qu'elle puisse vivre à nouveau avec moi.

Ça pourrait être différent. *Notre* relation est différente désormais. Ce n'est pas une nouvelle amie, c'est ma meilleure amie. La femme que j'aime. On pourrait parler pendant des heures en buvant du café ou discuter sur l'oreiller, au cœur de la nuit. Elle pourrait amener avec elle sa ferme d'animaux dans son intégralité, et ça me conviendrait, je crois. Nous pourrions créer un foyer ensemble.

Cette pensée me cause une douleur si intense dans la poitrine que je me lève pour faire la vaisselle et me mets ensuite à marcher de long en large dans la maison. Pris par une impulsion, je sors mon téléphone de ma poche et envoie un message à Dave.

Ça te dit, une bière ?

Bailey's taproom dans 20 ?

Je lui envoie un pouce en l'air et passe aux toilettes avant de partir. Sur le mur, Emily a accroché une peinture encadrée du village natal d'Umma et Appa. Une forêt luxuriante, une petite rivière derrière une maison. Je me demande ce que pense Umma de la localisation du tableau.

Mais quand je jette un coup d'œil vers le bas pour tirer la chasse, mon regard est attiré sur la gauche, en direction de la corbeille à côté du lavabo. À l'intérieur, une pile désordonnée de sticks en plastique.

Je crois savoir ce que c'est.

Et je crois savoir ce que le «plus» bleu sur chacun d'entre eux signifie.

~

Ce n'est pas à toi de dire quoi que ce soit.

Ce n'est pas à toi de dire quoi que ce soit.

Je répète ce mantra sur le trajet jusqu'à *Bailey's*.

Dave ne sait peut-être pas encore que sa femme est enceinte. Si c'est le cas et qu'il ne le mentionne pas, alors ce n'est certainement pas à moi d'aborder le sujet.

Oh, Seigneur, ma sœur est enceinte. Elle va être maman – je vais être l'oncle de quelqu'un. J'en ai le souffle coupé, tant ça me rend heureux. Mais il y a aussi autre chose : une balle de plomb dans mon ventre. Je déteste l'admettre, mais c'est de la jalousie.

Emily s'est mariée la première. En tant que frère aîné, je l'ai vécu sans sourciller, en me rappelant que la tradition ne nous affectait pas de la même manière. Ma famille tout entière a accueilli Dave avec bienveillance, la cérémonie du mariage a été une réussite.

Mais maintenant, elle est enceinte et je suis… quoi ? Amoureux d'une fille qui ne sait pas ce qu'elle veut ? Qui pense qu'elle n'est pas la personne qu'il me faut ? Je ne suis pas installé, et encore moins prêt à fonder une famille. Et mes parents ne rajeunissent pas. Je suis flexible sur beaucoup de traditions, mais je ne manquerais pas à celle qui veut que les parents s'installent avec le fils aîné pour leurs vieux jours. Umma ne l'avouera jamais, mais je sais qu'elle préférerait que je ne sois pas célibataire quand ça arrivera.

Je me gare sur le parking extérieur et me penche en avant, appuyant mon front sur le volant. J'ai proposé une bière à Dave pour discuter et passer le temps. Maintenant, le moment est lourd de sens à cause de *ça* – et nous ne pouvons même pas en parler.

Il est déjà arrivé, installé au bar avec une bière, les yeux rivés sur la télévision fixée au mur. SportsCenter rediffuse le match de samedi des clubs ennemis de l'Oregon – les U of O Ducks contre les OSU Beauvers – et je sais sans avoir à regarder le match que les Ducks ont gagné, largement.

— Salut.

Dave pose sa bière et me donne une tape sur l'épaule lorsque je m'assois à côté de lui.

— Tu es arrivé tôt.

— Les dieux de la circulation étaient de mon côté, et j'étais intensément motivé par la perspective d'une bière.

— Dure journée ?

— Les instits ne travaillaient pas aujourd'hui, donc j'ai vu un parent. (Il boit une gorgée.) C'est le boulot, et j'adore être entouré d'enfants. C'est le reste dont je pourrais me passer. Je crois que ta sœur est allée faire du shopping, ou un truc du genre.

Je hoche la tête en essayant de ne pas faire ce dont Emily m'accuse toujours : sourire lorsque je cache quelque chose. Être aussi nerveux ne m'aide pas. Non seulement le fait que je sois amoureux d'Hazel me stresse mais je suis encore choqué par la vue de tous ces tests de grossesse. Un seul n'est-il pas suffisant ? Il y en avait au moins cinq.

Je n'arrive toujours pas à y croire. Je prends une seconde pour imaginer la situation : Emily enceinte, le bébé, et à qui il ressemblerait. Umma et Appa perdant joyeusement la tête en devenant grands-parents.

— Tu sembles pensif.

Je hoche la tête et grignote quelques cacahuètes au wasabi dans le bol placé entre nous deux.

— Je digère ce que j'ai mangé chez toi.

Il rit.

— Tout va bien au travail ?

Je remercie la barmaid lorsqu'elle pose ma bière en face de moi.

— Ouais, en réalité, tout va bien au cabinet.

Et voilà. Nous sommes en train d'envisager la possibilité d'engager un autre kiné pour alléger notre charge de travail. Ça nous apporterait davantage de revenus et me permettrait de prendre un peu plus de temps libre. J'adore ce que je fais, mais je travaille fréquemment dix ou onze heures par jour pour prendre le temps de voir tous mes patients, et si Hazel et moi…

Je m'arrête avant d'aller trop loin.

— À ce propos, je suis en train de me demander si je ne vais pas être obligé de déménager dans une maison plus grande bientôt. J'étais chez mes parents un peu plus tôt et Umma semble si frêle.

— On dirait qu'elle rétrécit, oui. (Dave me sourit en me répondant ça.) Mais… (Il fronce les sourcils.)

Et je sais que ça rompt une tradition, donc sens-toi libre d'ignorer ma proposition si elle te semble insultante, mais tu sais qu'Em et moi serions heureux de les accueillir chez nous.

Cette possibilité me serre le cœur.

— Oh, aucun problème.

— Enfin, continue-t-il, nous n'allons probablement pas avoir d'enfants et nous avons beaucoup d'espace. Ça semble être du gâchis, en quelque sorte.

Je lève ma bière et en vide la moitié en plusieurs grandes gorgées.

Donc Dave ne sait pas qu'Emily est enceinte. Et il ne s'attend pas à avoir un bébé, tout court. Un feu protecteur monte en moi. Cela correspond-il au désir d'Emily ? Il pense qu'elle fait les boutiques, mais est-elle quelque part, en train de paniquer ?

Je réalise que je reste silencieux pendant si longtemps que j'en deviens impoli.

— Je vois ce que tu veux dire et j'apprécie honnêtement cette proposition, mais c'est quelque chose dont j'ai envie depuis longtemps. (J'essaie d'expliquer ça à Dave sans avoir l'air ingrat *ou* lâcher la bombe du bébé.) C'est un honneur pour moi de prendre soin d'eux.

Il acquiesce et ouvre la bouche pour parler, mais il faut que je change rapidement de sujet.

— Je pense que je devrais peut-être faire avancer les choses avec Hazel.

À côté de moi, Dave se fige.

— Comme quoi ?

Je prends une grande inspiration.

— Je suis amoureux d'elle. Je ne pense pas qu'elle reverra Tyler, donc je me demande si je devrais le lui avouer.

Dave lève lentement sa bière en direction de ses lèvres, boit et déglutit.

– Ouais, enfin, tu devrais peut-être en parler avec elle.

Sa réponse n'est pas un clair encouragement. Que connaît Dave de la situation ? Pourquoi ne semble-t-il pas plus choqué que ça ? En sait-il plus long que moi sur les sentiments d'Hazel ? Hazel a-t-elle parlé à Emily qui a ensuite parlé à Dave ?

– À moins que tu penses qu'elle est toujours indécise, dis-je en partant à la pêche aux réactions que je pourrais disséquer jusqu'à perdre la tête. Enfin, nous avons déjà eu l'opportunité d'être ensemble et la dernière fois que j'ai essayé d'en parler, elle semblait indécise à cause de Tyler.

– Je ne… commence Dave avant de secouer la tête.

Je me penche légèrement vers lui.

– Quoi ?

Il semble choisir ses mots avec précaution et je n'arrive pas à déterminer s'il n'en sait pas plus long que moi, ou si ses yeux n'arrêtent pas de se diriger vers le plafond parce qu'il admire l'architecture du bar.

– Je ne pense pas qu'elle ait été réellement indécise, en soi, à cause de Tyler.

Je cherche la signification cachée de ces quelques mots.

– Je… ne sais pas ce que ça signifie.

Il se tourne pour me regarder.

– Hazel est impulsive.

Je suis immédiatement perplexe.

– Ouais ? Et alors ?

Il éclate de rire.

– Donc, c'est ce qu'elle *est*. Elle est juste… Hazel. (Il hausse les épaules, et son sourire est vraiment plein d'amour.) Il n'y en a pas deux comme elle.

Où veut-il en venir ?

— Je suis d'accord.

— Mais j'ai le sentiment que… parfois, Hazel… est très consciente de sa différence par rapport aux autres filles. Elle ne changera jamais, mais elle est consciente de ses excentricités et du fait qu'être en couple avec elle n'est pas facile.

Je le dévisage, confus. Nous sommes sur la même longueur d'onde.

— Non, je suis totalement d'accord avec toi, mais qu'est-ce que ça a à voir avec Tyler et moi ?

Dave sirote une autre gorgée de sa bière.

— D'après ce que j'ai pu comprendre, Hazel te vénère – de manière assez singulière – depuis la fac.

Le brouillard s'éclaircit et je comprends ce qu'il veut dire.

— Tu veux dire qu'elle n'est pas sûre d'être assez bien pour moi.

Je l'ai déjà entendue me confesser la même chose.

— C'est en quelque sorte ce que je veux dire, répond Dave en hochant la tête. Mais je pense aussi que ton opinion a plus de valeur pour elle que celle des autres. Donc, si ça ne fonctionne pas avec Tyler, eh bien, il fallait s'y attendre. Mais si ça ne fonctionne pas avec toi – alors, c'est évidemment en raison de ce qu'elle est, donc de sa faute.

— Mais j'*aime* ce qu'elle est, dis-je simplement.

Je me trouve dans une impasse. Je suis amoureux, et il n'y a pas de sortie de secours.

Dave termine sa bière et jette un coup d'œil en direction du bar. Lorsqu'il lève les yeux, je remarque qu'ils sont cerclés de rouge.

— Alors, tu devrais probablement le lui dire, mec.

CHAPITRE 22

Hazel

Depuis vingt-quatre heures, je promène avec moi le morceau de papier le plus précieux de ma vie. Dans la poche de mon jean, il se froisserait en mille endroits. Mon sac ressemble à un terrier de lapin style Mary Poppins, donc si je l'y range, il est possible qu'il disparaisse pour toujours. Dans ma main moite, je sens le papier photo devenir collant et plus fragile à force de le tenir, mais je me révèle simplement incapable de le reposer.

Je n'arrive pas à me détacher de la contemplation de la photo de mon échographie. Chaque fois que je la pose sur la table du salon, la table de nuit ou le comptoir, j'ai envie de la reprendre et de lire une fois de plus le texte blanc inscrit sur les bords noirs.

Bradford, Hazel

12 novembre

9 semaines et trois jours

Et puis, mes yeux sont attirés par la chose la plus intéressante : la petite tache adorable, une silhouette d'un blanc nébuleux dans une mer de noir moucheté. Neuf semaines et trois jours, et c'est déjà l'amour de ma vie.

Je pose une main sur mon ventre et les battements de mon cœur s'accélèrent, tambourinent dans ma poitrine. L'embryon sur la photo ressemble à un ours de gélatine, recourbé dans un C délicat. Je pense : mon petit monstre. Mon petit monstre chéri, au cœur qui bat tout doucement, avec de petits bourgeons à la place des bras et des jambes, à moitié moi, à moitié Josh Im.

Ce n'est pas la réaction que je préfère, mais la nausée m'envahit. J'ai juste le temps de reposer le précieux morceau de papier et de courir à la salle de bains avant de rendre le cracker et les trois gorgées d'eau ingérées aujourd'hui. Je suppose que ce n'étaient pas des maux d'estomac, après tout.

Après m'être lavé les dents — à deux doigts de vomir —, je reviens dans la cuisine. J'ai reçu un texto de Josh.

Tu seras chez toi ce soir ?

Si je n'avais pas déjà vomi mes cookies — ou mes crackers, plutôt —, c'est ce qui m'arriverait maintenant. Je tape d'une main tremblante.

Oui.

Je fixe encore la photo et mon cœur me semble sur le point de déborder.

Après avoir obtenu un rendez-vous de dernière minute avec mon gynécologue hier et fait des analyses sanguines, puis une échographie — Emily a tenu ma main moite dans la sienne tout le long et nous avons toutes les deux éclaté en sanglots lorsque le monstre est apparu —, je me suis donné vingt-quatre heures pour digérer la nouvelle, en faisant jurer à Emily le secret le plus absolu.

Sa réponse ?

«J'ai déjà envoyé un texto à Dave, je m'en excuse. Mais si tu crois que je vais dire à mon frère qu'il a mis notre meilleure amie enceinte, tu délires.»

Aujourd'hui, j'ai demandé un jour de congé au travail et j'ai passé la journée à marcher de long en large dans mon quartier, en fixant la photo par intermittence. Je suis amoureuse de lui.

Je suis amoureuse de Josh.

Et je suis enceinte.

Hier, quand je suis rentrée chez moi, j'étais transpirante, paniquée et j'ai fini par vomir. Maintenant, quand je regarde la photo, je jubile.

En réalité, je jubile tout en traversant des phases bizarres et épuisantes, à cause de ce que vit mon corps en ce moment. Le Dr Sanders m'a conseillé de ne pas faire des recherches sur Google — elle a dit que c'était un champ de mines qui m'affolerait — et m'a donné à la place quelques dépliants et des recommandations de lecture. Mais je suis certaine que toutes les futures mamans à qui elle a donné ce même conseil l'ont ignoré, comme moi.

Hélas, internet me dit qu'il est normal d'être fatiguée pendant le premier trimestre.

Donc, lorsque Josh frappe à ma porte, je suis affalée sur le canapé, une jambe en l'air. Tout ce que je parviens à faire, c'est lâcher un gémissement de zombie :

— C'est ouvert.

Josh entre, retire ses chaussures. Il salue Winnie lorsqu'elle court vers lui. Et le voir chez moi est un tel soulagement que je dois retenir un sanglot.

Il a acheté des fleurs et il porte le T-shirt violet que je préfère. Je m'assois et me rends compte que je ne m'attendais pas à voir arriver un Josh Apprêté. Je suis une version d'Hazel Crevée, je porte un vieux T-shirt Lewis & Clark et un short en jean avec des taches de peinture, mes cheveux sont remontés en chignon sous ma casquette RINGARD.

Pour une raison qui m'échappe — ou pas tant que ça, grossesse ! —, je sens que ma gorge se serre à nouveau.

— Eh bien, tu es très en beauté.

Josh fronce les sourcils et contourne le canapé pour s'asseoir à côté de moi, posant une main sous le rebord de la casquette pour me toucher le front.

— Ça va ?

Voilà la question à un million de dollars.

— Ouais.

— Tu sembles…

Enceinte ?

— Crevée ?

Il sourit :

— J'allais répondre qu'on dirait que tu as de la fièvre.

Si je compte admettre que je porte son enfant, il devrait être facile de commencer par des aveux moins décisifs. Mais ma voix est rauque lorsque je prononce ces mots :

— Probablement parce que je suis absurdement heureuse de te voir.

Ses yeux se posent sur mes lèvres, et mon regard vagabonde sur son visage, son nez, sa mâchoire, ses pommettes, puis ses yeux.

— Je suis heureux de te voir, moi aussi.

Josh se penche – il est un peu essoufflé – et m'embrasse sur la joue. Je me suis lavé les dents mais, Seigneur, j'espère que je ne sens pas le vomi.

— J'ai pensé à toi toute la journée.

Vraiment ? La foudre tonne dans ma poitrine.

— Hum. Pareil.

Il éclate de rire comme si je plaisantais et se lève en avançant vers la cuisine pour trouver un vase pour les fleurs.

— Dans le four, lui dis-je.

… ce qui pourrait signifier tellement tellement de choses à cet instant.

Il ne répond rien – aucun doute que Josh s'est figé sur place et digère silencieusement l'information – mais le craquement de la porte du four brise le silence et j'entends un doux :

— Ah.

— Si je les range au sommet du frigo, Vodka se perche sur les rebords et les fait tomber.

Il ouvre l'évier et je l'entends remplir le vase d'eau.

— Logique.

Vraiment ? Est-il logique que je range mes vases dans le four, pour que mon perroquet ne les renverse pas ? C'est le genre de chose que les autres pourraient mettre en doute – pas Josh.

Il ne m'a jamais, pas une fois, demandé d'être quelqu'un que je ne suis pas.

Quand il revient, les mains libres, il reprend sa place à côté de moi sur le canapé, en attrapant mes jambes pour les installer sur ses genoux. Pour la première fois dans notre amitié, lorsqu'il pose les mains sur mes cuisses, j'ai intensément conscience à quel point je suis anti-sexy.

Je lâche :

— Je ne me suis pas rasée aujourd'hui.

Il continue à me caresser mes mollets.

— Je m'en fiche.

— J'ai pris une douche, mais après… (Je désigne ma tête et la casquette que je porte toujours.) J'ai laissé les mauvaises herbes s'installer.

— Je me fiche de ton apparence.

Ses mains descendent et ses pouces puissants malaxent l'arche de mon pied. Je ferme les yeux de plaisir.

C'est nouveau. Ce genre de contact, les sourires gênés et hésitants. Je sais pourquoi je me sens comme une imbécile inepte — je suis enceinte de lui et je l'aime —, mais pourquoi se comporte-t-il de la même manière ?

— Qu'est-ce qui t'arrive ? Pourquoi es-tu en train de me masser, m'as-tu offert des fleurs et as-tu l'air particulièrement adorable ?

Il s'éclaircit la gorge et fixe mes pieds, que ses mains n'ont pas lâchés.

— Ouais, à ce propos. (Il lève les yeux vers moi.) Comptes-tu continuer à sortir avec Tyler ?

J'éclate de rire.

— Négatif.

Il hoche la tête, hoche encore la tête, et continue à hocher la tête tandis que son regard passe de mes jambes à mes hanches, en direction de ma poitrine et finalement de mon visage.

— Eh bien, est-ce que ça te dirait de sortir avec moi un de ces quatre ?

Toute ma vie durant, j'ai supposé qu'il y avait un cœur dans ma poitrine. Mais la force avec laquelle il tambourine en moi ne peut être due qu'à un seul organe. Je savais qu'il était suffisamment attiré par moi pour me baiser — deux fois — mais pour vouloir sortir avec moi ?

— Comme un « date » ?

— Comme un « date ». (Ses mains remontent sur mon mollet, mon genou, en direction de l'intérieur de ma cuisse, où il dessine de petits cercles qui me font perdre la tête.) Mais juste toi et moi cette fois.

Et juste comme ça, je ne suis plus que chaleur brûlante. Mon cœur a élu domicile dans ma gorge.

— Tu veux dormir ici ce soir ?

Il répond sans la moindre hésitation :

— Oui.

— Je veux dire, dormir avec moi, tout nu.

Il approche son visage du mien jusqu'à ce que nos haleines se mélangent, et il retire délicatement ma casquette avant de la balancer par terre.

— J'avais compris ce que tu voulais dire.

Il effleure les mèches qui se sont échappées de mon chignon et croise mon regard pendant un instant avant d'approcher son visage du mien et d'embrasser ma moue surprise.

Ce n'est pas notre premier baiser, mais d'une certaine manière, c'est ainsi que je le perçois. Oui, je connais sa bouche, mais je n'ai jamais connu cette émotion auparavant, le contact léger, la manière dont ses mains caressent mes joues pour incliner ma tête comme il le souhaite, pour qu'il puisse s'avancer alors que je me laisse aller en arrière, jusqu'à ce qu'il soit sur moi sur le canapé, son pantalon de costume effleurant mes cuisses.

— Je dois te dire un truc, je fais contre ses lèvres.

— Moi aussi.

— Un truc important, j'insiste.

Il hoche la tête.

— Et si on se disait tous les trucs importants après, d'accord ? Il n'y a pas d'urgence.

Je ressens une bouffée d'angoisse — il faut vraiment que je lui parle —, mais la conversation je-porte-ton-enfant est assez intense, et son corps semble tomber d'accord avec la partie inférieure du mien, sur le fait que le sexe est une priorité et qu'il n'y a aucun souci. Par ailleurs, ce n'est pas comme si je pouvais tomber encore plus enceinte.

Mes vêtements semblent disparaître au fur et à mesure qu'il les touche. Je ne me souviens pas d'avoir enlevé mon T-shirt. Il fait glisser mon short sur mes jambes.

Nos regards se croisent et je suis sûre qu'il peut voir la lueur de folie dans mes yeux, parce qu'il sourit avant d'éclater de rire lorsque j'entrouvre la bouche. Il déboutonne sa chemise — trop lentement. Je commence par le bas, nos mains se rencontrent au milieu et, ensemble, nous la faisons tomber de ses épaules. Elles sont chaudes et dures sous mes paumes lorsque je l'attire à nouveau contre moi, mais il ne se laisse pas faire, retire son pantalon et le jette en boule par terre.

— Josh ?

Il se penche pour m'embrasser dans le cou en fredonnant.

— Hazel ?

— Est-ce un truc du style « ah ah, on l'a juste fait trois fois » ?

— Pas pour moi, dit-il. (Sa bouche trouve ma clavicule qu'il mord.) Pour moi, c'est un truc genre « on le fera encore et encore ». (Il plante un baiser léger sur mes lèvres.) J'ai envie qu'on soit ensemble. Pas juste amis. D'accord ?

Dans ma poitrine, un poing se resserre autour de mon cœur.

— D'accord.

— Mais je ne veux pas le faire sur le canapé.

— Genre, jamais ?

Il m'embrasse sur la joue, dans le cou, sur l'oreille.

— Bien sûr, avec le temps, on baptisera tous les meubles, mais là…

Il s'écarte et désigne la chambre du menton.

Je visualise un nuage de fumée derrière moi, comme dans un dessin animé, quand je sprinte jusqu'à ma chambre. Josh, bien sûr, adopte une approche plus calme et entre quelques secondes après que je me suis jetée au milieu du lit. Mon niveau d'énergie s'est miraculeusement renouvelé.

— Je n'ai pas envie d'avoir l'impression que je t'ai traînée jusqu'ici, plaisante-t-il.

Mais j'ai à peine le temps de sourire, parce que tout devient très intense lorsqu'il pose un genou sur le matelas et monte sur mon lit, entre mes jambes.

Josh Im.

Josh Im est dans mon lit, sur le point de finir de se déshabiller et — d'après ce que je vois — sur le point de me baiser très très consciencieusement.

— Je crains de faire beaucoup de bruit ce soir, je marmonne, le souffle court.

– Ce ne serait pas grave.

Je suis uniquement concentrée sur ses mains et la manière dont il retire ma culotte. La manière dont il me contemple. La chaleur de ses paumes sur mes genoux, les écartant tandis qu'il s'installe entre mes cuisses.

La corde à nœuds à l'intérieur de moi commence à se dénouer, à se détendre, lorsque je me demande si cette grossesse ne constitue pas même un peu un problème. C'est peut-être génial. J'imagine le voir sortir de mon lit, encore nu, les cheveux dressés sur sa tête comme une petite forêt soyeuse demain matin. J'imagine l'embrasser, me distraire et oublier ce que j'étais censée faire avant de m'en souvenir à nouveau.

Mes pensées sont interrompues par le mouvement de ses mains sur mes jambes, me tourmentant, créant un désir sourd dans mon ventre, qui me donne tellement envie de lui que c'en est douloureux. Je m'appuie sur un coude, avec la ferme résolution de l'exciter comme il m'excite, et il rit, incrédule, lorsque mes doigts l'effleurent sur son boxer. Il est brûlant dans ma main, on dirait de l'acier palpitant.

– Tu bandes tellement fort.

Je suis la reine pour enfoncer des portes ouvertes.

Il me regarde baisser l'élastique, mais il ne fait pas ce à quoi je m'attends une fois qu'il a enlevé son boxer. Il ne monte pas sur moi, mais s'installe entre mes jambes. Il plonge plus bas, embrasse l'intérieur de mes genoux, une cuisse puis l'autre. Son souffle est si chaud quand il remonte – à quelques centimètres de l'endroit où mon cœur s'est installé – et il me dévisage de là où il se trouve entre mes jambes.

– Je peux ?

— Quoi ? Ouais. Bien sûr. Oui.

Franchement, je dois faire un effort surhumain pour ne pas l'attraper par les cheveux et l'attirer contre moi.

Il sourit, mais c'est un sourire que je ne lui connais pas. C'est un sourire dangereux : celui du méchant d'un film, le séducteur, celui qui vole tous tes bijoux, mais qui te baise incroyablement bien pour commencer.

Et puis il plonge vers moi, m'embrasse entre les jambes, et mon corps devient une bombe.

Il dépose de petits baisers – plus bas, là où je suis trempée, où je le désire , puis remonte en faisant éclater le plaisir sous sa bouche. Je sens que je m'ouvre, je sens la chaleur de son souffle sur l'endroit le plus sensible de mon corps lorsqu'il halète. Sa langue m'ôte toute capacité de raisonnement, mais évite l'endroit où je veux le sentir – intentionnellement – en glissant autour et autour, en plongeant en moi puis en remontant, m'excitant, s'approchant de sa cible. Lentement, avec des cercles séducteurs.

Mon corps est si tendu, j'ai tellement envie de lui que c'en est presque insoutenable. J'ai besoin de sentir sa langue là, et je le désire en moi, et j'ai envie de m'échapper de ma propre peau tant j'ai désespérément besoin de le sentir.

— S'il te plaît.

Il s'écarte légèrement, je gémis sous la torture lorsqu'il recommence à m'embrasser les cuisses, et à parler tout contre ma peau.

— Hum ?

— Josh.

Je plonge une main dans ses cheveux, pour envoyer un message silencieux au cerveau qui se trouve en dessous : lèche-moi. Lèche-moi.

– Je pourrais perdre la tête en faisant ça.

De mon autre main, je tire sur mes propres cheveux, pour m'empêcher de crier. Je laisse échapper un discret :

– Ça ne poserait pas de problème.

Sa bouche chaude reste appuyée tout en haut de ma cuisse, et je sens mes jambes trembler sous ses mains lorsqu'il murmure :

– Ça ne te plaît pas que je prenne mon temps ?

– Oh. Oh Seigneur, si, c'est agréable.

Je suis aussi essoufflée que si j'avais couru trois kilomètres.

– J'ai l'impression d'avoir de la soie dans la bouche.

Mon cerveau fond dans mon crâne à ces mots, à cause de leur chaleur sur ma peau, et Josh – le monstre – me laisse un suçon à l'intérieur de la cuisse. Je jure qu'il sourit lorsqu'il murmure :

– Tu trembles.

– Je sais… parce que je veux…

Un sanglot monte dans ma gorge à cause de la puissance de ce désir, et je ressens les battements de mon cœur partout, tambourinant sous ma peau.

– Tu veux ?

Il revient sur moi, la bouche ouverte, les yeux fermés, et la succion me fait perdre toute cohérence.

On m'a déjà fait un cunnilingus, mais jamais de cette manière. Jamais avec autant de concentration, ou de précision. Sa bouche se colle à moi, délicatement, en me léchant, tandis qu'il vibre contre moi. Il ne joue pas, ne mord pas, ne me lèche pas, ne plante pas brutalement ses doigts en moi. Il reste juste là, mais il semble que je n'ai pas besoin de plus que de quelques secondes pour sentir un mouvement en moi, une vague qui se forme avant de déferler. Lorsqu'il gémit – un son spontané et encourageant –, je bascule, m'effondrant la tête dans l'oreiller. Mon corps se tord de plaisir.

Je suis incapable de prononcer le moindre mot pendant trente bonnes secondes, et reste allongée dans le lit dans une posture qui, j'espère me donne un air de Déesse Satisfaite plus que de Clochard Abattu. Mais quoi qu'il en soit, je m'en fiche.

– C'est l'expérience sexuelle la plus hallucinante de ma vie.

Il rit en m'embrassant la cuisse.

– Bien.

– Je n'ai pas envie de savoir où tu as appris cette technique si particulière.

Josh ne prend pas la peine de répondre et se contente de m'embrasser du nombril à la poitrine, avant de s'arrêter pour jouer un peu avec mes seins tandis que mon cerveau retrouve son orbite. Ma poitrine est tendre et très sensible, mais l'assaut délicat de sa langue et de ses mains semble faire oublier à mon corps que je viens de jouir il y a moins de deux minutes. Je tire sur ses épaules, impatiente.

– Viens par ici.

– J'aime être là, chuchote-il entre mes seins, mais il répond à mon injonction, s'agenouillant entre mes jambes, il hésite un instant : On pourrait utiliser un préservatif, si tu veux ? Je n'ai pas envie que tu penses que c'est seulement ta responsabilité.

Il me faut un effort surhumain pour ne pas éclater d'un petit rire hystérique, suivi d'un « eh bien, maintenant que tu abordes le sujet… » Mais je réponds :

– Ne t'inquiète pas.

– Tu es sûre ?

Je déglutis. Demain.

– Ouais.

Il reste agenouillé, ses yeux se promènent sur mon corps, ses mains montent et descendent sur mes cuisses.

– Ça fait un moment que j'en rêve.

Il marque une pause avant d'ajouter :

– Je veux dire, de ce genre de sexe.

Le poing délicat qui enserre mon corps se resserre encore davantage.

– Moi aussi.

Sa voix est rauque de frustration, peut-être à cause de tout le temps que nous avons gâché.

– Pourquoi ne me l'as-tu pas dit ?

– Pourquoi ne l'as-tu pas fait ?

– Je pensais que tu voulais être avec Tyler.

– Je pensais que tu serais mieux avec… quelqu'un d'autre.

Il fronce les sourcils.

– Qui ?

– Juste quelqu'un de moins Hazel.

Josh fronce les sourcils.

– Peut-on régler ça une bonne fois pour toutes ?

– On ne peut pas le faire après le sexe ?

Parce que ses mains n'ont pas cessé leur cheminement sur toute la longueur de mes cuisses, de haut en bas, et sur mes hanches, et que je suis sur le point d'exploser dans les draps.

– Non. Tu m'écoutes ?

– Difficilement.

– Tu es parfaite pour moi.

Une étoile monte dans ma cage thoracique.

– Ah oui ?

Il acquiesce, en me regardant intensément.

– Oui.

Il contemple mon visage pendant encore quelques instants avant de reprendre sa contemplation de mon corps nu. Au-dessus de moi, il ressemble à une statue : larges épaules, torse lisse et musclé. Poils noirs soyeux sur son nombril, et sa bite – parfaite, dressée. Elle me fait penser à une tige d'acier, aux poutres d'une charpente, un design irréprochable…

Il parle calmement :

– Tu es en train de me fixer.

– Parce que tu es parfait, là où tu es.

J'aime la manière dont sa voix sourit.

– « Là où je suis » ?

– Partout, mais… là, en particulier.

Je le désigne, et il m'attrape la main, la place au-dessus de ma tête et la piège sur l'oreiller tandis qu'il se penche sur moi. Son sexe effleure l'intérieur de ma cuisse.

– J'étais en train de penser que tu avais la forme de mon gode préféré.

– C'est un compliment inédit.

J'ouvre la bouche pour continuer, mais il se penche pour m'embrasser.

– Haze, je t'aime, mais je vais perdre la tête si je n'entre pas très vite en toi.

Nous nous figeons tous les deux, ses mots résonnent dans la chambre. Il m'aime ?

– Vraiment, tu sais.

Son expression est pleine d'émotion. Honnêtement, personne ne m'a jamais regardée comme ça… C'est plus que du désir. C'est du besoin.

Je glisse une main dans son cou pour l'attirer contre moi juste au moment où il s'effondre sur mon corps et plaque sa bouche contre la mienne dans un gémissement discret. Il balance ses hanches en avant et son corps épouse le mien. Nous laissons échapper un cri à l'unisson lorsqu'il me pénètre, profondément.

Ce n'est ni délicat ni lent, pas même pour commencer. Ses hanches se balancent contre les miennes, très vite, comme un butoir. Il grogne à chaque à-coup. Se redresse en gémissant, passe mes jambes sur ses bras, les écarte. Les sons qu'il émet sont rythmés, rauques, et quelque chose à leur propos – le grincement et la vibration du plaisir de Josh – me rend encore plus folle. Il me prend, vite et fort, putain…

– Jimin.

Son rythme fléchit et il éclate de rire dans mon cou.

– C'est… halète-t-il… la première fois que tu prononces correctement mon prénom.

Je fêterais ça, mais l'orgasme est là

là

et je cambre le dos sur le matelas en commençant à jouir. Josh grogne ces mots tendres et encourageants tandis que le plaisir éclate en moi, ricoche dans tous mes membres, encore et encore, et finalement, je sens tout son corps se tendre – en moi, sous mes mains, contre mes cuisses. J'entends le grognement étouffé dans sa gorge, son «oui» soulagé, et puis il tremble en gémissant, profondément enfoncé en moi.

Délicatement, il décroche mes jambes de là où je les ai passées dans son dos et glisse sur moi, torse contre torse transpirant. Josh m'embrasse entre deux halètements.

— J'avais prévu qu'il s'agisse de davantage faire l'amour et moins… de baiser de manière désespérée.

Je frémis en entendant cette pointe de vulgarité, si rare chez lui.

— Tu ne recevras aucune plainte de ma part.

Il s'écarte avec précaution, en regardant son corps battre en retraite tandis que je contemple son visage. J'aime le voir froncer légèrement les sourcils et grogner en s'extirpant de moi.

Son froncement de sourcils s'accentue et il tend la main pour me toucher.

— Est-ce que je t'ai fait mal ?

— Non ?

Il lève les yeux vers moi.

— OK. Tu en es sûre ? (Il lève la main.) Tu saignes.

~

Ne panique pas.

Ne panique pas.

J'attrape mon téléphone avant de sprinter jusqu'à la salle de bains, et me voilà assise sur les toilettes, à lancer une recherche frénétique sur Google : saigner pendant la grossesse.

Les résultats sont rassurants. Apparemment, c'est courant. Apparemment, ça arrive dans un tiers des grossesses. Surtout au début.

Mais ça peut aussi être le signe que quelque chose ne tourne pas rond,

et ce n'était pas juste un peu de sang,

il y en avait plein les draps,

et je n'arrive plus à respirer.

Je compose le numéro du médecin de garde et parle aussi doucement que possible.

Oui, neuf semaines.

Oui, j'ai vu le médecin hier.

Non, je n'ai pas eu de crampes.

Après m'avoir rassurée, il me dit que le mieux est de ne pas s'inquiéter, de se reposer et de passer au cabinet demain matin.

Je raccroche au moment où la voix de Josh filtre à travers la porte fermée.

— Haze ?

Je lève les yeux et m'efforce de répondre de la manière la plus calme possible.

— Ne t'inquiète pas. Ça va.

Oh Seigneur, que faire ? Il m'aime. Donc ça signifie qu'il ne sera pas en colère parce que je suis enceinte. Mon instinct et une connaissance approfondie du cerveau de Josh Im me disent qu'il risque d'être très heureux, au contraire. Il veut une famille. Mais… et si je le perds ? Je sais que ce genre de choses arrive constamment, donc lui en parler vaut-il la peine ? Puis-je le laisser penser que tout ira bien si je perds mon petit monstre ? Oh Seigneur, j'aimerais mettre les murs en lambeaux à cette simple pensée. Et si je le perds, et si je le perds…

Je ferme les yeux. Respire.

— Hazel. (J'entends sa tête s'appuyer contre la porte.) Je suis tellement désolé.

Je prends une grande inspiration et m'asperge le visage d'eau.

Je réponds d'une voix rauque :

— Ce n'est pas de ta faute.

Silence. Et puis :

– Je suis assez sûr que c'est de ma faute, à cause du sexe un peu violent qui vient de se produire. (Il marque une pause.) Puis-je entrer et, hum… ?

Oh putain, c'est vrai. Il est plein de sang. J'ouvre la porte et il se glisse à l'intérieur en m'embrassant.

– Tu as mal ?

– Non, tout va bien !

– OK, tant mieux.

Après un baiser supplémentaire, il me passe devant pour ouvrir l'eau de la douche. Je me lève et plaque mon visage dans son dos, entre ses épaules contractées.

– Désolée.

Josh se tourne, oriente mon visage vers le sien.

– Pour quoi ?

– T'avoir mis plein de sang dessus. Courir hors du lit.

Son visage se détend.

– Ce n'est rien. Je voulais juste m'assurer que tout allait bien.

Dis-lui.

Dis-lui.

Parle d'abord au Dr Sanders.

– Ça va.

Il se penche et m'embrasse doucement, avant d'entrer dans la douche, en m'attirant avec lui.

La vapeur envahit la salle de bains, il fait mousser le savon dans ses mains avant de me frotter les épaules et la poitrine, puis délicatement, l'entrejambe et les cuisses avant de se savonner lui-même.

Je le fixe tandis qu'il se frotte le ventre, le sexe et le torse, je regarde les gouttelettes d'eau s'accumuler dans ses cils et tomber, comme de la pluie.

– Tu as dit que tu m'aimais.

Il lève les yeux et bat des paupières. Ses cils sont longs et collés ensemble. Il est tellement beau.

Josh se penche pour déposer un baiser sur mon nez.

— Oui.

Je monte sur la pointe des pieds. Sa bouche glisse sur la mienne, sa langue a un goût d'eau. Ses mains glissent sur mes fesses, entre mes fesses, me caressent, me touchent puis reviennent sur mon dos, entre mes seins, comme s'il allait à la rencontre de chaque courbe.

Josh Im m'aime.

— Je t'aime aussi, tu sais.

Son baiser devient un sourire.

— Ah ouais ?

— Je t'aime probablement depuis plus longtemps.

Un sourire d'arnaqueur :

— Probablement.

Je pince son cul splendide et il grogne en se collant à moi.

— Nous ne sommes pas obligés de refaire l'amour, murmure-t-il dans mon cou. Mais tu es tellement attirante, toute mouillée et douce.

Après l'avoir voulu pendant si longtemps, je n'arrive pas à croire qu'il est là et qu'il prononce des mots comme amour. Je ne profiterai pas seulement de Josh tout nu contre moi ce soir. Ça pourrait devenir un problème très très addictif, parce que mon désir pour Josh est impératif, impatient, de l'énergie frénétique : je le désire encore, encore et encore.

Je confine la panique dans un coin de mon esprit, la range dans un placard puis dans une boîte à chaussures, avec un peu de lumière qui pulse en arrière-plan. Je ne peux rien faire ce soir. Je dois juste respirer.

Sa main vagabonde sur ma poitrine, descend en direction de mon nombril en dessinant de petits cercles avec le savon. Je suis si saturée d'émotions que je ne suis pas surprise de sentir une larme couler sur ma joue, perdue dans le jet d'eau de la douche. Je prends le savon et lui rends la pareille, en savourant chaque seconde de ce moment, jusqu'à ce que nous soyons propres et que l'eau commence à refroidir.

— OK, Haze. (Il se penche pour m'embrasser, les yeux brillants, puis ferme les robinets.) Allons nous coucher.

CHAPITRE 23

Josh

Je dors comme une souche dans le lit d'Hazel. Un sommeil sans rêves, ou si j'ai rêvé, je ne garde le souvenir que de nébuleux flashs de son corps, de son rire et de la chaleur irréelle de sa peau contre la mienne toute la nuit.

Nous nous réveillons avec la sonnerie de son alarme, les membres enchevêtrés, les couvertures par terre. Je suis nu, elle porte seulement ses sous-vêtements et même si je reprends lentement conscience, je suis pris au piège d'une moiteur sirupeuse que je ne suis pas prêt à quitter. Hazel, au contraire, se redresse après quelques instants seulement, et me regarde, les yeux vitreux. Elle reste dans le vague pendant quelques secondes avant de battre des paupières, de les frotter, puis de se pencher pour m'embrasser sur les lèvres.

— Tu es resté.

Submergé par une vague de bonheur, je me demande si nous allons nous installer ensemble… et quand.

Hazel s'écarte, son attention est attirée par quelque chose derrière mon épaule. Elle grimace en voyant le tas de draps dans le coin, ceux qu'on a retirés du lit pour les changer, avant de nous effondrer sur le matelas, épuisés. Comme si la mémoire lui revenait, elle se lève et sort de la chambre à toute allure en direction de la salle de bains, avant de fermer la porte derrière elle avec un clic sonore.

Hier soir, ce n'est pas la première fois que j'ai vu du sang en couchant avec une fille, mais c'était peut-être le cas pour elle ? J'ai du mal à l'envisager, elle semble pourtant avoir été plus perturbée que je m'y serais attendu.

Je roule sur le côté pour m'asseoir sur le bord du lit, en regardant Winnie qui me lance des œillades enamourées du sol.

– Bonjour ma belle.

Je lui frotte la tête et sens qu'elle doit faire un effort pour ne pas sauter sur le lit et me rejoindre, mais heureusement, elle résiste. Être nu au lit avec Hazel, c'est du pur bonheur. Être nu au lit avec son chien serait gênant.

Dans la cuisine, et dans l'une des boîtes Muppet d'Hazel, je trouve juste assez de grains de café pour nous préparer une cafetière. Quand elle revient – toujours en sous-vêtements – je nous ai servi deux tasses et j'attire contre moi sa silhouette ensommeillée, entre mes jambes.

– Tu es parti, marmonne-t-elle dans mon cou.

La sensation de sa poitrine contre la mienne me distrait assez pour que je ne comprenne pas immédiatement ce qu'elle vient de dire. Donc, au lieu de lui répondre quelque chose de spirituel, je l'embrasse dans le cou et lui demande :

— À quelle heure dois-tu être à l'école ?

— En temps normal, à 7h30, ce qui signifie que je serais déjà tellement en retard que j'aurais enfilé mes vêtements à l'envers. Mais je vais passer chez le médecin avant. Ils savent que j'aurai un peu de retard aujourd'hui.

Le médecin ? Je ne sais pas comment l'interroger sur ce qui est arrivé hier soir, donc j'opte pour un vague :

— Ça va ce matin ?

Petite hésitation, puis :

— Tu déconnes ? Incroyablement bien.

Elle *est* incroyable — la peau crémeuse, le grain de beauté sur son épaule qui me rend fou, la courbe pleine de ses seins — et l'idée qu'elle est *mienne*, que je suis sien, surgit dans mon esprit. La lumière se fait soudain, un flash de joie, et je tends la main vers elle pour l'attraper par le cou et la serrer contre moi.

À la minute où nos lèvres se touchent, mon esprit s'apaise, mais mon corps semble s'échauffer, se diriger vers cet endroit où je ne peux plus réfléchir, mais seulement sentir. J'effleure la courbe de son cou jusqu'à ses clavicules. Elle pose immédiatement les mains sur ma taille, je la sens monter sur la pointe des pieds, anéantissant la distance entre nous, impatiente de me donner un baiser, puis un autre.

C'est chaste, mais ce n'est pas simple. Rien avec Hazel ne l'est jamais.

J'incline son visage, embrasse sa lèvre inférieure, sa joue, sa mâchoire.

Je jette un coup d'œil par-dessus son épaule en direction de l'horloge du four. Il est 7h18. Je reprends mon souffle, en calmant mon désir de rattraper le temps perdu.

CHRISTINA LAUREN

Je pose ma bouche sur la sienne et m'attarde. Elle sourit.

— Bonjour, Josh Im.

J'embrasse sa chevelure chaotique.

— Eh bien…

Je me laisse l'opportunité de savourer le moment, la joie simple de me tenir dans la lumière éclatante de sa cuisine, d'être dans les bras l'un de l'autre et de savoir que je n'ai plus aucune raison de me retenir maintenant. Mais c'est la manière dont elle m'étreint — sa façon de se coller à moi, de blottir son visage dans mon cou — qui attire mon attention. Elle ne me mordille pas joyeusement l'épaule, ne me menace pas de me laisser d'énormes suçons sur la peau. Elle ne me propose pas d'aller au restaurant de bagels en roller avant de partir travailler. Elle est très *silencieuse*.

Bien sûr, il n'est pas anormal qu'Hazel soit parfois silencieuse, mais je la sens différente. On dirait un silence plein de quelque chose — une inquiétude, une question, peut-être une incertitude.

Je fouille mon esprit pour trouver quelque chose à lui dire. J'ai envie de lui demander si elle sait qu'Emily est enceinte. J'aimerais lui demander si elle dormira chez moi ce soir, et toutes les nuits suivantes. Ou de prononcer ces mots une fois de plus avant de partir travailler, le *je t'aime aussi, tu sais*.

Elle dirige ses yeux bruns lumineux vers mon visage.

— À quoi penses-tu ?

— J'étais en train de me demander à quoi *tu* pensais, dis-je en souriant.

— On doit parler de trucs importants, répond-elle calmement. Tu te souviens ?

— Encore ? Je pensais que le « je t'aime » réglait tout. Qu'est-ce qu'il reste à dire ?

Elle monte sur la pointe des pieds pour m'embrasser.

— Tu m'aimes ?

— Oui.

— Et tu es libre ce soir ?

Je la caresse de ma main libre.

— Tu n'as pas envie de parler maintenant, pendant que tu te prépares ?

Elle secoue la tête et effleure mes lèvres à cause du mouvement.

— Ce soir.

Avec un sourire, elle s'écarte et s'éloigne en direction de sa chambre.

Il y a une pile de courrier sur le comptoir, un album de coloriage Harry Potter et un ticket de caisse sur des pièces de monnaie. Trois lettres attirent mon attention.

TGP

Je ne comprends pas tout de suite, mais ces lettres évoquent quelque chose. Distrait, je me penche pour lire la ligne.

TGP Clearblue… 5@ 8,99 €

Des tests de grossesse ? Hazel les a-t-elle achetés pour Emily ? La perplexité me gagne, mais mon cœur commence à tambouriner tambouriner tambouriner dans ma poitrine lorsque la ligne de dominos dégringole. Le sang hier soir. La panique d'Hazel. Les trucs importants dont on doit discuter ce soir.

Mon regard est attiré par une photo sous ses clés. Je n'en ai jamais eu une en main, mais je sais de quoi il s'agit.

Lorsque je saisis la photo de l'échographie, je sais déjà ce que je vais y voir, mais j'en ai quand même le souffle coupé.

Bradford, Hazel
12 novembre
9 semaines 3 jours

Et au centre même de la photo, un corps rond, une tête, deux petits bourgeons à la place des bras, deux petits bourgeons à la place des jambes.

Mes propres jambes manquent se dérober sous mes pieds, je m'affale sur le tabouret de bar en fixant la photo que je tiens à la main. Je sais qu'Hazel n'a couché avec personne en dehors de moi depuis… eh bien, longtemps. Et le premier soir où nous avons couché ensemble — ivres, par terre, *je pourrais être amoureuse de toi* — c'était il y a deux mois.

Emily n'est pas enceinte, c'est *Hazel* qui l'est. Elle est enceinte depuis tout ce temps et nous n'en avions pas la moindre idée.

Je me lève sur des jambes flageolantes et replace la photo sous ses clés, en regardant en direction du plafond. Ce n'est pas de la panique. Ni de la frayeur. C'est le choc — oui, c'est clairement une surprise — mais… Je ferme les yeux et je vois tout si clairement. Je vois Hazel enceinte. Je vois ce que je sentirais en me couchant à côté d'elle, en posant mon oreille sur son ventre pour l'écouter. Je vois mes parents perdre la tête. Emily perdre la tête avec les cadeaux. À cet instant, avec toutes ces pensées qui se déchaînent dans mon esprit, j'ai le tournis. Et je comprends complètement la panique d'Hazel hier soir.

Bordel de merde, elle *saignait*.

Je m'approche d'elle tandis qu'elle se brosse les cheveux, et pose mes mains tremblantes sur ses hanches.

— Salut, toi.

Elle se laisse aller contre moi, puis se tourne dans mes bras pour m'embrasser.

Le choc a laissé un goût métallique dans ma bouche, m'a abruti, me donnant l'impression que ce ne sont pas mes mains.

— Je veux t'accompagner ce matin.

La confusion se peint sur son visage.

— À l'école ?

— Chez le médecin.

Elle secoue la tête.

— Ce n'est pas nécessaire. Je sais que tu as une matinée chargée, toi aussi. C'est juste un examen de routi…

— J'ai envie d'être à tes côtés.

Je pense que les mots que j'ai choisis la mettent sur la piste, parce que lorsque ses yeux rencontrent les miens, elle y cherche une confirmation. Elle monte sur la pointe des pieds pour prendre mon visage entre ses mains, sans cesser de me regarder.

— Tu ne penses pas que je devrais être avec toi ?

Elle déglutit, le regard coupable.

— Tu sais ?

— L'échographie était sur le comptoir.

Son visage blêmit lorsqu'elle entend ces mots. Ma réaction, dans ma poitrine, est douloureuse. Comme si on venait de me frapper. Je l'attire contre moi en l'enlaçant étroitement lorsqu'elle se laisse aller dans mes bras.

– Tout va bien, Haze.

Elle sanglote dans mon cou.

– Je m'en suis rendu compte lundi.

Il y a deux jours. Voilà ce qu'Emily faisait… Elle accompagnait Hazel chez le médecin.

– J'ai vu les tests chez Em. En réalité, je pensais qu'*elle* était enceinte.

Lorsqu'elle pose ses mains dans mon dos, elles tremblent.

– J'allais te le dire.

– Je sais.

Son sanglot ricoche en moi.

– Je voulais que ce soit un moment de joie.

– Il n'y a aucune raison que ce ne le soit pas. On doit juste s'assurer que tu ailles bien.

– Ils ont dit que le saignement pouvait être normal mais… j'ai tellement peur que quelque chose soit arrivé. (Un autre sanglot brise sa voix sur le dernier mot.) Je suis déjà amoureuse de ce petit monstre et j'ai tellement peur, Josh.

J'ai à peine eu le temps de digérer ce qui est en train de se passer, mais la panique semble déjà anéantir ma capacité à formuler des phrases compréhensibles.

– Quoi qu'il arrive, on le gérera, d'accord ? (Je marque une pause, terrifié à l'idée de ce qu'elle va me répondre.) Tu saignes encore ?

– Un peu.

Mon cœur tressaille dans ma poitrine, je resserre mon étreinte, en voyant mon reflet dans le miroir. Je ne me ressemble pas. Mes cheveux sont emmêlés, mes yeux écarquillés, injectés de sang. Ma bouche forme une moue sévère, les battements de mon cœur résonnent dans ma gorge.

~

À côté de moi, les genoux d'Hazel tressautent. Je pose une main rassurante sur sa jambe.

— J'ai envie de me ronger tous les ongles, murmure-t-elle.

Ses yeux sont fixés sur l'aquarelle qui décore le mur de la salle d'attente, qui nous fait face : un bouquet de fleurs des plus banales.

Je lui prends la main, d'autorité. J'ai le cœur au bord des lèvres : nous avons tous les deux besoin de soutien.

Tomber amoureux, être aimé en retour. La réalité de notre relation suffit, en soi, pour que mon souffle se coupe, devienne brûlant dans ma poitrine. Et être ici, avec une échographie à la main... ça me fait tourner la tête.

Mais il s'agit d'Hazel. Nous sommes tellement forts à cet instant, quoi qu'il advienne derrière la large porte blanche qui mène aux salles d'examen. Est-il étrange que j'ai l'impression d'avoir su depuis des années que nous en arriverions là ? Ou est-ce le recul qui offre l'explication la plus évidente à une série de coïncidences ?

Je serre sa main dans la mienne et elle lève les yeux vers moi, tendue.

— Tu sais, dis-je en lui souriant de la manière la plus convaincante possible, quoi qu'il arrive, tout ira bien.

— J'ai toujours su que je voulais des enfants, mais je ne pense pas avoir réalisé à quel point je le désirais avant que ça n'arrive, me répond-elle, d'une voix angoissée.

— On n'en aura peut-être pas *dix-sept*, mais on y parviendra.

Elle éclate de rire.

— Je saurai te convaincre.

— Tu n'arriveras jamais à me convaincre d'avoir dix-sept enfants.

Elle grogne en entendant ma réponse, donc j'ajoute, dans un esprit de compromis :

— Mais que dis-tu de ça : après le rendez-vous, on ira manger un milk-shake.

— Promis ?

— Promis.

— À la cerise, dit-elle. Non, attends. Cookies and cream.

— Un de chaque.

Finalement, j'obtiens un vrai sourire d'Hazel.

— Tu sais ce que je n'arrête pas de me répéter dans ma tête ?

— Quoi ?

— « J'aime Josh Im plus que tout au monde. » (Elle se mord la lèvre.) Ne le dis pas à Winnie.

Je me penche et pose mes lèvres sur les siennes. Contre ma bouche, sa bouche est douce, légèrement tremblante. J'incline la tête et ma main remonte dans son cou, je sens les battements frénétiques de son cœur sous mes doigts. Je pourrais me perdre dans la manière dont elle se love contre moi, je pourrais me noyer dans le bonheur de la sentir si proche. Mais soudain, la large porte s'ouvre, et on appelle son nom.

ÉPILOGUE

Lorsqu'Hazel descend les marches du porche en sautillant, elle porte des collants orange, une minijupe noire et un débardeur violet. Ses cheveux sont cachés sous un énorme chapeau de sorcière qui tressaute à chaque pas. Dans la lumière du porche, elle semble rayonnante.

Je jette un coup d'œil à ma tenue – chemise noire, jean, baskets – puis la regarde à nouveau et lui lance :

– J'ai comme l'impression d'avoir loupé un texto important aujourd'hui.

– Il y avait des soldes chez Target sur les déguisements d'Halloween.

– Mais c'est dans un mois.

Elle hausse les épaules et s'approche de l'endroit où je suis appuyé contre la voiture, pour passer ses bras autour de mon cou.

– Je me mets juste dans l'ambiance.

Je l'embrasse sur les lèvres.

– Parce que, sinon, ce serait compliqué pour toi, n'est-ce pas ?

— M'emmènerais-tu par hasard dans un endroit style Halloween?

Chaque vendredi, nous sortons tous les deux, et ce soir, c'est à mon tour de prévoir le programme. La semaine dernière, Hazel m'a entraîné dans un lieu où nous avons peint des autoportraits avec nos mains et nos pieds, puis nous avons pique-niqué installés dans le coffre de ma voiture. Les soirées qui m'incombent tendent à être un peu plus classiques.

— Juste un dîner. Un nouveau restaurant de ramen a ouvert près de chez Emily et Dave. J'ai pensé qu'on pourrait le tester.

Après une petite interprétation de *Running Man*[14] sur le trottoir, Hazel s'installe sur le siège passager. Elle me prend la main quand je me mets au volant et m'apprête à quitter ma place de stationnement, et de sa main libre, elle monte le son de la radio, en chantant sur la chanson — faux, fort, joyeusement.

— Attends, dit-elle en me regardant, avant d'éclater de rire. C'est Metallica.

Je hoche la tête.

— Ça me rappelle le pire concert de l'histoire.

Elle fait mine de crier.

— À quoi pensais-je? Tyler!

— Je ne vois pas ce que tu veux dire.

— Je voulais que tu viennes chez moi pour me dire «je t'aime Hazel Bradford, sois mienne pour toujours, à jamais, s'il te plaît».

— C'est ce que j'ai fait.

---

14. Dans ce film d'action américain (Paul Michael Glaser, 1987), un policier évadé de prison est remarqué par un animateur de télévision qui veut l'engager pour une émission télévisée dans laquelle un homme doit échapper à des tueurs lancés à ses trousses afin d'être libéré de prison.

Elle acquiesce vigoureusement.

– Oui.

Au feu rouge, elle se penche pour m'embrasser. Un petit baiser qui devient un baiser plus profond, avec la langue, des gémissements, des halètements de sa part et de la mienne. Quand le feu passe au vert, elle ne me laisse pas me concentrer sur la route, très vite, elle déboutonne mon jean, me mordille le lobe de l'oreille en grognant.

Au lieu d'aller manger un ramen, nous prenons le chemin de mon ancienne maison – vide, entre deux locataires – et retournons à nos racines : faire l'amour par terre.

~

Les lumières de notre maison sont éteintes lorsque nous arrivons, en évitant la marche qui craque et en nous arrêtant devant la porte. Hazel – décoiffée, le débardeur de travers, ses sous-vêtements dans sa poche – fouille dans son sac pour trouver sa clé avant de la glisser dans la serrure et d'ouvrir la porte.

Umma nous accueille dans l'entrée, avec son petit sourire calme.

Je demande :

– Tout va bien ?

Elle acquiesce, monte sur la pointe des pieds pour nous embrasser sur les deux joues avant de s'éloigner en direction de l'aile de la maison qu'elle partage avec Appa.

Hazel se retourne et me sourit dans l'obscurité.

– Même après ce burger plein de graisse, je meurs de faim.

— Tu veux que je te prépare quelque chose ?

Elle secoue la tête, esquisse une petite danse avant de disparaître dans le couloir.

Je vide mon portefeuille et laisse mes clés près de l'entrée, en retirant mes chaussures. J'entends des voix dans l'une des chambres, et suis le bruit, passant la tête dans l'embrasure de la porte menant à la tanière faiblement éclairée de Miles, surpris de le trouver encore réveillé. Hazel est assise au bout de son lit, elle a apparemment oublié d'avoir faim depuis qu'elle lui effleure les cheveux.

— Halmeoni m'a obligé à prendre un bain, murmure-t-il de sa voix indignée d'enfant de trois ans.

— C'est bien, lui répond Hazel. Tu étais tout collant.

— Et Jia lui a dit que j'avais mangé le dernier ours en gélatine.

Je m'assois à côté de ma femme tandis qu'elle lui demande :

— Est-ce vrai ?

— Oui, mais elle en avait mangé sept avant, et moi seulement deux !

Hazel se penche pour embrasser Miles sur le front.

— Les grandes sœurs sont comme ça parfois. Dors, mon bébé.

Il obéit, roule sur le côté et ferme immédiatement les yeux. Je m'attarde pour le contempler. Tout le monde dit qu'il me ressemble comme deux gouttes d'eau. Hazel se lève avec un sourire, en ramassant la pile de costumes par terre — Mulan, Tiana et Ariel sont ses préférés.

Nous sommes d'accord pour dire qu'à l'intérieur, c'est tout Hazel.

~

Samedi matin, Miles court sur la colline en chancelant. Aujourd'hui, il s'est déguisé en Elsa – en dehors de ses santiags rouges – avec une perruque Disney qu'il adore, voletant derrière lui tandis qu'il court.

À côté de moi, sa sœur Jia le regarde, les yeux plissés, tout en léchant consciencieusement son cône de glace.

– Il va tomber.

Je hoche la tête.

– Peut-être.

– Appa. (Elle pose ses yeux de biche sur moi.) Dis-lui de faire attention.

Je la rassure.

– Il court dans l'herbe, ça ira.

Dubitative, elle se lève et crie à son petit frère :

– *Namdongsaeng !*

C'est au moment où elle l'interpelle qu'il trébuche sur une botte et roule sur la pelouse. Il se relève en riant :

– Noona, tu m'as vu ?

– Je t'ai vu. (En retenant un sourire, Jia se rassoit. Elle me regarde en secouant la tête d'un air dramatique.) Il est fou, Appa.

Elle ressemble beaucoup à sa mère.

Nous sommes d'accord pour dire qu'à l'intérieur, c'est tout moi.

Hazel remonte la colline en portant un plateau de cafés et de chocolats chauds d'une main, avant de prendre celle de Miles dans l'autre. Elle parvient à courir avec lui, pour gravir la colline vers nous sans rien renverser. Quand elle s'approche, je lui prends le plateau des mains – autant éviter qu'elle continue à tenter le diable.

— Mama, tu m'as acheté un chocolat chaud ? demande Jia.

Hazel se penche et la prend dans ses bras sur le banc, pour l'embrasser avant de tournoyer sur elle-même. Jia glousse joyeusement, ma pression sanguine augmente.

— Oui, dit Hazel, et j'ai même demandé un supplément chantilly.

— Haze, fais-je doucement. Attention.

Elle est enceinte de presque sept mois, et on dirait que depuis le premier bébé, elle a toujours plus d'énergie.

Elle me sourit d'un air indulgent, en reposant Jia par terre, et notre fille entoure la taille de sa mère de ses bras. Elle embrasse le ventre d'Hazel.

— Mama, raconte-moi la fois où j'étais dans ton ventre.

Hazel me jette un coup d'œil et se laisse tomber en tailleur sur l'herbe.

— Mama a découvert qu'elle allait avoir un bébé. Appa et elle étaient tellement *heureux*.

Elle prend le visage de Jia entre ses mains, se penche pour l'embrasser sur le nez et — pour ne pas se sentir exclu — Miles monte sur les genoux d'Hazel.

Elle écarte ses cheveux de son visage en parlant à Jia.

— Mais j'ai appris que je devais être très sage et faire très attention pendant un petit moment. (Elle baisse la voix pour chuchoter.) Mama n'est pas très forte pour être sage et faire attention, n'est-ce pas ?

Jia secoue la tête d'un air très sérieux.

— Mais *toi*, oui, murmure Hazel. N'est-ce pas ?

Ma fille acquiesce avec un sourire de fierté.

— Tu as appris à Mama à être sage et calme, et à faire attention. Et donc je l'ai fait, parce que tu m'as montré comment faire, et grâce à ça, tout s'est bien passé.

— Moi, maintenant ! rugit Miles.

— *Toi*, mon petit monstre qui gigote dans tous les sens, dit Hazel, tu ne savais pas être calme, sage ou immobile. Mais ce n'était pas grave parce que Jia avait aussi aidé le corps de Mama à apprendre comment porter un bébé à l'intérieur, donc on pouvait faire autant de bêtises qu'on voulait tous les jours !

— Merci, Noona !

Miles descend des genoux d'Hazel pour se jeter sur sa sœur.

Ils se chamaillent gentiment sur l'herbe, entortillés dans la robe de Miles, oubliant les chocolats chauds.

Une main remonte sur mon genou, le tapote, et j'aide Hazel à se lever, en la prenant dans mes bras.

— Tu es sûre d'être prête pour le suivant ?

— Pas de retour en arrière possible maintenant. Presque trois de faits. Plus que quatorze.

— Rêve toujours, Bradford.

Elle monte sur la pointe des pieds pour m'embrasser, les yeux ouverts, les lèvres posées sur les miennes.

Je suis un optimiste : j'ai toujours pensé que j'aurais une belle vie. Mais avoir imaginé quelque chose comme ça m'aurait donné l'impression d'être extrêmement égoïste.

— Parfois, j'imagine remonter dans le temps, dit-elle en lisant dans mes pensées, et me chuchoter à l'oreille que je finirai ici. Avec Josh Im.

— Tu y croirais ?

Elle éclate de rire.

— *Non*.

Je ne peux pas la serrer contre moi autant que je le voudrais, torse contre poitrine, cuisses contre cuisses, donc je me contente de plonger les doigts dans son chignon, avant de tirer sur l'élastique pour que ses cheveux retombent sur ses épaules. Sa respiration s'entrecoupe —.je pense à l'expression avide et possessive de mon visage. Elle a l'air tout échevelée, elle aussi : les joues roses à cause du vent, ses yeux ambre scintillant.

— Je pensais que c'était ton plan depuis le début, dis-je en l'embrassant.

— Dans mes rêves.

Je contemple Jia et Miles. Jia retire l'herbe de la jupe de son frère et l'aide à remettre sa perruque en place. Dès qu'elle a terminé, il détale en direction de la colline, sous le regard protecteur de sa sœur.

— Eh bien, fais-je, *je* suis à peu près sûr que si quelqu'un remontait dans le temps pour me dire que je finirai avec Hazel Bradford, ça me semblerait assez fou pour être vrai.

REMERCIEMENTS

Certains personnages demandent du temps pour être créés, alors que d'autres s'imposent sur la page. Ils existent déjà et attendent impatiemment que nous commencions à taper sur nos claviers. Ce fut la deuxième option pour Josh et Hazel. Peu de gens ont la chance de s'épanouir autant dans leur travail, mais c'est ce que ce livre a été pour nous : un divertissement aussi pur que total. Nous avons tellement de chance.

Derrière chaque livre se cache une équipe entière de gens qui lui permettent d'exister. Notre éditeur Adam Wilson est tout aussi essentiel à nos livres que nous. Il nous aide à trouver ce qui manque et ajoute du sel à ce que nous avons déjà écrit. Notre agent Holly Root est miraculeuse, sérieusement. Merci d'être toujours là pour calmer nos angoisses et célébrer nos réussites avec nous. Tu es notre roc. Kristin Dwyer, notre lune, nos étoiles et notre licorne magique dans le corps d'une attachée de presse, nous serions perdues sans toi. Tu es tellement douée.

Simon & Schuster/Gallery Books est notre maison d'édition depuis le temps où nous étions des bébés auteures débutantes. Merci à Carolyn Reidy, Jen Bergstrom, Diana Velasquez, Abby Zidle, Mackenzie Hickey, Laura Waters, Hannah Payne et Theresa Dooley (tu nous manques). Merci, John Vairo et Lisa Litwack, pour les couvertures qui nous font sourire chaque fois que nous les voyons. L'incroyable équipe de ventes de S&S place nos livres dans les librairies, et dans les mains de nos merveilleux lecteurs.

Merci, Erin Service, d'être notre soutien le plus constant et la paire d'yeux la plus attentive et Marion Archer, pour tes lectures attentionnées et toute la tendresse que tu mets dans tes commentaires.

Merci à tous nos lecteurs, aux blogueurs et Instagrammeurs et Booktubeurs qui ont choisi nos livres ou nous ont recommandées à quelqu'un. Nous avons tellement ri en écrivant ce livre et nous espérons que ce sentiment sera communicatif à chaque page.

Nous dédions ce livre à Jen Lum, Katie et David Lee parce qu'ils sont MERVEILLEUX. Nous ne pouvons pas décemment faire irruption sous leurs porches et les remercier en personne, mais nous n'hésiterions pas si ça ne nous donnait pas l'air si louche. Merci, Jen, Katie et David, d'avoir partagé vos vies et vos histoires, de nous avoir aidées à donner du corps à Josh et à sa famille. Nous vous en sommes infiniment reconnaissantes.

À nos familles ! Vous êtes la raison pour laquelle nous sourions, également la raison pour laquelle nous buvons aussi parfois du vin à la bouteille. Merci de supporter nos cerveaux obsédés par les délais et nos textos incessants. Nous vous aimons.

À PQ, je suis tellement fière de toi. L'écriture de ce livre fait partie de nos meilleurs moments, et je ne me lasse pas de rire avec toi, chaque fois que nous le parcourons. Je t'aime !

À ma Lolo, quand nous avons commencé à écrire ensemble, c'était en gros pour nous faire rire, nous pâmer ou rougir. Neuf ans plus tard, ça n'a pas changé. Merci d'être aussi patiente, tandis que je cherche ma voix, et de m'aimer dans tous les cas. Je remercie tous les jours l'univers depuis qu'un vampire scintillant t'a fait entrer dans ma vie. Et parce que tu n'as toujours pas réussi à t'échapper. Je t'aime.

DÉCOUVREZ LES AUTRES TITRES DE LA COLLECTION HUGO NEW ROMANCE®

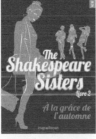
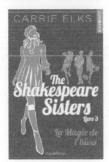
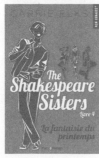
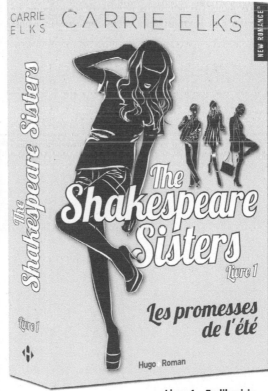

GAÏA ALEXIA

le MARCHAND de SABLE

SAISON 1

En librairie
le 29 mai 2019

SAISON 2

En librairie
le 27 juin 2019

Hugo Roman

MEGHAN MARCH

MOUNT SÉRIE

TOME II
6 JUIN

TOME III
4 JUILLET

TOME I

Hugo ✦ Roman

ELLE KENNEDY

BRIAR
UNIVERSITÉ

**SAISON 2
JUILLET**

**SAISON 3
SEPTEMBRE**

Hugo • Roman

hugonewromance

www.festivalnewromance.fr
www.hugoetcie.fr

Fyctia

DES MILLIERS DE SÉRIES NEW ROMANCE DISPONIBLES GRATUITEMENT !

+ 20.000 SÉRIES ACCESSIBLES GRATUITEMENT

LA POSSIBILITÉ D'ÊTRE REPÉRÉ ET ÉDITÉ

LA PLATEFORME DE BEST-SELLERS :
ADOPTED LOVE, LE CONTRAT, MAKE ME BAD

APPLICATION DISPONIBLE SUR ET
WWW.FYCTIA.COM